O Mahabharata

O Mahabharata

O CLÁSSICO POEMA ÉPICO INDIANO RECONTADO EM PROSA POR WILLIAM BUCK

Tradução
CARLOS AFONSO MALFERRARI

Editora
Cultrix
SÃO PAULO

Título do original: *Mahabharata.*

Publicado pela primeira vez por University of California Press, Berkeley e Los Angeles.

1ª edição 1988.
2ª edição 2014.
6ª reimpressão 2025..

Revisão: Iraci Miyuki Kishi

Diagramação: Ponto Inicial Estúdio Gráfico

CIP-BRASIL. CATALOGAÇÃO NA PUBLICAÇÃO
SINDICATO NACIONAL DOS EDITORES DE LIVROS, RJ

B936m

Buck, William

O Mahabharata: o clássico poema épico indiano recontado em prosa por Willian Buck / William Buck ; tradução Carlos Afonso Malferrari. - 2. ed. - São Paulo : Cultrix, 2014.

368 p. : il. ; 23 cm.

Tradução de: Mahabharata
ISBN 978-85-316-1271-8

1. Mahabharata - Adaptações. 2. Hinduísmo - Ficção. I. Título.

14-10650 CDD: 294.5
CDU: 23

Direitos de tradução para a língua portuguesa adquiridos com exclusividade pela
EDITORA PENSAMENTO-CULTRIX LTDA., que se reserva a
propriedade literária desta tradução.
Rua Dr. Mário Vicente, 368 - 04270-000 - São Paulo - SP
Fone: (11) 2066-9000
E-mail: atendimento@editoracultrix.com.br
http://www.editoracultrix.com.br
Foi feito o depósito legal.

“Eis que os amantes relembram antigas carícias e antigas devoções e muitos gestos de ternura abandonados por negligência. Pois, como o inverno faz esquecer, apagar e desfigurar o vicejante verão, assim é também o instável amor no homem e na mulher. Porque em muitos não há constância; pois todos os dias, por uma lufada de esquecimento invernal, logo toldamos e rompemos o verdadeiro amor, que muito custou a se formar, por pouco ou nada. Isso não é sabedoria, nem constância, mas fraqueza moral e grande desonra.”

Morte Darthur

Sumário

Segunda parte

Terceira parte

PREFÁCIO

Em 1955, William Buck descobriu uma primorosa edição do século XIX de *O Cântico Sagrado do Senhor*, o *Bhagavad-Gita do Senhor Krishna*, numa biblioteca pública de Carson City, Nevada. Imediatamente fascinado, mergulhou num estudo de literatura indiana que resultou nesta versão do *Mahabharata*, em uma do *Ramayana* e num manuscrito incompleto do *Harivamsa* — incompleto por causa da morte de Buck em 1970, aos 37 anos.

Sua descoberta do *Bhagavad-Gita* levou-o a ler o *Mahabharata*, e ele não se satisfaria com nada aquém de uma tradução completa, uma coleção de onze volumes que estava então sendo reimpressa na Índia. Sua determinação era tal que ele subsidiou a publicação quando se tornou evidente que o editor carecia de fundos suficientes para completar a tarefa.

No meio da leitura do terceiro volume, Buck decidiu que o *Mahabharata* deveria ser reescrito para o público contemporâneo. Em suas palavras: "O *Mahabharata* continha cerca de cinco mil páginas; o *Ramayana* era bem mais curto. Quando li essas traduções pensei em como seria bom contar a história de maneira que não fosse tão difícil lê-la. Falamos sobre todas as repetições e digressões dos originais, mas ao ler toda aquela prosa impossível e sem fim, percebe-se que um caráter bem definido é atribuído a cada personagem da história, e as terras e as épocas são mostradas muito claramente. Eu queria transferir essa história para um livro que se pudesse ler".

Com isso em vista, William Buck deu início aos vários anos que passaria lendo e relendo as traduções, estudando o sânscrito, planejando e escrevendo. Uma de suas abordagens dessa tarefa foi decifrar todos os rebuscados epítetos de heróis e deuses, reis e princesas, no texto original, usados frequentemente em lugar dos nomes. Dessas qualidades associadas às personagens, Buck compilou listas. Posteriormente, utilizou em sua versão os adjetivos entremeados com descrições, a fim de preservar o clima e o significado maior das personagens. Além disso, leu todas as traduções e versões dos dois grandes épicos existentes em inglês, sobre as quais ele comentou: "Jamais li uma versão em inglês de qualquer das histórias que não fosse um mero esboço, ou que não estivesse incompleta, com exceção de duas traduções literais". Ele se manteve sempre ciente de que os épicos eram originalmente cantados, de modo que ler em voz alta, tanto as traduções originais como a sua própria obra, tornou-se parte da rotina de vida da família Buck. Mas a redação propriamente dita foi feita em reclusão, por muitas horas a fio de cada vez, e somente os capítulos concluídos eram apresentados à família.

No decorrer do seu trabalho, William Buck passou a amar as personagens dos épicos, sobretudo Krishna. Encantou-se, também, com a amizade entre este e Arjuna, cujos laços através dos tempos Krishna recordava perfeitamente em todas as encarnações, embora fossem obscuros para Arjuna. Esse era um tema que Buck pretendia ampliar em seu *Harivamsa*. Tinha ainda grande respeito por Duryodhana e sentia que sem uma compreensão dessa personagem ninguém chegaria ao significado da história "da Vida".

A visão que Buck tinha de sua tarefa manteve-se firme; uma forma equilibrada permaneceu em sua mente com grande nitidez enquanto trabalhava. Ele disse: "Sempre está evidente qual é exatamente o encadeamento da história – a grande história que foi contada no Sacrifício dos Cavalos – e o que são interpolações posteriores. A obra é repleta de pregações, tratados de interesse específico, doutrinas de sistemas de castas que só surgiram mais tarde, longas passagens de dogmas teológicos, tudo apresentado em blocos que servem apenas para retardar a história". Sua grande meta era apresentar as narrativas de tal forma que o leitor moderno não se sentisse desencorajado a conhecer e amar os contos como ele mesmo os amou. Buck quis transmitir o espírito, a verdade dos épicos.

Respondendo a um crítico dos seus manuscritos, ele disse: "Efetuei muitas mudanças e combinações em ambos os livros, mas gostaria que estes fossem considerados como as histórias que realmente são, e não como exemplos de eruditismos tecnicamente precisos, o que, como eu já disse, não são. Eu estaria mais do que disposto a fazer qualquer modificação que aperfeiçoasse a estrutura interna dos livros, mas não gostaria de alterar nada para que se conformasse à 'verdadeira história', seja em detalhes da narrativa ou, mais sutilmente, em algumas passagens em que conferi às pessoas características que admiramos hoje e que a tornam uma história que podemos ler hoje. Uma coisa, no entanto, é verdadeira: ao ler os contos, capta-se o verdadeiro espírito do original; e se isso o cativou, é tudo o que quero". E para um amigo: "Além do tamanho, alterei o meu *Mahabharata* em algumas pequenas passagens com relação ao original. Consegui tirar dele uma boa história, mas o que irá um professor pensar sobre o seu uso ou sobre a sua fidelidade em termos acadêmicos? Ainda assim, se você o ler, terá conhecido o *Mahabharata*".

Esta era a sua meta: tornar possível ao leitor moderno conhecer o *Mahabharata* de uma maneira significativa em termos de vida contemporânea, bem como em termos das suas origens. Sobre o manuscrito final, Buck escreveu: "Meu método, ao escrever o *Mahabharata* e o *Ramayana*, foi partir de uma tradução literal da qual extraí a história e depois relatar essa história de uma maneira interessante e que preservasse o espírito e o sabor do original. O *Mahabharata* em particular é o caso de uma boa narrativa perdida em meio a um jardim demasiadamente viçoso de digressões, interrupções e de não poucos sermões. Minha motivação foi, portanto, a de um contador de lendas. Não estou querendo provar nada e efetuei minhas próprias modificações a fim de contar melhor a história. Eis aqui duas histórias simplesmente à espera de que as pessoas as leiam. Escrevi os livros com base nos versos das canções de outrora. Procurei torná-los interessantes. Não creio que alguém venha a encontrar muitos outros livros como estes".

PREFÁCIO À EDIÇÃO BRASILEIRA

"A crise da sociedade moderna está no fato de os jovens não mais se sentirem heróis nas ações condicionadas pelo projeto de sua cultura."

Ernest Becker, *A Negação da Morte*

S*e não está no Mahabharata, não está em nenhum lugar.* Para os hindus, como lembra Heinrich Zimmer, essa afirmação tem a força de um dogma. Renovada geração após geração, a crença inabalável de que *tudo* está nessa formidável epopeia de cem mil versos, oito vezes mais extensa que a *Ilíada* e a *Odisseia* reunidas, trouxe como consequência histórica sua identificação com o humo cultural de um povo de maneira tão profunda, que ele não pode ser *pensado* sem que a saga do *Mahabharata* e, em menor escala, a do *Ramayana* estejam presentes. William Buck tinha pouco mais de 20 anos quando descobriu a literatura hindu – e, a partir de então, penetrar na sua mais íntima essência transformou-se em projeto de vida. O leitor brasileiro tem agora o privilégio de compartilhar esse projeto, a não ser que receie abandonar a planície da qual acontecimentos imprevisíveis roubaram todas as possibilidades de espanto.

Uma das mais fascinantes narrativas que o homem escreveu de si próprio, o *Mahabharata* é matéria e memória de um tempo em que o heroísmo coletivo era não apenas celebração da transcendência, mas rico de autoconhecimento: a vitória do guerreiro e sua derrota simbolizam marcos no áspero caminho em busca de si próprio ou da individualização, como define Jung, a mais necessária das experiências humanas. Mas é óbvio que essa "grande narrativa sobre os descendentes do príncipe Bharata" (*Maha-Bharata*) tem, como todos os textos escritos no limiar da História, uma riquíssima polivalência simbólica, servindo de cadinho onde poesia, religião e metafísica se fundem e se confundem, flagrando aquilo que Octavio Paz chama de "situação humana original, o estarmos aí, o nos sabermos atirados neste aí que é o mundo hostil ou indiferente".

Da conquista da Índia pelos arianos, com a floração de impérios gigantescos e opulentos, resultou a mais antiga elegia do herói, em escala épica – que se conhece: o *Mahabharata* é narração da guerra, não apenas como luta sanguinária entre duas linhagens dos Bharatas, mas berço do nascimento do mito do herói. E a maneira como os guerreiros eram exaltados pode ser avaliada nesta descrição que Edouard Schuré pinçou das leis de Manu: "Esses senhores do mundo que, entregues ao combate, exercem seu vigor na batalha, sem jamais deixar de encará-la de frente, sobem diretamente para o céu depois de sua morte". A deificação do guerreiro, e não a do "homem comum", aponta para a vida iniciática da guerra e a purificação que ela representa. O *Mahabharata* é a mais impressionante narrativa dessa iniciação que o Oriente nos legou, embora seja inútil, como lembra Mircea Eliade, acreditar que se possa reconstituir a forma primitiva do poema que ele define, citando Georges Dumézil, como a "transposição épica de uma crise escatológica".

Escatologia ou o destino derradeiro da história humana. Não é esse o mais legítimo *problema* de todo o pensamento filosófico e religioso? A resposta está no fato de que a crença no tempo cíclico, a História eternamente recomeçando, é uma constante nas culturas religiosas do Ocidente e do Oriente. Nessa transcrição do *Mahabharata*, porém, William Buck reveste o escatológico com requintadíssima roupagem poética – e o resultado é um texto embebido naquele gênero de metáfora que faz das palavras meros veículos para alcançarmos o reino mágico onde a cópula mística entre silêncio e indizível nos resgata da banalidade do cotidiano.

Que o leitor assista agora, conduzido por William Buck – que o fascínio pelo *Mahabharata* transformou no duplo de Vyasa –, aos embates entre os Curavas e os Pandavas. A *vitória* (palavra certamente imprópria no contexto escatológico) dos primeiros, ou da dinastia lunar sobre a solar, pode significar, numa leitura apressada, apenas a derrota do bem pelo mal, da pura tradição védico-ariana pelos baixos instintos. O *Mahabharata* é isso – e muito mais do que isso. É, como observa Mircea Eliade, a ressurgência de um mundo novo e puro simbolizado pela ressurreição de Yudhisthira. É, enfim, o painel sem retoques daquilo que a natureza humana tem de profundamente seu: fazer do heroísmo ponte para a transcendência e, da esperança, os pilares dessa ponte. E heróis são os que ganham e perdem, importando apenas o gesto sempre renovado de rebeldia, este que faz do homem – estranho privilégio! – o único animal que questiona a sua condição.

OM TAT SAT

J. C. Ismael
São Paulo, outono de 1988.

Introdução

B. A. van Nooten

O *Mahabharata* é um épico indiano, em sânscrito no original, provavelmente o maior já escrito. Ao lado de um outro épico, o *Ramayana*, corporifica a essência da herança cultural da Índia. William Buck, um jovem americano cuja morte prematura, aos 37 anos, ocorreu poucos meses após ele haver entregue os manuscritos de ambos os épicos para a University of California Press, em Berkeley, recontou esses clássicos, como muitos poetas já fizeram, numa linguagem e numa extensão que os tornam acessíveis ao leitor contemporâneo.

O *Mahabharata* é a história de uma disputa dinástica que culmina numa aterradora batalha entre dois ramos de uma mesma família dirigente indiana. O relato da luta entre os Kurus e os Pandavas pelas terras férteis e ricas da confluência dos rios Ganges e Yamuna, perto de Délhi, é realçado por histórias paralelas que fornecem uma base social, moral e cosmológica para o clímax da batalha.

Não sabemos ao certo quando ocorreu essa batalha. O *Mahabharata* foi sendo composto durante um período de cerca de quatrocentos anos, entre o segundo século antes de Cristo e o segundo século depois de Cristo, quando esse confronto já era um acontecimento legendário, preservado em contos folclóricos e nos registros marciais das tribos dominantes. Segundo o calendário indiano, teria ocorrido no ano 3102 a.C., o início da Era do Infortúnio, a Kaliyuga; mas indícios mais objetivos, ainda que escassos e obtidos apenas por inferência, apontam para uma data mais próxima a 1400 a.C.

Naqueles tempos, as tribos arianas que invadiram a Índia, vindas dos planaltos iranianos, haviam apenas começado a se instalar. A região compreendida entre o Paquistão, a oeste, Bihar, a leste, e o planalto de Decã, ao sul, era ocupada por essas tribos, cujos nomes são mencionados com frequência em registros muito mais antigos que o *Mahabharata*. Tais comunidades tribais variavam de tamanho, e cada uma era governada pelas "famílias proeminentes" (mahakulas), das quais um nobre era consagrado rei. Os reis viviam em permanente confronto, e era comum estarem empenhados em guerra contra as outras tribos. Seus conflitos, às vezes, eram questões prolongadas, às vezes não passavam de roubo de gado.

Foi nesse contexto que se deu a guerra dos Bharatas. Os Kurus eram uma tribo antiga que havia governado toda a região das cabeceiras do rio Yamuna. Os Pandus, ou Pandavas, eram um clã emergente que habitava Indraprastha, cerca de 100 quilômetros a sudoeste da capital dos Kurus, Hastinapura. De acordo com o *Mahabharata*, os novos aristocratas foram convidados à corte da antiga e nobre casa de Kuru para uma disputa de dados. Lá, foram enganados: primeiro foram despojados do seu reino e depois astuciosamente induzidos a não reagir por doze anos. No décimo terceiro ano buscaram refúgio na corte de Matsyas, onde se aliaram aos vizinhos dos Kurus a leste e ao sul, aos Panchalas. Juntos, num enorme exército, marcharam para Hastinapura, e foram confrontados em Kurukshetra, a planície dos Kurus, onde estes e seus aliados acabaram derrotados.

Num esboço rudimentar, essa é a história que o bardo canta. Mas o autor do *Mahabharata* retratou as ações dos guerreiros num contexto não só heroico mas também moral, e a história deve ser compreendida como a reconstituição de um confronto moral cósmico, não a mera narrativa de uma batalha. Divergindo da nossa filosofia histórica ocidental, que busca causas exteriores – tais como fome, pressões demográficas, secas – para explicar o fenômeno das guerras e das conquistas, o bardo épico encara os acontecimentos do conflito como decorrência da obediência ou desobediência às leis da moral. O princípio básico da existência cósmica ou individual é o darma, a doutrina de direitos e deveres religiosos e éticos de cada indivíduo, mas que também pode significar apenas virtude, ou conduta reta. Todo ser humano deve viver de acordo com o seu darma. A violação do darma resulta em desastre.

A sociedade hindu dividia-se em quatro castas, cada uma com o seu próprio darma. O poder do Estado repousava sobre os xátrias: reis, príncipes, guerreiros livres e suas esposas e filhas. O seu darma era proteger seus dependentes, governar com justiça, falar a verdade e guerrear. A casta sacerdotal não estava organizada em igrejas ou templos, mas consistia em brâmanes independentes, que controlavam a religião. Dentre outras obrigações, eles oficiavam nos grandes sacrifícios dedicados à manutenção da ordem do mundo e a atingir metas almejadas. Controlavam também a educação, pois eram alfabetizados, e ensinavam História de acordo com sua perspectiva de vida. O *Mahabharata*, na sua forma final, foi, em grande parte, obra de brâmane, de modo que, em suas histórias paralelas, é dada ênfase ao poder e à glória da casta dos brâmanes, embora não haja, no desenrolar principal do épico, nenhum brâmane poderoso. Os vaixás, de quem ouvimos falar pouco no *Mahabharata*, eram os mercadores, os funcionários urbanos e os fazendeiros, e constituíam a grande massa da população.

As três castas superiores nasciam duas vezes: uma do ventre de suas mães, e outra ao receber as vestes sagradas. A casta mais baixa, dos sudras, realizava os trabalhos braçais e servia às outras castas. No entanto, eles eram arianos, e suas mulheres estavam disponíveis para os homens das castas mais elevadas: Vyasa era filho de um xátria e de uma sudra; Vidura também. Fora do sistema de castas, havia as "castas dos intocáveis": os povos tribais das montanhas, como os Kiratas, os persas e os gregos bactrianos.

Além do darma de suas castas, os indivíduos tinham um darma pessoal a cumprir, que variava conforme a sua idade e ocupação. Assim, encontramos um darma para o mestre/aluno, um para o marido/esposa, um para o asceta, e assim por diante. A relação de cada um com os deuses também era determinada pelo darma. Os livros de direito especificavam os diversos tipos de darmas em detalhe, e essas classificações e leis ainda governavam a sociedade indiana.

O sistema hindu de escatologia aparece exposto frequentemente no *Mahabharata*. Em resumo, é a doutrina do ciclo de renascimentos (samsara), a doutrina da lei moral (darma), mais poderosa que os próprios deuses. A lei moral sustenta e favorece as criaturas que a respeitam, enquanto rejeita aquelas que a violam. Seu instrumento é o carma, a inexorável lei que atinge toda esta vida e o pós-morte, agindo de uma encarnação para a outra, recompensando os justos e fazendo os maus sofrerem. Nesse universo hindu, aqueles que estão em harmonia com o darma terminam por alcançar um estado em que o renascimento não é mais necessário. Se, contudo, as forças do mal forem poderosas demais, a lei moral volta a se impor e, frequentemente, se utiliza de meios violentos para restaurar a harmonia onde esta foi perdida. Para consumar isso, é comum um ser de ordem mais elevada, um deus, que em sua manifestação usual é incorpóreo, nascer entre os seres humanos e tornar-se um avatar, alguém que "desceu" à terra por seu próprio poder. Muitas vezes, nessa manifestação física ele não tem ciência de seus antecedentes divinos, vindo a descobri-los somente no decorrer da sua vida entre os mortais. Um avatar, portanto, possui diversas qualidades humanas, incluindo algumas que, segundo nossos próprios padrões, ficariam aquém das divinas: hostilidade, espírito de vingança e uma noção presunçosa da sua própria importância. Essas qualidades lhe são necessárias para enfrentar confiantemente as forças do mal, os Asuras, que também se encarnaram e são, decididamente, inimigos ferozes empenhados em lutar até o fim.

A ênfase dada à moral, no *Mahabharata*, traz consigo considerações sobre a natureza do divino. São muitos os deuses; o panteão divino indiano é impressionante na sua diversidade e na sua indefinição. No nível mais sublime da criação estão os deuses (Devas), em perpétuo conflito com as forças demoníacas, os Asuras. Entre os deuses, Vishnu, Shiva e Indra são especialmente importantes. Vishnu manifesta-se primordialmente por meio de sua encarnação como Krishna. É um deus supremo, digno de amor e devoção. Shiva é também um deus supremo, mas representa o lado ascético da religião indiana. Ele habita uma montanha, veste-se com peles de tigre e carrega um emblema característico, o tridente, que os mendicantes da Índia ainda trazem consigo. O terceiro olho no meio da sua testa abrasa os inimigos. Indra é, nominalmente, o rei dos deuses, mas na realidade sua importância declinou desde os tempos do *Mahabharata*, ainda que permaneça como um dos deuses principais. No *Mahabharata*, ele é o deus da chuva, e pai de Arjuna, um Pandava.

Menos poderosos são os deuses elementares do fogo (Agni), do vento (Vayu), da água (Varuna), do sol (Surya) e da lua (Soma). Kama é o deus do amor. Mas os deuses indianos mais proeminentes diferem dos deuses das mitologias ocidentais por ser difícil caracterizá-los. Embora a muitos sejam atribuídas funções óbvias como potestades, suas esferas de poder e suas características se sobrepõem, já que, no fim, são todos manifestações do princípio universal, Brahma, a alma ou ser universal ao qual todas as almas individuais se unirão depois que a ilusão de tempo e de espaço houver sido superada.

Num nível mais baixo, ainda divino, mas progressivamente menos sublime, estão as multidões de Gandharvas, Apsaras, Siddhas, Yakshas e Rakshasas. As três primeiras classes são de entes geralmente bondosos para com a humanidade. Os Gandharvas tocam música celestial para as ninfas, as Apsaras, dançam. Indra também se utiliza das Apsaras para seduzir ascetas ambiciosos que, por sua severa automortificação, acumularam tanto poder espiritual que se tornam uma ameaça à sua supremacia; como resultado da sedução, o anacoreta perde o seu poder. Os Yakshas são duendes, dríades e náiades. Os Rakshasas são demônios malignos que rondam os altares de sacrifícios ou que, de alguma outra maneira, procuram perturbar os seres humanos.

Os seres humanos veem os deuses como poderes a aplacar ou controlar, com exceção de Vishnu, que é simplesmente adorado. Os deuses frequentemente interagem com os humanos, casam-se com eles, entregam-lhes armas, evocam sua ajuda ou os auxiliam. De tempos em tempos, interagem com a humanidade por intermédio de homens idosos e sensatos; seus conselhos eram obedecidos pelos guerreiros prudentes, ansiosos por não violar a vontade dos deuses e, assim, evitar a maldição dos sábios. Ao morrer, o herói antigo esperava ir aos céus de Indra, onde há júbilo e deleite.

Os rios e outros acidentes geográficos são personificados e agem tanto como seres divinos ou semidivinos quanto como fenômenos naturais. No *Mahabharata*, os deuses se comunicam com os homens e os animais conversam, sendo às vezes animais de verdade, às vezes seres humanos ou deuses. A narrativa passa frequentemente para uma terra idealizada, onde os feitos heróicos, os gestos de coragem e bravura e a força física são vistos com espanto e temor. Tais incidentes promovem no leitor uma impressão de maravilha: somos transportados para um mundo idílico onde a ilusão e a realidade não podem ser separadas.

O *Mahabharata* deve ser compreendido como uma narrativa moral e filosófica, e não apenas histórica. Somente assim poderemos apreciar a significação do *Bhagavad-Gita*, o *Cântico do Senhor*, que é parte do *Mahabharata*, mas que, geralmente, aparece como excerto e é lido como uma obra religiosa à parte. Na Índia, o *Mahabharata*, como um todo, tem sido considerado há séculos uma obra religiosa, a ponto de um teórico poético medieval caracterizar seu principal sentimento (rasa) não como heroísmo, mas como serenidade (santi).

Entre a época dos acontecimentos descritos no *Mahabharata* e aquele em que esse épico foi escrito, as condições sociais haviam-se modificado consideravelmente. A Índia já não era um conjunto de comunidades tribais; subdividira-se em grandes regiões (janapadas), governadas por reis que se haviam tornado monarcas absolutos. As conquistas do rei Asoka e de Chandragupta Maurya, unindo grandes partes da Índia sob um único soberano, abriram caminho para o surgimento de uma consciência nacional. "Cara a todos os homens é a terra de Bharata, querida de Indra, nosso Senhor, de Manu, nosso Pai, e de todos os poderosos guerreiros de outrora", diz o poeta. E, embora o mundo indiano estivesse agora interagindo com o resto do mundo ao seu redor, a parte mais importante desse mundo ainda era Bharata, a terra dos arianos, concentrada agora na região entre o sul dos Himalaias e o norte das montanhas Vindhya, entre o deserto, a oeste, e os pântanos de Bengala, a leste.

O *Mahabharata* não permaneceu como uma obra escrita exclusivamente em sânscrito. Alguns séculos após sua composição, já fora parafraseado e traduzido para outras línguas indianas: as línguas dravidianas do sul da Índia e as línguas indoarianas, que historicamente sucederam o sânscrito, no norte. Suas histórias foram adaptadas para serem dramatizadas, trovadores compuseram baladas em suas próprias línguas, pregadores e políticos fizeram uso de sua filosofia. E assim o Grande Épico foi gradualmente se espalhando por via oral, de vila em vila, de reino em reino, de região em região. Era recitado nas cortes por ocasião dos grandes festivais e dos sacrifícios em homenagem aos reis (na realidade, o próprio *Mahabharata* é narrado como uma história ouvida pelo bardo num grande sacrifício). Jainistas e budistas encontraram para ele um lugar em sua literatura não canônica e, à medida que o império indiano se foi expandindo a partir dos primeiros anos da era cristã, o *Mahabharata* e o épico irmão deste, o *Ramayana*, acompanharam os mercadores itinerantes. Nas rotas comerciais para a Europa, a Birmânia, a Tailândia e o Vietnã, e para as ilhas de especiarias do Pacífico, os bardos seguiram os mercadores e, mais tarde, quando os reinos coloniais já se haviam estabelecido nessas nações tropicais, encontraram um lugar nas cortes dos reis. A profunda mensagem moral do *Mahabharata* veio a se identificar com o poder das dinastias dominantes, e os épicos eram, com frequência, traduzidos para as línguas dos países colonizados. Gradualmente, o *Mahabharata* se tornou parte da literatura das nações que o incorporavam; o épico foi reelaborado, reescrito, condensado e adaptado à terminologia do momento e aos termos da cultura que o adotava.

É nessa tradição que encontramos a presente versão do *Mahabharata*. Não se trata de uma tradução. O autor, William Buck, travou conhecimento com o épico ao ler por acaso o *Bhagavad-Gita* durante umas férias em Nevada. Inspirado pela poesia dessa obra, ele subsequentemente leu todos os volumes do *Mahabharata* e do *Ramayana*. E partiu então para suas próprias versões. Ele reconta a obra baseado numa tradução completa em inglês publicada por Pratap Chandra Roy no início deste século. O ritmo lento e vigoroso do original sânscrito, na sua visão honesta, sábia e inteiramente convincente do estado do mundo, suas descrições aterradoras de mortes horripilantes como algo trágico, mas perfeitamente natural em termos de experiência humana – tudo isso são apenas algumas das qualidades que lhe reservaram um lugar no coração de milhões de asiáticos. A maioria das versões ocidentais, contudo, obscureceram o esplendor das construções poéticas do sânscrito. Mas temos tudo isso na obra de William Buck. É impressionante que um ocidental tenha conseguido revelar as pérolas desse épico indiano com tanta sensibilidade. Assim como o original, esta versão de Buck merece ser lida, relida e mesmo recitada, pois irá tocar e comover o leitor em diversos níveis da sua consciência.

William Buck, evidentemente, condensou a história. A antiga tradução com a qual trabalhou estendia-se por cinco mil e oitocentas páginas impressas, enquanto o seu livro tem menos de um décimo disso. Mas, de modo geral, sua versão reflete a sequência de acontecimentos do épico sânscrito, e ele utiliza as técnicas tradicionais presentes no original: histórias dentro de histórias, por exemplo, visões do passado, lições morais postas na boca das personagens principais. Há, contudo, diferenças entre ambos, de modo que seria imprudente tomar este volume como uma obra precisa de referência. William Buck extraiu passagens sem se preocupar em ser completo, de modo que diversos trechos foram eliminados ou alterados para caber na versão reduzida. Uma das partes omitidas foi o *Bhagavad-Gita*.

O leitor moderno não poderá deixar de reparar em uma das características desta obra: a abundância de epítetos. Às vezes, são palavras compridas e difíceis; às vezes, são nomes que parecem idênticos, com exceção de uma única letra. Mas aprender os nomes das personagens é uma barreira inevitável, que precisa ser transposta antes que o *Mahabharata* possa ser apreciado, e William Buck facilitou o caminho uniformizando muitos dos nomes próprios, fazendo-os soar mais ocidentalizados e omitindo os tediosos sinais diacríticos. E, por vezes, alterou os nomes dos rios e das montanhas, como fizeram os javaneses.

Existem outras versões do *Mahabharata*, algumas mais curtas, outras mais longas. Mas, afora a de William Buck, nenhuma conseguiu captar a combinação de espírito religioso e espírito marcial que permeia todo o épico no original. E é eminentemente bem-sucedida em ilustrar como atos humanos aparentemente grandiosos, e magníficos, se revelam estarrecedoramente insignificantes da perspectiva da eternidade.

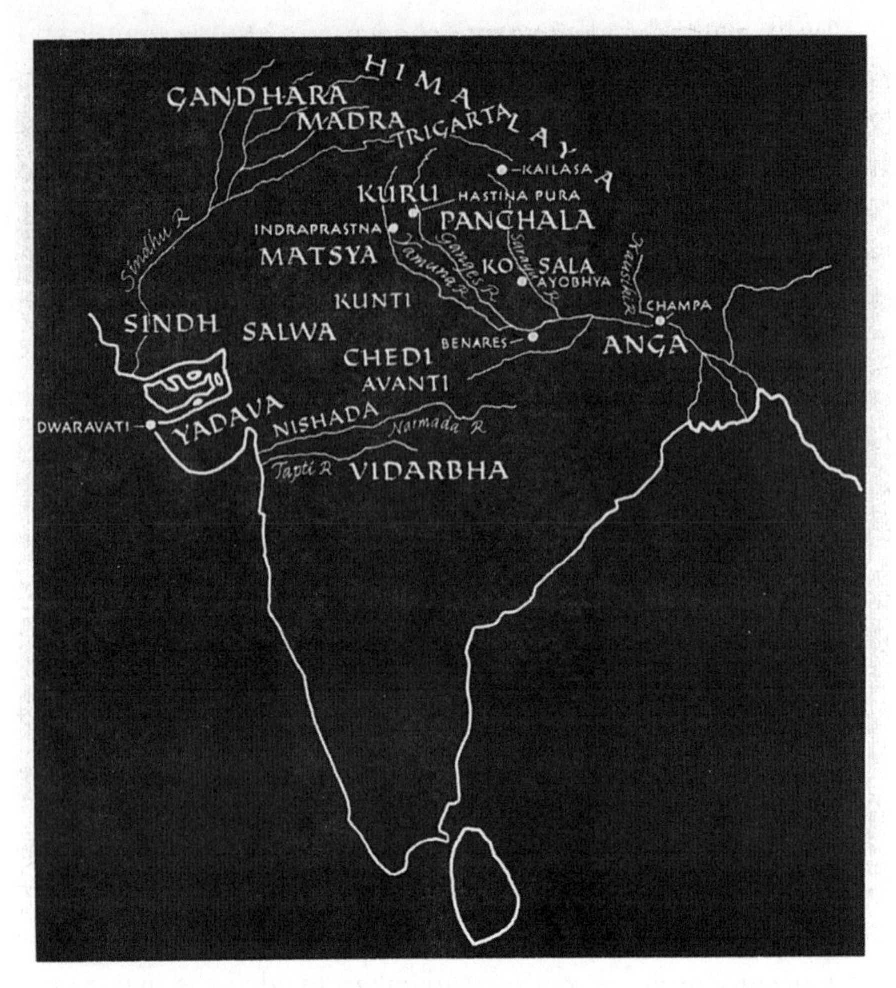

O mapa parece mais correto e completo do que é na realidade. Os topônimos citados no Mahabharata não podem ser atribuídos, com qualquer grau de certeza, a nenhum ponto do mapa (n. do T.)

PRIMEIRA PARTE

NO PRINCÍPIO

Om!

Saúdo e reverencio o Senhor Narayana,
Nara, o melhor dos homens,
E Saraswati,
A Deusa das palavras e da escrita.

JAYA!
Vitória!

Que este antigo Bharata se torne uma guirlanda de joias, sempre ao seu lado. Duryodhana faz com que todas as criaturas morram, e devasta a Terra; ele atiça a chama de hostilidades que no fim a todos consome. Mas, na minha opinião, a vida se acha em cada respiração; o que pensam vocês?

A cólera de Bhima não pode ser aplacada: ele jamais permitirá que esta narrativa se perca pelo mundo vazio. Arjuna é o príncipe de todos os arqueiros: com encantos e conjuros atordoantes, ele protege estas páginas de beleza, ornadas de expressões graciosas e de conversas entre homens e deuses. Nakula é moreno e Sahadeva, claro; não têm rivais, em todo este mundo de homens, em beleza e força e excelência de conduta. Yudhishthira é a personificação de toda a virilidade: o seu coração é bom; não lute contra ele, não procure a derrota.

Karna recusa-se a lutar, exceto só; veste uma capa presa aos ombros por um fecho redondo e olha para mim com olhos duros. Mas, se houver alguma causa para o amor, ele é meu velho amigo de outra vida e irá comigo após qualquer pequeno atrito. Vyasa, o poeta, nos diz: "Ó, cuidado, cuidado com a Realidade, cuidado com a Justiça, basta de esperar e esperar, pois todos correm perigo. Depois de ouvir este Bharata, quem suportará ouvir outras histórias, que se parecem com os zurros de um asno?"

O mundo é lindo, para onde quer que eu olhe. Observem, vejam as luzes e a alegria, os cantos e os finos presentes. Vitória, vitória ao grande rei; vocês nada perderam. Mas as imagens transpiram nos templos, os caminhos do darma são sutis e difíceis de encontrar. E, após tudo, ainda continuo vivo... acho que não há morte para mim. Perdoem-me, vou para a floresta.

Uma mina de joias e preciosidades

Sauti, o contador de histórias, narrou esta lenda a seu amigo Saunaka, na floresta Naimisha. Curvado em humildade, Sauti vinha à noite vagando pelo mato, quando viu diante de si o fogo intenso que ardia noite e dia guardando a casa de Saunaka, na floresta.

Saunaka lhe perguntou: "Sauti dos olhos de lótus, de onde vem vagando você?"

Sauti respondeu: "Venho de Hastinapura, do sacrifício das serpentes do rei Janamejaya, dos Kurus. Ouvi então o *Mahabharata* de Vyasa, escrito pela primeira vez para o poeta pelo deus-elefante Ganesha.

"Como isso aconteceu?"

Sauti respondeu: "Eu lhe contarei".

Ouça:

Durante três anos Vyasa compôs mentalmente o *Mahabharata* e, ao terminar, convocou Ganesha para ser seu escriba.

Veio o filho de Shiva e perguntou-lhe:

"Por que me chamou?"

Vyasa replicou:

"Não remove você todos os obstáculos e todas as barreiras? Não é você o deus dos ladrões e dos escritores? Ponha meu livro em palavras escritas, conforme eu o narrar".

Ganesha sacudiu sua tromba, e o ar sibilou.

"Om! Mas há livros e livros. O seu é um livro muito bom?"

"É."

Ganesha riu, e sua enorme barriga tremeu. "Deixe-me apenas livrar-me de todas estas coisas...", e largou o búzio e o lótus, o disco e o machado que segurava em suas quatro mãos, "e começarei a escrever para você; mas, se uma só vez interromper a história, irei embora e jamais retornarei!"

"Com uma condição", disse Vyasa. "Se você não compreender o que eu quero dizer, deve parar de escrever até que tenha compreendido."

"Está certo! No mesmo dia em que nasci cometi o meu primeiro erro, e por este caminho venho buscando a sabedoria desde então."

Ouça:

Já nasci adulto do aljôfar do corpo de minha mãe. Estávamos sós, e Devi me pediu:

"Guarde a porta. Não deixe ninguém entrar, pois vou banhar-me".

Shiva, então, a quem eu nunca tinha visto, voltou para casa. E eu não deixei que entrasse em sua própria casa!

"Quem é você para barrar a minha entrada?", perguntou ele, irado.

Mas eu disse:

"Nada de mendigos aqui, vá embora!"

"Posso estar seminu", respondeu ele, "mas o mundo inteiro é meu, ainda que eu não me interesse por ele."

"Pois vá arrastar-se pelo mundo, mas não na casa de montanha de Parvati! Sou filho de Shiva, e guardo esta porta para ele com a minha vida!"

"Ora", disse ele, "você é um grande mentiroso. Pensa que não conheço meus próprios filhos?"

"Tolice!", disse eu. "Nasci somente hoje, mas conheço um molambento quando o vejo. Agora vá e siga seu caminho."

Ele fixou seus olhos nos meus e, muito calmamente, perguntou:

"Vai me deixar entrar?"[1]

"Não adianta insistir", retruquei.

"Não vou insistir", replicou; e, com um golpe agudo, cortou minha cabeça e jogou-a longe, além dos Himalaias.

Devi saiu correndo, chorando.

"Você jamais prestará para coisa alguma! Matou o nosso filho!" E caiu sobre o meu corpo, em prantos. "Não vale nada como marido! Sai vagueando e me deixa em casa para fazer todo o trabalho. É por muito vagar, sonhando o tempo todo, que vivemos na pobreza, sem ter o que comer."

O Senhor de Todos os Mundos a tranquilizou; olhando ao redor, a primeira cabeça que viu foi a de um elefante, e a pôs sobre os meus ombros e me trouxe de volta à vida.

"Parvati ficou feliz novamente, e foi assim que conheci meu pai pela primeira vez", disse Ganesha, "há muito, muito tempo."

"Pois bem", disse Vyasa, "começarei agora." E passou a contar sua história a Ganesha, que a escrevia em folhas.

"Muitas vezes, Vyasa compunha versos que faziam Ganesha parar, a fim de usar o tempo para pensar sobre a parte seguinte", disse Sauti.

Saunaka retrucou:

---

1. O olhar de Shiva é poderoso e pode abrir um buraco no pescoçode uma pessoa. (N do T.)

"Sim, este *Bharata* é uma mina de preciosidades, como o Oceano profundo. Quem o ouve e compreende, mesmo que só uma parte, liberta-se das cadeias que forjou para si com suas obras boas e más; e encontra grande sucesso, pois o *Mahabharata* é excelente, e tem em si o poder da vitória! Aquele que o conta a quem pediu para ouvi-lo dá-lhe como presente toda a Terra, com seu cinturão de mares. Permaneça aqui comigo, e conte-me a história".

Sauti respondeu:

"Aqui permanecerei, e lhe contarei".

Ouça:

Há muito tempo, quando o mar era leite, Narayana disse aos deuses dos céus:

"Revolvam, agitem e remexam o oceano, e eles lhes dará amrita, o néctar da imortalidade, e preciosidades, e toda espécie de ilusões e revelações".

Assim, colocaram Mandara, a montanha de neve, no meio do mar de leite. Suas raízes profundas repousavam no chão do oceano; seu pico se elevava muito além da superfície das águas. A grande serpente Sesha, cuja crista é uma ilha de joias, estendeu-se por todo o mar, com seu corpo enroscado sem começo nem fim em torno do centro da montanha. Sua cauda, em uma das margens, era segura pelos Asuras, os deuses sinistros de outrora; seu pescoço, na outra, era seguro pelos Devas, os deuses mortais dos céus. Eles puxavam ao mesmo tempo, e a montanha se revolvia primeiro para um lado, depois para o outro, enquanto as árvores e as pedras eram atiradas ao mar espumante.

Primeiro, a Lua, suave, ergueu-se do mar de leite; depois, Lakshmi, a que traz prosperidade aos homens; e a joia de grande lisura que adorna o peito de Narayana; e Airavata, o elefante de Indra, branco como as nuvens; e Surabhi, a vaca branca que concede a realização de qualquer desejo; e Parijata, a árvore aromática dos desejos; e Rambha, a ninfa, a primeira das Apsaras; e, finalmente, Dhanwantari, o médico, vestido de branco, trazendo um cálice de amrita, a essência da vida.

A primeira cabeça que viu foi a de um elefante.

Subitamente, um veneno rompe fumegante dos mares, e o leite se torna água salgada. Shiva, o Senhor das Montanhas e das Canções, engoliu o veneno para salvar os mundos. Prendeu-o na garganta, e seu pescoço tornou-se azul, iridescente como asa de borboleta.

Shiva pôs a lua crescente como um ornamento em seus cabelos. Narayana tornou-se mulher, linda como seu desejo, e levou consigo o cálice da vida.

Agora, milhares de rios correm rapidamente para o mar, e se rivalizam pelo seu amor. No oceano estão os palácios dos reis-serpentes que governam os rios da Terra, e distante das margens, no coração das profundezas, ruge o rubro fogo submarino que ferve a água e a transforma em nuvens de chuva.

As fases da Lua fazem o oceano subir e descer com os ritmos lentos do Tempo. Nos confins das terras, lá dança o mar, como suas ondas de mãos erguidas – imenso como o espaço, vasto como o Tempo.

O Ganges sagrado desce das montanhas até o mar, e o Yamuna flui para o Ganges. Entre os dois rios está Kurujangala, governada por Janamejaya, filho de Parikshita, da Cidade-Elefante de Hastinapura.

Yudhishthira, o Pandava, era o rei dos Kurus antes de Parikshita, mas ao receber a carta de Arjuna – "Venha a mim" – consagrou rei o recém-nascido Parikshita, e partiu com seus irmãos e a esposa de seus irmãos para Kailasa, a Montanha de Prata, e nunca mais foi visto. Parikshita governou bem seu reino por sessenta anos, mas então um dia, na floresta, com raiva por um veado lhe haver escapado, o rei feriu mortalmente uma serpente que não pretendia fazer-lhe nenhum mal. Antes de morrer, a Naja tocou a água e disse: "Em sete dias Parikshita morrerá de picada de outra cobra por sua crueldade; não há esperança para ele".

Um mateiro a ouviu e contou ao rei, que deixou seu palácio e passou a viver noite e dia numa casa sustentada por uma única coluna, bem cercada por guerreiros. Mal Parikshita entrara em seu retiro quando um velho, empoeirado e em farrapos, foi visto aproximando-se. Às vezes era visível aos olhos, às vezes esvaecia ao andar e voltava lentamente a aparecer. Caminhou até os guardas e uniu as mãos num cumprimento, e sua forma lucilava e dançava como ondas de calor no ar.

Então, ele estreitou os olhos e disse: "Eu sou Takshaka, o príncipe Naja; avisem ao rei que irei queimá-lo!". Os soldados precipitaram-se sobre ele, mas ele riu e desapareceu no mesmo instante.

Meu amigo, observe que não havia meio de entrar ou sair da casa de Parikshita a não ser por uma escada, e ninguém podia subir ou descer por ela se não fosse amigo leal do rei. Assim, com sua corte, ele lá ficou até o fim do sétimo dia. Ao entardecer, quando a escada estava prestes a ser levantada para a noite, Parikshita viu um pequenino besouro da cor do cobre rastejando sobre uma manga e, com um sorriso, pegou-o.

"Eis que agora tenho tanto medo de Takshaka quanto deste inseto!", disse o rei, e sua corte deu risada quando Parikshita pegou o besourinho e o colocou sobre o ombro. Mas este era o próprio Takshaka disfarçado! Instantaneamente, o príncipe Naja tornou-se ele mesmo e picou o rei.

Os ministros e os cortesãos de Parikshita, com grande medo, fugiram pela escada abaixo e, correndo em todas as direções, viram Takshaka indo embora, voando, pelo céu anil do anoitecer, como a risca vermelha que divide o cabelo da mulher ao meio.

Janamejaya tornou-se, então, rei e planejou um sacrifício de serpentes para queimar Takshaka. Ouvi falar a respeito disso e fui observar. Lá, no momento apropriado, os brâmanes, vestidos todos de preto, atearam fogo a uma enorme pira de madeira untada. Repetiram, e voltaram a repetir vezes sem fim, todos os nomes de Takshaka; com grandes conchas de madeira derramaram manteiga no fogo, e a fumaça tornou-se espessa e negra. Seus olhos ficaram vermelhos e lacrimejaram por causa da fumaça sufocante. Por toda a sua volta, os espectadores observavam o ar sobre o fogo, esperando ver Takshaka aparecer.

Quando Takshaka sentiu que estava sendo atraído pelo fogo de Janamejaya, deixou seu palácio ornado de joias, no submundo, e foi buscar refúgio junto a Indra, Senhor dos Céus. Indra deu a ele sua proteção, de modo que os brâmanes recitaram mantras e derramaram manteiga em vão, e Janamejaya inquietou-se, na tarde de forte calor.

Veio então um jovem e ajoelhou-se ao lado do rei. Seu nome era Astika, e ele nascera de uma mulher Naja. Seu pai hesitara em contrair núpcias, mas desejava uma esposa; certa vez, na silenciosa floresta, pediu timidamente uma mulher com que pudesse se casar. Uma jovem Naja ouviu-o, e ele casou-se com ela, fiel à sua palavra.

Astika encarava o mundo dos homens com imparcialidade. Curvou a cabeça e, tocando a testa com as mãos unidas em namastê, disse:

"Majestade, eu sou Astika. Ando por aqui e por ali, por todo o seu reino de Kurujangala. Que sejam felizes aqueles a quem queremos bem! Que nossos reis e nossos príncipes tenham vida longa! Janamejaya, saiba que Takshaka está nos céus com Indra!"

O rei respondeu:

"Bem-vindo seja!". Chamou seus brâmanes e contou-lhes onde Takshaka estava escondido. E disse a Astika: "Em retribuição, peça a mim qualquer presente ou dádiva, e eu lhe darei".

"Seja paciente, Majestade", replicou Astika. "Logo pedirei."

Os brâmanes começaram a invocar Indra e Takshaka, os dois, e em poucos instantes o Senhor das Chuvas surgiu em sua biga puxada por vagos cavalos cinzentos, pairando no ar sobre o fogo; não havia sinal de Naja. Os brâmanes clamaram: "Senhor dos Céus, dê-nos o príncipe Naja ou os lançaremos ambos às chamas!".

Indra olhou para baixo com olhos fixos, e um raio lampejante surgiu em sua mão. Apontou com mira mortal os brâmanes e ergueu o braço para destruí-los. Mas os mantras e os encantos haviam sobrepujado Takshaka tão logo Indra desviara dele sua atenção, e ele pairava no ar sobre o fogo, entre Indra e os brâmanes. Vendo isso, Indra desapareceu, pois nada mais havia que pudesse fazer pela serpente.

Mas os brâmanes, ainda assim, não conseguiam fazer o príncipe Naja cair nas chamas, porque Astika sussurrava suavemente: "Fique... Fique...". E então ele se voltou para Janamejaya e disse: "Majestade, interrompa o seu sacrifício".

Janamejaya sorriu.

"Astika, eu lhe darei, em vez disso, ouro e prata", disse ele.

"Ouro e prata não quero, mas metade do meu sangue é da raça Naja."

"Então eu lhe darei lindas mulheres e gado branco."

"Majestade, mulheres e gado não quero, mas o príncipe Naja é caro a mim."

"Dou-lhe, então, a sua vida! Você me salvou dele, e o fez bem!"

"E terá isto em troca, Majestade: não tema mais serpente alguma, mas pense: 'Serpentes de fortuna e prosperidade, vivam em paz aqui com meus entes queridos'."

"Que assim seja para todo o meu povo."

"Assim será, Majestade", disse Astika, "para todo o seu povo", e Takshaka sumiu de nossa vista.

Ao entrar em seu palácio, Janamejaya Raja encontrou a esperá-lo um homem escuro, vestindo pele de veado e casca de árvore, e que suportava seus 150 anos com calma e dignidade, e olhos reluzentes.

"Vyasa!"

"Sente-se ao meu lado, Janamejaya. O Naja ornado de joias escapou de suas mãos, e você não guarda rancor. Isso é bom."

O rei mandou trazer água e lavou os pés de Vyasa.

"Curvo-me diante de você", disse ele, "você conheceu meus ancestrais. Não vai ficar e contar-me sua história? Não vai desfazer os nós do meu coração?"

"Eu estou velho, Bharata. Com minha pele de um azul profundo, sou como uma nuvem de tempestade que guarda a memória dos relâmpagos, do amor e do terror, e dos atos dos heróis. Mas não vim só; já contei a minha história a meu companheiro Vaisampayana, que espera lá fora. Ele é jovem e belo, e usa um brinco de prata que tem a forma de um raio de luar. Esperarei enquanto ele a conta, e eu mesmo irei ouvi-la."

Janamejaya e Vyasa encontraram Vaisampayana do lado de fora, sob a sombra ampla de uma velha árvore. Janamejaya curvou-se diante dele com as mãos unidas.

Vaisampayana, em sua túnica branca, disse:

"Excelente, Majestade! Terei prazer em contar-lhe a história! Permita que Vyasa se recoste nesta árvore, e que todos os que quiserem ouvir se reúnam em torno de nós".

Assim, Janamejaya, Astika, eu próprio e muitos dos Kurus nos sentamos sob aquela velha árvore. Vaisampayana sentou-se ao lado de Vyasa e disse:

"Bem-vindo! Agora ouça de mim o *Mahabharata*".

Ouça, Majestade:

Rei nascido da raça lunar, descendente da Lua, descendente de Bharata e de Kuru; filho do filho de Arjuna.

Começo minha história com o rei Kuru Pratipa. Em sua velhice ele ainda permanecia sem filho; assim, deixou Hastinapura com a rainha e foi morar na floresta perto do Ganges. Lá esperava que a fortuna lhe concedesse um filho.

Naquele tempo, o rei morto Mahabhisha se achava nos céus, ouvindo o Senhor Brahma explicar os mistérios de toda a Criação a uma grande assistência de fiéis. Mas Mahabhisha, sentado na borda do grupo, entediava-se. Sua atenção vagava para cá e para lá, até que viu Ganga, a linda Deusa dos Rios, passar. Era alva como os raios da Lua, e seus mantos de seda fluíam sobre o corpo enquanto andava, ocultando pouco e insinuando muito, como se caminhasse sobre águas de prata. A Rainha dos Rios sentiu o olhar, e seus olhos se encontraram.

Mahabhisha começou a perspirar, e isso jamais acontece nos céus até que a pessoa esteja pronta para renascer. Retirou sua guirlanda celestial, que permanecera fresca e fragrante durante séculos, e observou as flores de jasmim e gengibre esvaecerem e se tornarem marrons. Sorriu para a deusa e desapareceu do Céu.

A linda Ganga, ansiosa, acompanhou com seus olhos celestiais a alma que caía de volta à Terra e entrava no útero da rainha de Pratipa.

Pratipa enviou sua esposa e seu filho Santanu de volta à cidade, mas a fim de dar graças pelo nascimento de Santanu, ele mesmo permaneceu na floresta, como antes. Certa noite, estava sentado numa pedra embaixo de uma árvore, à beira do rio, quando uma mulher maravilhosamente linda surgiu das águas e caminhou até ele. Ela sorriu e sentou-se em seu colo.

Pratipa perguntou:

"Quem quer que seja você, como posso ajudá-la?"

Ganga, tirando do rosto suave os cabelos úmidos, disse:

"Eu estou apaixonada, Majestade".

Gentilmente, o rei pôs seus braços em torno dela. "Quando uma mulher pede, não se pode ignorá-la", disse ele. "Mas você se senta em minha perna direita, onde cabe a uma filha sentar-se."

"É verdade", disse Ganga; "eu o venho amando desde antes de ele nascer para vocês."

"Quando Santanu estiver crescido", respondeu Pratipa, "direi a ele que você está esperando por seu amor."

"Abençoado seja, Pratipa! Encontrarei seu filho à beira do rio daqui a muitos anos." E Ganga mergulhou nas águas que corriam e desapareceu. Nadou rio acima, pelo portão de onde o Ganges cai do céu, e encontrou-se novamente no domínio dos deuses.

Lá, ela deitou-se numa pedra morna, secando seus longos cabelos negros ao sol, sorrindo consigo, quando vieram vê-la os oito deuses Vasu, servos de Indra, com o semblante abatido e cheio de culpa.

"O que houve", perguntou Ganga. "O que há com vocês?"

Prabhasa, o refulgente espírito da aurora, remexeu os pés apreensivamente e disse: "Ganga, temos um favor a... quero dizer... você, você poderia ser nossa mãe?".

Ganga riu. "É melhor me dizerem antes o que andaram fazendo."

Prabhasa lançou-lhe um sorriso esquivo. "Vasishtha, o filho de Brahma, condenou-nos a nascer na Terra!"

"Ora, isso não é tão mau. Mas o que vocês fizeram?"

"Minha esposa convenceu-me a roubar Surabhi, a vaca dos desejos. Mas Vasishtha tem essa vaca em maior consideração do que todos os céus e a Terra; mesmo não estando ele por perto, isso era algo que eu não desejava fazer. Minha esposa queria que uma amiga sua na Terra bebesse um pouco do leite mágico e se livrasse das doenças e da velhice. Eu queria levar apenas o leite, mas minha esposa mostrou-se magoada e, ao mesmo tempo, tão inocente quanto a própria vaca. Estávamos todos lá, e as outras mulheres se juntaram a nós, indagando em alta voz por que eu não amava a minha esposa o suficiente para... bem, você sabe..."

Ganga tinha no rosto um largo sorriso. "Sou bastante educada para não rir", disse ela, "mas sei que você gargalharia se o mesmo acontecesse com outro. Como pôde se deixar levar por uma coisa dessas?"

"Ganga, eu me recuso a explicar aquilo que você já sabe muito bem", disse o Vasu. "Basta dizer que nós então falamos com Surabhi e a convencemos a descer conosco à Terra para uma visita. Enquanto estávamos fora, Vasishtha retornou, descobriu-nos, com sua mágica percepção, e amaldiçoou-nos pelo que havíamos feito."

"E por que vieram a mim?", perguntou a deusa.

"Bem, sabíamos que você tinha planos..."

"Não digam mais nada! Nascerão todos para a esposa de Santanu, o rei Kuru."

Quando Santanu se tornou um rapaz, Pratipa lhe disse:

"Quando você era muito jovem, uma linda moça veio a mim e contou-me do amor que sentia por você. Se a encontrar secretamente perto do Ganges, não pergunte quem ela é, nem de quem ela é, nem de onde ela vem, mas tome-a como esposa fiando-se na minha palavra".

Pouco depois, Pratipa morreu, e Santanu tornou-se o rei Bharata. Certo dia, cavalgando às margens do Ganges, encontrou uma moça de resplandecente beleza, em vestes transparentes de seda azul-aquátil ornada com ouro, e trajando um cinturão de pérolas. Ambos se olharam e olharam-se nos olhos um do outro, e cada um desejou olhar para lá eternamente.

Com gentileza e suavidade, o rei disse:

"Ó Linda entre as Lindas, não importa a sua raça, se é deusa ou Naja, Asura ou Apsara, ou ser humano como eu: volte comigo agora, seja a minha rainha".

Ganga sorriu-lhe e baixou os olhos. "Assim quero", disse ela, "mas, se eu me tornar sua mulher, não deverá jamais perguntar o meu nome, nem falar comigo rispidamente, nem interferir em nada que eu fizer, ou eu o deixarei."

"Eu prometo; venha e monte aqui atrás de mim."

Casaram-se naquela cidade, e a cada ano Ganga paria um filho para Santanu. Mas durante sete anos ela atirou cada filho para o Ganges e lá os afogou, dizendo: "Isso é para o seu bem". E assim libertou todos os Vasus, exceto Prabhasa.

Santanu nada falou com ela sobre isso, pois amava-a e lembrava-se da promessa que fizera. Sete príncipes morreram nas mãos de Ganga; mas quando ela levou seu oitavo filho para o rio e o segurou sobre as águas, sorrindo enquanto encarava o bebê nos olhos, o rei gritou: "Pare! Não o mate!".

"Pois então tome-o como presente meu", gritou ela. "Não o libertarei da vida." E a deusa entrou no seu rio, que corre do céu para o mar. "Meu senhor, sou Ganga, e deixo-o agora com seu filho!"

Santanu segurou seu filho contra o peito e voltou-se sem uma palavra. Foi um bom rei, manteve os Kurus em paz, e com um toque da sua mão podia remover a velhice de qualquer homem.

Bharata, ao sul está a terra dos Chedis. Quando Santanu era menino, o rei Chedi Uparichara deixou certa vez seu palácio para caçar na floresta. Era primavera, e cada árvore, cada vinha estava florida. Abelhas enxameavam sobre os brotos nascentes, pássaros gorjeavam chamando-se uns aos outros, e uma fragrante brisa soprava amenamente por toda a mata.

Uparichara não caminhara ainda muito quando se sentou para descansar sob uma árvore em florescência. Fechou os olhos e adormeceu, e sonhou com sua linda rainha a esperá-lo em casa. Ao despertar, verificou que sua semente vital o havia deixado e que se derramara ali perto, numa folha.

O rei intimou um gavião a levar a folha para a rainha. O gavião partiu voando com ela para o céu, mas foi atacado por outro que pensou estar ele carregando alimento, e a folha acabou por cair dentro do Yamuna, onde uma mãe-peixe a engoliu, no momento em que tocava a água.

Aquela mãe-peixe foi nadando rio acima até o reino de Santanu, onde, muitos meses depois, foi apanhada por uma rede. Quando o pescador abriu suas entranhas, encontrou uma menininha ainda bebê, que ele chamou de Satyavati e educou-a como uma filha. Ela cresceu e tornou-se muito linda, mas dela sempre emanava um odor de peixe. Passava seus dias remando pelo Yamuna num barquinho, ajudando seu pai a manejar as redes.

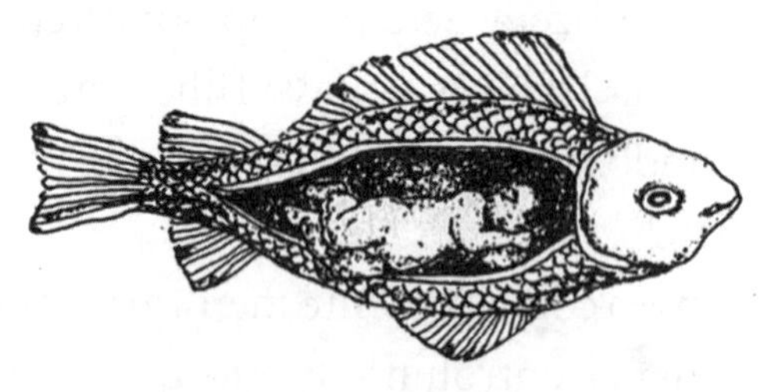

Encontrou em suas entranhas uma menina ainda bebê.

Um dia o menestrel errante Parashara chegou à beira do rio e, ao ver Satyavati, disse a ela:

"Aceite meu amor hoje mesmo, linda mulher".

Satyavati enrubesceu.

"Agora é dia claro", sussurrou ela, "e há pessoas subindo e descendo o rio sem parar."

"Deixe o seu barco e sente-se aqui ao meu lado", respondeu Parashara. Assim que ela se pôs ao seu lado, ele cantou uma cantiga mágica que fez surgir uma espessa neblina sobre o rio e as terras, encobrindo tudo. Foram no barco de Satyavati até uma pequenina ilha e, enquanto os barqueiros do rio gritavam sem cessar para evitar colisões, ela entregou-se alegremente ao seu amante. Em troca, ele fez cessar o seu cheiro de peixe e tornou-a fragrante como as flores.

Naquela ilhota do rio, Satyavati deu à luz o poeta Vyasa. Parashara levou-o para a floresta, e Satyavati retornou a seu pai.

O rei Santanu deu a seu filho o nome de Bhishma. Sua grande alegria era vê-lo crescer e ir-se tornando homem, forte e inteligente, com ombros largos e pele clara. Certa vez, perto do Yamuna, o rei sentiu o perfume de flores na estação em que não há flores. Seguindo seu olfato, Santanu descobriu Satyavati, tomou-a em sua carruagem real e levou-a para Hastinapura como sua rainha.

Bhishma se rejubilou ao ver o pai tão feliz e, como presente de casamento, disse a ele:

"Deixe que seu filho, com Satyavati, venha governar o seu reino, e eu o protegerei e aos filhos dele enquanto for possível".

"Por que oferece isso a mim?", indagou Santanu.

"Majestade", explicou Bhishma, "não me interessa ser rei, ou mesmo casar; gostaria, isso sim, de, por força da minha energia, tornar nossa raça a mais poderosa de todas as terras."

Santanu disse:

"Tome então estas palavras como dádiva minha, Bhishma: 'A morte jamais virá a você enquanto desejar viver. Eis que a morte só chegará a você quando o permitir'".

O filho de Santanu e Satyavati chamou-se Vichitravirya; quando ainda era jovem, Santanu o fez rei e retirou-se, só, para a floresta. Lá, à beira do Ganges, no eremitério onde nascera, viveu em completa solidão até a morte.

Bhishma soube que as três filhas do rei de Banaras iam celebrar a sua swayamvara, a cerimônia da escolha pessoal, durante a qual cada uma escolheria um marido entre os reis e príncipes lá reunidos. Ele queria que Vichitravirya se casasse, mas o rei era jovem demais para ter qualquer chance de ser escolhido. Assim, o próprio Bhishma decidiu ir, numa pequena sege, até Banaras.

Chegando lá, não disse a ninguém quem era, nem entrou na arena pública junto com os outros reis. Não trazia armas ou qualquer indício de que fosse um guerreiro. Seus quatro cavalos estavam cobertos de terra e pó; assim, não houve quem reparasse nele enquanto esperava os convivas reais se reunirem. Logo as três princesas, Amba, Ambika e Ambalika, chegaram; o exército de Banaras cercou a região, pronto a pacificar os monarcas preteridos. Bhishma conversou brandamente com seus cavalos.

Sem o peso das armaduras, sua leve carruagem deu um salto à frente; Bhishma rompeu o exército do rei por trás, onde não havia nenhuma guarda, e o fez debandar por onde ia passando. Num piscar de olhos, ele parou e tomou as três donzelas, antes que alguém percebesse o que acontecia.

Bhishma sorriu para os reis e príncipes poderosos reunidos, vindos de todas as terras, e disse:

"Saibam que os Kurus não competem com os da sua espécie, e saibam também que a esposa é mais querida quando é tomada à força! Têm agora a minha permissão para voltar para suas casas!"

Mordendo os lábios com grande ira, os pretendentes bateram em suas axilas com os punhos cerrados e rugiram de raiva, berrando para

Bhishma: "Fique! Espere!". Convocaram o exército de Banaras; empunharam suas espadas, miraram suas flechas, correram em busca de suas carruagens e de seus arneses. Bhishma riu e desapareceu numa nuvem de poeira, enquanto dez mil dardos e flechas enterravam-se a fundo na terra que ele deixava para trás. O clamor dos seus cavalos e o estrondo da sua carruagem logo desapareceram ao longe, e ninguém poderia ter esperança de alcançá-lo.

Em Hastinapura, Bhishma entregou as três cativas a Satyavati até que se casassem. Ela era bondosa com as princesas, que, por sua vez, se abriram e falaram francamente. Ambika e Ambalika estavam dispostas a se casar com Vichitravirya, mas Amba, a mais velha, disse:

"Em meu coração, eu já escolhi o rei Salwa, soberano do oeste, e ele me escolheu como sua esposa. Agora, faça o que deve ser feito por mim".

Satyavati compreendeu e mandou Amba para seu marido. Suas irmãs se casaram com Vichitravirya, mas o rei Kuru viu-se à sombra da morte por tuberculose e logo morreu, deixando atrás de si o seu reino e todos os que o amavam.

"Meu filho não deixou filho", disse Satyavati, chorando. "O reino é morto sem um rei. O que fiz de errado para que ele morresse tão jovem?"

Bhishma disse:

"Rainha, não se culpe. Você não tem outro filho, aquele que nasceu na ilha, Vyasa? Traga-o para cá e peça-lhe que dê filhos às esposas de Vichitravirya".

"Ele mora na floresta", respondeu Satyavati, "e posso chamá-lo a mim com meus pensamentos."

Então, Bharata, Vyasa veio, a chamado de sua mãe, e tornou-se pai de três filhos. Durante um ciclo da Lua ele viveu com Ambika; e um mês viveu com Ambalika. E depois mais um viveu com uma das criadas de Satyavati. Após haver semeado esses filhos na seara de Vichitravirya,

Vyasa partiu para a floresta. Quando as crianças nasceram, Bhishma criou-as como se fossem suas. Primeiro nasceu Dhritarashtra, filho de Ambika, que era cego, mas cuja força física não tinha par entre os homens. Depois foi a vez de Pandu, filho de Ambalika; e o irmão mais jovem era Vidura, o filho da criada.

O ANEL E O POÇO

Eis que nasceu o mundo maravilhoso,
Num instante ele morre,
E num sopro se refaz.

Pela lentidão do nosso olho
E a rapidez da mão de Deus,
Nós acreditamos no mundo.

Majestade, como Dhritarashtra era cego, Bhishma tornou Pandu rei; e quando Pandu chegou à idade adulta, pôs-em busca de uma rainha.

Ao sul de Kurujangala havia o reino de Kunti, onde morava a princesa Kunti com seu pai, o rei. Ela recebia a todos os que, passando pelo reino, pedissem alimento e abrigo no palácio real. Foi assim que

E houve luz.

conheceu o eremita Durvasas, vestido de trapos e cinzas, e de tal modo lhe agradou com sua bondade que ele lhe ensinou um encantamento mágico. Com esse mantra, explicou, poderia invocar qualquer um dos deuses do céu para amá-la e nela conceber um filho.

Seria verdade?, refletiu Kunti. Estava ao sol, passando e repassando as palavras mágicas em sua mente e mirando sua sombra no chão. Dizia a si mesma: "Durvasas brincou comigo!", e franzia a testa. Mas logo pensava: "Ou talvez não...".

Sentia o sol quente em suas costas. O Surya dos mil raios brilhava sobre ela. E Kunti ficou a imaginar: "O mundo inteiro o vê durante o dia. Mas à noite ele seria somente meu". Seria ele tão belo quanto a estátua no Templo do Sol?

Naquela noite, Kunti permaneceu acordada em seu leito até a meia-noite. Lá fora, a Terra jazia em silêncio; o palácio estava às escuras. Ela levantou-se, foi à janela e, suavemente, recitou o mantra de Durvasas.

E houve luz, o cheiro de metal quente, e uma brisa, quente e seca como o deserto, cantando em seus ouvidos. Brilhava de tal modo que Kunti cerrou os olhos, mas a brisa fez surgir cores por trás das pálpebras. Ela estremeceu e tombou, quedando no tapete como uma vinha partida no chão da floresta.

Surya, o Senhor da Luz, carregou-a de volta ao leito e permaneceu sorrindo sobre ela, iluminando o quarto com sua presença, de modo que não havia sombra em lugar algum. Cingia-o uma coroa alta de ouro, cujas formas se alteravam, e se transformavam conforme respirava. Uma faixa de joias e brilhantes caía do seu ombro esquerdo sobre o peito nu; do cinturão, do colar e dos braceletes de bronze, e dos longos brincos de ouro, pendiam laços e ramalhetes de gemas luminescentes: todas essas luzes tingiam o quarto com milhares de arcos coloridos. Ao tirar a coroa, seus cabelos dourados encaracolaram-se em torno de seu rosto como um elmo de bronze fosco.

"Princesa, desperte!"

Kunti abriu os olhos.

"Você me chamou", disse Surya, "e eu vim."

Kunti recuperou a voz.

"Senhor do Dia, perdoe-me, mas só o chamei para testar meu novo mantra."

"Sei por que me chamou, e sou agora somente seu. Quer que eu parta?"

"Não tenho marido, Senhor Surya."

"Logo irá casar-se. Os filhos dos deuses nascem em um dia. Permite que eu fique?"

"A luz... meu pai poderá ver."

"Ninguém mais pode ver esta luz, princesa. Crianças podem comandar os deuses; partirei, se quiser, e você me verá novamente apenas no longínquo céu azul."

"Tão depressa!", suspirou Kunti. "Fique um pouco; veio, afinal, de muito longe para ver-me aqui."

Na noite seguinte, nasceu o filho de Surya, usando brincos e uma espessa armadura de ouro. Kunti lançou o menino à deriva no Yamuna, dentro de um cesto impermeabilizado com cera. Vendo-o afastar-se, flutuando, ela disse: "Que todos os seus caminhos sejam felizes. Abençoada a mulher que o encontrar e se tornar sua mãe, vendo-o engatinhar no chão empoeirado e ouvindo-o tentar falar pela primeira vez". E chorou baixinho por perdê-lo.

O Yamuna levou a criança para o Ganges, e Ganga conduziu-o até as margens, aos pés de Adhiratha, o auriga, e sua esposa, que haviam ido, de madrugada, banhar-se no rio, na terra de Anga.

Adhiratha entregou o menino à sua esposa e disse:

"Esta é uma grande maravilha, minha mulher, um filho dos deuses, enviado a nós, que não temos filho! Brincos alegram sua face, e usa uma armadura brilhante como o Sol. Embora eu não passe de um boleeiro, transformá-lo-ei no melhor daqueles que empunham armas. Dou a ele o nome de Karna!"

Quando o pai de Kunti julgou ser o tempo apropriado de ela escolher um marido, Pandu foi à sua cerimônia de swayamvara, ela o escolheu, colocando em volta do seu pescoço a guirlanda de flores brancas que trazia consigo. Ao retornar com Kunti, Pandu descobriu que Bhishma havia dado ouro a Salya, o rei Madra, e que trouxera de volta do norte Madri, irmã de Salya, para tornar-se a segunda esposa de Pandu.

Pandu e suas esposas viveram felizes em Hastinapura durante muitos meses; então ele desejou fazer um curto retiro na floresta com Kunti e Madri. Seus criados construíram uma casa na mata para o rei, e Dhritarashtra diariamente enviava a eles alimentos da cidade.

Um dia, Pandu deixou suas esposas e partiu sozinho para caçar na floresta. Logo avistou dois veados, unidos em cópula, e feriu-os com afiadas flechas. A corça tombou sem vida, com seu companheiro ao lado, mortalmente ferido.

Quando Pandu se aproximou, o veado olhou para ele e, com lágrimas nos olhos, perguntou:

"Por que fez isso?"

"Reis podem caçar veados", respondeu Pandu, "isso não é crime."

"Não o culpo por caçar", replicou o animal. "Mas pela crueldade de nos matar enquanto nos amávamos, eu o amaldiçoo! Trouxe mágoa e dor quando eu estava feliz; tornou inútil o meu amor... inútil se tornará também o seu. A morte virá arrebatá-lo da próxima vez que você amar!"

E então o veado morreu. Pandu disse às suas esposas:

"Voltem a Hastinapura, pois estou sob maldição e devo agora viver sozinho na floresta e ficar em paz. Assim, nem alegria nem tristeza permanecerão em mim, nem o medo ousará ficar na minha presença".

Madri chorou, e Kunti disse:

"Devemos partilhar da sua maldição e permanecer com você, pois, se nos mandar embora, logo morreremos, com o coração partido".

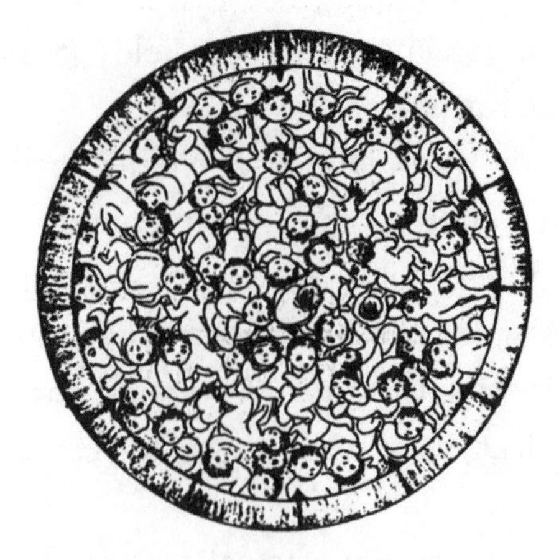

"Eis os seus cem filhos."

"Não lhes faria mal", disse o rei. "Seremos três." Chamou seus servos e entregou-lhes a joia real para que a dessem a Dhritarashtra, e mandou--os embora. Pandu passou a viver com suas mulheres num distante e oculto vale dos Himalaias, sob a montanha dos Cem Picos, sempre coberta de neve, onde repousam à noite as estrelas, como flores de luz no lago profundo do céu.

Lágrimas quentes rolaram pelo rosto de Dhritarashtra quando soube que Pandu deixara Kurunjangala, e ele se recusou a comer ou dormir.

"Tome esta joia e governe o reino", disse Bhishma. "Algum dia ele poderá retornar."

"Ele jamais voltará, Bharata!", retrucou Dhritarashtra. "Quem conhece o futuro, Majestade? Tome-a, e estanque a sua dor."

"Por quê?"

"Eis por quê: enviei mensageiros ao reino montanhoso de Gandhara, e agora mesmo a filha do rei vem para ser sua esposa; e ela vem para casar-se com um rei, não com um asceta."

"Um rei que é cego!"

"Que agora é o rei Kuru Dhritarashtra, cuja sabedoria é o seu único olho. Gandhari vem trazida por seu irmão Sakuni, que carrega seus presentes de casamento. Agora mesmo ela já o ama, e cobriu seus olhos com uma venda para o resto da vida."

"Ela fez isso por amor a mim, a quem nunca viu?"

"Essa é a verdade, Majestade. Tome a joia agora, pois ela não está a mais do que alguns dias daqui."

Dhritarashtra afogou sua dor no amor de Gandhari, como um rio se perde no mar. Ela ficou grávida de Dhritarashtra, mas um ano inteiro se passou sem que desse à luz, e mais tempo ainda, até que Dhritarashtra, em desalento, mandou chamar Vyasa.

Vyasa veio ao rei e disse:

"Gandhari traz dentro de si uma centena de filhos. Ela dará à luz ao fim de dois anos. Seja paciente e saiba que ela não corre perigo; eu voltarei quando for o momento".

Vyasa então conversou com Bhishma e, assim, quando Gandhari pariu, havia uma centena de jarros de bronze cheios de manteiga líquida, prontos e escondidos no jardim do palácio. Do útero de Gandhari saiu uma bola dura de carne, que Vyasa tomou dela e lavou em água fresca.

"Eis os seus cem filhos", disse a Gandhari, "mas há mais a ser feito antes que estejam formados."

Vyasa dividiu aquela bola de carne em pedaços. Enquanto trabalhava no jardim, Bhishma colocava cada pedaço em um jarro e selava. No fim sobrou um pedaço. Bhishma trouxe outro jarro, e Vyasa disse:

"Agora há cem filhos e uma filha. Assegure-se de que os jarros não sejam abertos por mais dois anos; então, eles nascerão".

Bhishma tomou de suas vestes uma flecha curta envolta em tecido dourado e fincou-a na Terra.

"Não serão. Está lançada a flecha da minha tutela; ninguém poderá ver estes vasos senão eu."

Dois anos depois Gandhari abriu os jarros, um a cada dia, durante cento e um dias. O primeiro dos filhos de Dhritarashtra foi Duryodhana. Após seu nascimento, no mesmo dia, uma criada deu à luz Yuyutsu, filho de Dhritarashtra. No dia seguinte, Duhsasana saiu de seu jarro, e depois todos os outros filhos e, finalmente, também Duhsala, filha de Dhritarashtra.

Pandu também teve filhos, pouco antes do nascimento de Duryodhana. Seu coração sempre lhe pesara com a tristeza de não poder ter filhos, mas quando Kunti percebeu isso contou a ele seu mantra. Pandu sorriu alegremente e disse:

"Chame o Senhor Dharma, o deus da justiça".

Dharma, em sua biga, desceu do céu à montanha dos Cem Picos e, ao meio-dia, deu a Kunti seu filho Yudhishthira.

"Ele conhecerá a verdade", disse Pandu. "Agora chame Vayu, o deus do vento, e conceba e dê à luz outro."

O Portador das Fragrâncias veio a Kunti montado num veado rubro e gerou-lhe o Pandava Bhima.

"Ele tem grande força", disse Pandu. "Agora chame Indra!"

Madri lhe perguntou:

"Não posso eu também dar-lhe filhos? Pergunte a Kunti se posso usar seu mantra".

Kunti revelou a Madri o mágico encantamento de amor. Pandu disse:

"Se cada uma recitá-lo uma vez mais, bastará".

O filho de Indra com Kunti foi Arjuna, que foi seu avô, Majestade.

Madri chamou para si os Aswins, os cavaleiros gêmeos e médicos dos deuses, os senhores da luz e das trevas. São ambos jovens e muito velhos; juntos vieram a Madri, despertar da aurora, na manhã seguinte ao nascimento de Arjuna. E Madri deu a Pandu dois gêmeos, Nakula e Sahadeva.

Pandu, vendo seus cinco filhos crescerem, sentiu seu próprio vigor retornar aos braços. Yudhishthira e Bhima eram claros; Arjuna, moreno; os gêmeos eram formosos e tinham coração alegre; e todos eram para ele uma alegria. Pouco a pouco, com o passar dos anos, Pandu perdeu toda a lembrança da maldição do veado. Voltou a sentir-se jovem e despreocupado. E não se guardou de cinco flechas com pontas em flor de Kama, o deus do amor, aquele que detém o mais poderoso arco do mundo, ainda que seja feito apenas de cana-de-açúcar e sua corda não seja mais que uma fileira de abelhas.

Assim, na primavera, sob as montanhas em neve, indo Madri banhar-se sozinha, Pandu seguiu-a furtivamente floresta adentro e a possuiu; e, embora ela tentasse resistir, penetrou-a cheio de amor e instantaneamente expirou com um grito em seus braços. Madri segurou o corpo de Pandu e chorou e lamentou que ele houvesse morrido sem satisfazer seu desejo, até que seu próprio coração se partiu e ela também morreu, indo para o céu consumar aquele ato de amor com seu marido Pandu.

Duas Najas os encontraram e, disfarçando-se de montanheses, vestidos com peles de tigres, foram a Kunti e disseram:

"Deixe seus filhos, separe-se deles por alguns instantes". E disseram a ela: "Como morreram desejando-se um ao outro, nós os queimaremos juntos aqui e levaremos você e seus filhos a Hastinapura".

Kunti chorou, e respondeu:

"Ela foi mais feliz que eu, pois voltou a ver o seu rosto vivo".

Quando chegou aos portões da Cidade-Elefante com seus cinco filhos, Bhishma e Dhritarashtra curvaram-se diante deles, e o séquito de Najas entregou a Vidura as cinzas de seu irmão e de Madri.

Majestade, acabei de lhe contar o nascimento de Bhishma; do rei cego Dhritarashtra e de seus cem filhos; do poeta Vyasa, que está sentado aqui ao meu lado; de Pandu, e de Yudhishthira dos olhos dourados, do terrível Bhima, e de Arjuna, o príncipe argênteo; e de Karna, o melhor dos guerreiros. Volto agora aos dias de Santanu, e narrarei a respeito de Kripa, cujo nome significa "compaixão", e de Drona, que nasceu numa taça de água.

No âmago da floresta, perto de um urzedo, um soldado Kuru encontrou duas crianças gêmeas abandonadas, irmão e irmã, e levou-as a Santanu.

"O que há com eles?", inquiriu o rei.

"Estavam deitados sobre uma pele de veado, Majestade, e trazem um arco teso e uma flecha. O menino segura a flecha na mão e recusa-se a soltá-la."

"São os filhos de um brâmane perito em armas", disse Santanu. "Dou ao menino o nome de Kripa, e à sua irmã chamarei Kripi. Que sejam criados em meu palácio, pois foram expulsos e não têm outro lar."

No Portal do Ganges, ao norte, no reino de Panchala, vivia Bharadwaja, o recluso. Certo dia, vislumbrou uma Apsara banhando-se no rio, revelando, orgulhosa, a sua beleza; ao vê-la, sua semente vital o deixou, derramando-se sobre sua taça. Desse fluido nasceu Drona, seu filho.

Crescendo Drona no retiro de seu pai, fez amizade com Drupada, o príncipe Panchala, que o pai enviara para aprender o que Bharadwaja lhe pudesse ensinar. Seu pai então morreu, e Drupada tornou-se o rei Panchala e não mais foi à floresta. Logo Bharadwaja encerrava sua vida, e Drona seguiu sozinho, aprendendo sobre todas as armas do céu e da Terra.

Quando soube dominá-las, Drona foi a Hastinapura e pediu a Kripa sua irmã em casamento. Kripa entregou-a com alegria, e Kripi regozijou-se em casar com Drona. Juntos retornaram a Panchala e viveram em pobreza num pequeno vilarejo; lá nasceu Aswatthaman, seu filho, com uma joia azul no meio da testa.

Um dia, quando era pequeno, Aswatthaman chegou à sua casa chorando porque todos no vilarejo tinham leite para beber, menos ele. Drona explicou-lhe que eles eram muito pobres, não possuíam vaca, e Aswatthaman compreendeu e sentiu-se reconfortado. Mas logo Drona viu alguns meninos mais velhos darem a seu filho água branca por conter pó de arroz: Aswatthaman dançava de alegria, acreditando ter finalmente provado leite, até que os outros garotos debocharam dele e deram risada.

O rosto escuro de Drona endureceu, enquanto seu coração se despedaçava. Permaneceu durante muito tempo imóvel onde estava. Em casa, encontrou Kripi segurando seu filho no peito enquanto o menino chorava, e ouvia-a dizer: "A vergonha é deles, que zombam de seu pai por causa da nossa pobreza. São cegos e não conseguem ver que ele é rico; e os filhos deles seguem seus passos, pois também nada sabem".

Drona foi então a Kampilya, capital de Panchala, e pôs-se diante do rei Drupada, em seu palácio.

"Majestade", disse ele, "eu sou Drona."

Drupada retrucou:

"Conheço-o de alguma parte?"

"Sou seu amigo; crescemos juntos no retiro de meu pai."

O semblante de Drupada tornou-se sombrio e cheio de ira.

"Não seja tolo! Você não passa de um desgraçado vagabundo. Tudo isso passou. Agora sou rei, e devo ter meus amigos e inimigos entre os meus iguais. O tempo não deixa nada ser verdade para sempre."

Quando os príncipes Bharatas se tornaram rapazes, Kripa começou a ensinar o manejo do arco para os Pandavas e para os filhos de Dhritarashtra. Drona e sua família haviam vivido com Kripa por muitos anos, mas ninguém sabia que eles estavam por ali.

Um dia, os cinco Pandavas estavam brincando com uma bola fora dos limites da cidade quando esta caiu num poço profundo e seco. Não conseguiram tirá-la de lá de modo algum; viram então um brâmane magro e escuro aproximando-se.

Ele sorriu e disse:

"Vergonha para sua força e perícia reais!". Tirou do dedo um anel de ouro e lançou-o ao poço. "Prometam-me um jantar à noite, e eu trarei de volta a bola com tufos de capim, e meu anel com uma flecha."

"É pouco o que pede", disse Yudhishthira. "Eu prometo."

Por sobre um punhado de folhas longas de capim, Drona recitou um mantra de ilusão; inclinando-se então sobre o muro do poço, atirou uma folha de capim e perfurou a bola; e uma segunda, que perfurou a primeira folha; e uma terceira, que perfurou a segunda; e assim produziu uma corrente de capim, com muitas folhas. Quando esta atingiu o comprimento necessário, Drona puxou a bola.

"Agora, um arco e uma flecha", pediu ele. Arjuna entregou-lhe os seus, com os olhos arregalados de espanto e deleite.

A flecha zumbiu para dentro do poço e voltou às mãos de Drona com o seu anel. Ele entregou o arco e o anel, ainda preso à flecha, para Arjuna.

"Ensine-nos como fazer isso", disse Yudhishthira, "e, quando precisar de nós, seremos seus."

Drona disse-lhe com suavidade:

"Leve este anel que saiu do poço para seu avô Bhishma".

Quando ouviu o que os Pandavas disseram, Bhishma correu até Drona e disse:

"Bem-vindo seja! Este é o fruto da nossa boa sorte! Por que veio a Hastinapura?"

"Como", respondeu Drona, "há muitos anos Drupada recusou-me até mesmo abrigo e alimento por uma noite, eis que determinei que farei o que hei de fazer em breve."

"Arjuna guarda aquela flecha como um tesouro. Aqui está o seu anel. Drupada é um tolo."

"É porque tenho aparência de pobre." Drona sorriu. "Mas o que posso fazer por você?"

"Retese as cordas do arco, brâmane!", disse Bhishma.

"E o que haverá nas cordas tesas? Os ventos do furacão, a neve e o granizo, as trombas-d'água, o fogo ardente... as ilusões da guerra que queimam e afogam?"

"Apenas isto: ao lado de Kripa, ensine aos príncipes Kurus, e ao seu próprio filho com eles, o que cada um puder aprender. E ao melhor deles revele as armas que desejar."

E assim Drona viveu numa casa repleta de arroz e de ouro. Todas as manhãs, entregava a cada príncipe um jarro de gargalo estreito e os enviava para que lhe trouxessem água do rio. A Aswatthaman entregava um jarro de boca larga, e no intervalo, antes de os outros voltarem, ele ensinava seu filho em segredo. Mas no segundo dia Arjuna começou a encher seu jarro usando a arma da água e, desse modo, junto com Aswatthaman, aprendeu mais do que os outros, tudo, com exceção daquele primeiro dia.

Drona avisou o cozinheiro do palácio: "Jamais permita que Arjuna coma no escuro". Porém, certa noite, durante o jantar, o vento apagou a lâmpada de Arjuna. Sua tenda mergulhou em negra escuridão. Ele, contudo, continuou comendo, e sua mão ia até a boca por destreza habitual. Mais tarde, no meio da noite, Drona ouviu a corda do arco de Arjuna; saiu e disse a ele: "Príncipe, se tiver de ser você, eu o ensinarei primeiro a considerar os outros homens".

Quando terminou os ensinamentos, Drona chamou seus alunos, um a um, à parte dos demais. Bem alto no topo de uma árvore havia um pássaro de pano e palha, usado como alvo: chamou então Yudhishthira e disse:

"Tome seu arco e aponte uma flecha para cortar aquela cabeça".

Enquanto Yudhishthira mirava o pássaro, Drona perguntou:

"O que você está vendo?"

"A árvore e a ave, o arco e a flecha, e meu braço, e Drona", respondeu Yudhishthira.

"Afaste-se", disse Drona. Convocou Aswatthaman, e recebeu a mesma resposta; e Duryodhana e seus irmãos, que responderam o mesmo; e Bhima e os gêmeos Pandavas, mas não permitiu que ninguém lançasse suas flechas.

E então chamou Arjuna. "Mire a cabeça do pássaro e atire quando eu mandar." Arjuna permaneceu com seu arco tão estirado que formava um círculo. "Diga o que está vendo."

"Um pássaro."

"Descreva-o para mim."

"Não posso, vejo-lhe apenas o pescoço."

"Lance a flecha!". A corda do arco de Arjuna sibilou, e a cabeça do alvo tombou à terra.

Drona abraçou Arjuna e disse:

"Tornei-o o melhor arqueiro de todo o mundo. Mas deve prometer-me uma coisa".

"O quê?"

"Se algum dia eu vier contra você, sozinho ou junto com muitos, você lutará para vencer."

"Prometo."

Drona avisou os príncipes Kurus:

"Chegou a hora de me pagarem por suas lições; e este é o pagamento: tragam-me aqui Drupada, o rei Panchala".

Imediatamente se dirigiram em seus carros para Kampilya, mas Drupada saiu para enfrentá-los como uma roda de fogo girando sobre a Terra. Lutava só, em sua carruagem branca, mas parecia estar em todas as partes ao mesmo tempo. Milhares de flechas saíam flamejando de seu arco; e rechaçou Duryodhana e seus irmãos, e os quatro Pan-dhavas, que fugiram dele como cabritos.

Drupada ia retornando às gargalhadas, mas eis que Arjuna estava entre ele e a cidade, correndo para alcançá-lo. Drupada pôs uma flecha em seu arco, mas o arco se havia quebrado; sacou sua espada, mas outra flecha estilhaçou-a em sua mão. E já uma carruagem o alcançava, um poderoso braço escuro o prendia e Arjuna pulava para seu carro em pleno movimento.

"Segure-se!", gritou Arjuna por sobre seus ombros. "Renda-se a mim e não terá de temer pela vida!"

"Eu me rendo", cedeu Drupada. "Quem é você? Não carrega bandeira."

"Ainda não paguei a meu mestre. Sou Arjuna, e nós agora vamos a Hastinapura, Majestade."

Drupada permaneceu em pé ao lado de Arjuna, berrando em seus ouvidos enquanto a carruagem se sacudia estrepitosamente pelo caminho.

"Mas para que isso? Você é filho de Pandu, e ele era meu amigo."

"O senhor é o preço de Drona, Majestade."

"Ah! E por que razão?"

"Vi que luta bem, Drupada, e eu guardarei sua vida."

Drona sorriu quando viu Arjuna e Drupada diante de si, e disse:

"Majestade, tomo agora metade de seu reino, para que sejamos iguais e possa reconhecer-me quando me vir. Poderá então ser meu amigo ou meu inimigo, conforme desejar".

"E minha capital?", quis saber Drupada.

"É sua", replicou Drona. "Tomarei a metade do norte, onde já morei."

"É muita bondade sua."

"Os brâmanes são clementes. Têm o coração de manteiga, não de pedra, e perenes são suas lembranças felizes."

"As minhas também o serão", disse Drupada. "Com o seu caráter, o senhor será um ótimo rei, Majestade. E com sua permissão, eu os deixo agora."

A seguir, Drona escolheu um dia da metade iluminada do mês, com uma estrela promissora ascendente, para que seus alunos pudessem demonstrar à vista de todos a perícia que tinham com as armas. Escolheu o terreno, limpo de árvores, com nascentes de água fresca, e o mediu atirando uma pesada vara de madeira. Sob o comando de Dhritarashtra, construíram-se pavilhões cobertos e grandes portões, e muros cercando a área, e tendas abertas, e plataformas para todos os espectadores, e altos mastros para os longos pendões que coloririam o festival.

No dia marcado, quando o rei havia tomado seu lugar e a rainha se sentara com as mulheres, Kripa foi o primeiro a entrar pelo portão principal que dava para o oriente. Do seu ombro esquerdo pendiam fieiras de pérolas e pedras azuis incrustadas em ouro, e por sobre a multidão pairou grande silêncio.

Kripa pôs-se de pé diante do rei.

"Dhritarashtra! Conceda-nos sua permissão para mostrarmos a força dos Kurus aos xátrias, guerreiros e reis, e para revelarmos aos brâmanes, aos mercadores e a todo o seu povo como estão protegidos e que podem viver em paz."

"Eu a concedo!", respondeu Dhritarashtra.

A antiga canção do venerado rei Bharata teve início, e Drona entrou pelo portão como a Lua nascendo no mar, todo vestido de branco. Seus longos cabelos e sua barba eram brancos; sua túnica e suas guirlandas de flores eram brancas; e sobre seu corpo escuro ele espalhara pasta de sândalo. Com ele estava Aswatthaman, e logo a seguir vinham os príncipes Kurus: a pé, em elefantes pintados de várias cores, em bigas de duas rodas e a cavalo.

Espadas cintilavam nos enormes cavalos, e os melhores espadachins eram Nakula e Sahadeva. Carruagens rodavam e giravam, e o melhor auriga era Yudhishthira. Bhima e Duryodhana arrojavam suas pesadas clavas em alvos móveis e estáticos; estavam tão equilibrados que a multidão começou a tomar o partido de um e de outro, e os teria provocado à luta se Drona não houvesse dito a seu filho: "Isto não é competição. Faça-os parar".

Transbordando de excitação, Bhima e Duryodhana já tinham abandonado os alvos e haviam-se voltado um contra o outro, espreitando-se e perscrutando-se mutuamente, buscando posições de ataque, até que Aswatthaman, sem pestanejar, colocou-se no meio dos dois e disse, calmamente:

"Basta por ora. Sua vez já findou".

Ofegante, Bhima retrucou:

"Ela apenas começou!". E apertou com mais força a sua clava.

Duryodhana rugiu, com os dentes cerrados.

"Saia da frente, brâmane, para que o pior não venha a acontecer ao mais fraco!"

A joia azul entre os olhos de Aswatthaman cuspiu fogo: os príncipes ficaram paralisados, e ele tomou a clava de Bhima em uma das mãos, a de Duryodhana na outra e atirou-as aos pés de Kripa, enquanto a multidão bradava vivas.

Aswatthaman sorriu. "Ouçam-nos! Arjuna retesou seu arco para uma flecha somente, e uma centena delas zunem através das nuvens do crepúsculo carregadas de arco-íris e de relâmpagos! Vejam: seu arco lança apenas uma flecha e uma centena delas saem voando pelo ar, sem que nenhuma deixe de acertar a boca do ligeiro javali selvagem. Vejam os intrépidos espectadores se agacharem! Também eu conheço muitos mantras... vamos embora, xátrias, corremos perigo aqui."

Drona limpou a arena para Arjuna. Dhritarashtra inclinou-se e perguntou:

"Kripa, o que atingiu a Terra aqui ao nosso lado?"

Kripa ergueu os olhos e respondeu ao rei:

"Duas clavas de ferro, Majestade, atiradas de uma só vez aos meus pés pelo filho de Drona".

"Onde está Aswatthaman?"

"Muito distante, Majestade."

"A quem a multidão aplaude?"

"A Arjuna."

"Estou bem valido, e bem protegido, pelos filhos de Pandu", disse Dhritarashtra.

Arjuna lançou flechas flamejantes de sua carruagem, e a seguir fontes de água para apagá-las; ocultou-se em nuvens de prata, afugentou a poeira com o vento; chamou uma montanha dentro da Terra, conversou com uma flecha e a colina desapareceu. Em seu carro, sobre o solo, com espada e escudo, arco e flecha, clava e dardo, Arjuna superou todos os que vieram antes dele.

Drona preparou-se então para encerrar a demonstração; a multidão estava pronta para deixar o local, quando de fora dos muros se ouviu o ríspido estalido de punhos cerrados batendo nas axilas – o desafio dos xátrias, alto e sonoro como o crepitar de um gigantesco chicote – e todos se quedaram, atônitos. "Será a Terra rachando-se e arrebentando-se? Ou haverá trovão neste céu sem nuvens?"

Aswatthaman olhou para seu pai.

"Homem, ou deus, ou demônio, deixe-o entrar!", bradou Drona, e Aswatthaman abriu os portões.

Karna entrou na arena como um leão dourado, usando os brincos com que nascera, e uma armadura de ouro com a roda solar sobre o peito de armas. Num vermelho-ouro profundo, listras de sol pousavam em suas costas. Esplêndido como o astro-rei e belo como a Lua, curvou a cabeça quase imperceptivelmente, perante Drona, como uma grande palmeira dourada se inclina à brisa suave.

Karna voltou-se cortesmente para Arjuna e disse: "Eu farei tudo o que acabou de fazer, para que você também se maravilhe". Drona deu-lhe sua permissão, e Karna repetiu tudo o que Arjuna fizera, e o fez muito melhor; agiu mais celeremente, mais graciosamente, e com perícia natural.

Kripa aproximou-se de Karna e disse: "Diga-nos o seu nome, e o nome de seu pai e de sua mãe, e da sua família real".

Karna ficou pálido como um lótus branco arrancado pela chuva. Mas num instante Duryodhana estava ao seu lado, e disse Kripa: "Sabemos que essa declaração é acessível somente à realeza. Ó Kripa, quem foi sua mãe e quem foi seu pai?". Chamou Karna à parte e perguntou-lhe: "Onde mora?".

"Em Anga."

"Eu sou Duryodhana, filho mais velho do rei." Ergueu a voz. "Aqui e agora faço este homem o rei de Anga."

"E o que devo dar em troca?", indagou Karna.

"A sua amizade."

"Ela é sua. Eu sou Karna, Majestade!"

E com arroz e flores secas, com água e com ouro, Duryodhana tornou Karna rei, mantendo sobre ele um para-sol real, enquanto seu irmão Duhsasana abanava o recém-nomeado soberano com um leque de rabo de iaque.

Adhiratha, o auriga, trêmulo e perspirando, caminhou, hesitante, até o filho, apoiando-se pesadamente no bordão, com sua túnica rota e disforme: o novo soberano ajoelhou-se diante dele, com os cabelos sobre os ombros ainda úmidos da água usada para torná-lo rei. Adhiratha tocou-lhe a cabeça, e Karna levantou-se, levando o velho a sentar-se ao seu lado.

Bhima riu desdenhosamente. "De que vale isso", indagou a Duryodhana, "tornar-se rei o filho de um cocheiro? Que este Karna deponha suas armas e trabalhe com o chicote de boleeiro!"

Karna perguntou a Duryodhana:

"Quem é este?"

Duryodhana respondeu:

"Bhima, o Pandava, Majestade."

"Adhiratha, meu pai", disse Karna, "ensinou-me o manejo das armas usadas pelos guerreiros que ele transportava em carruagens na sua juventude. E eis que vocês as viram! Em meu coração sempre busquei o meu lar, e isso Duryodhana me deu. Ao amanhecer volto-me para o oriente e sento-me em silêncio até não haver mais sombra atrás de mim e eu sentir minhas costas aquecidas pelo sol; e assim aprendi muitas coisas sem sua aprovação, Bhima."

Kripa se interpôs entre Karna e Bhima com uma lâmpada acesa. "Já é noite", disse ele, "o dia é findo."

Duryodhana caminhou com Karna à luz de um milhar de lâmpadas, e Bhima partiu com Drona e Aswatthaman. Yudhishthira permaneceu só no campo vazio, e soube então que não havia sobre a Terra outro guerreiro como Karna.

Fogo e chama

O que é esta vida que corre
Em nossos corpos como fogo?
O que é?

A vida é como ferro quente,
Prestes a ser derrotado.
Escolha o molde,
E a vida o abrasará.

Majestade, na corte dos Kurus, Duryodhana tornou a voz doce como o mel, ocultando o veneno do seu coração como alguém que esconde uma faca afiada nos cabelos. E perguntou a Dhritarashtra: "Estou me perguntando quem será o próximo rei de Kurujangala, eu ou Yudhishthira?". E partiu, como se a dúvida tivesse acabado de lhe vir à mente, e não fosse realmente importante.

Mas Duryodhana retornou à noite, quando Dhritarashtra estava a sós, e disse:

"Karna é meu amigo, de modo que não temo os Pandavas, embora eles sejam os favoritos entre o povo. Pandu conferiu-lhe a joia real, mas as multidões estão inquietas porque seu rei não foi escolhido rei desde o início, e consideram os filhos de Pandu os herdeiros do reino. A população não deve ficar dividida, nem julgá-lo inapto. Diz o povo que Yudhishthira cuidaria de nós como Dhritarashtra cuida de Bhishma".

Dhritarashtra franziu o rosto.

"O povo diz! Já estou, por acaso, morto? Mandarei os Pandavas embora por um tempo, e darei a você este reino, ou não o darei, ou o dividirei. Peça a Yudhishthira que venha a mim."

Dhritarashtra disse a Yudhishthira:

"Você é como seu pai. Por que quer herdar este reino de mim?"

"Esta é uma má pergunta", respondeu Yudhishthira. "Majestade! Meus irmãos e eu o servimos; o que decidir, não permitiremos a ninguém rejeitar."

"Então faça isso por mim, Bharata: vá a Varanavata para o festival de Shiva, e, se quiser, ainda por mais algum tempo. Enviarei também Duryodhana e Duhsasana para algum lugar por outro motivo enquanto você estiver fora."

"Sim, eu compreendo", disse Yudhishthira. "Iremos amanhã com nossa mãe."

Duryodhana e Duhsasana naquela mesma noite conversaram com seu ministro particular:

"Vá depressa a Varanavata; construa uma casa para os Pandavas, uma casa tal que queime à mera presença de fogo, mas também de modo que ninguém perceba isso apenas olhando. Faça apenas uma porta, e um quarto para si imediatamente ao lado. Chame-a Abençoado Lar; e isso não será mentira, pois irá certamente levá-los para o céu! Dê-lhes as boas-vindas e aguarde uma palavra minha".

O ministro Purochana apressou-se em obedecer. Na manhã seguinte, os Pandavas se prepararam para deixar Hastinapura, e de tarde partiram a cavalo, com Kunti viajando numa liteira sobre um elefante.

Vidura os acompanhou parte do caminho, e falou a Yudhishthira em língua bárbara:

"As armas afiadas não são feitas de aço. O que seca o orvalho não perturbará cães selvagens, cujas tocas têm muitas portas secretas subterrâneas. O cego não enxerga seu caminho; o cego não tem conhecimento de para onde vai. Quem vaga pode conhecer caminhos; quem observa as estrelas pode conhecer caminhos; quem observa as estrelas pode vir a conhecer direções; quem tem cautela ninguém poderá oprimir".

Na mesma língua, Yudhishthira replicou:

"Eu o compreendi". E Vidura retornou a Hastinapura.

Após prepararem o acampamento, ao anoitecer, afastaram-se dos criados e Kunti perguntou:

"O que Vidura disse com aquelas palavras?"

"A casa para onde vamos é inflamável. A maneira de escapar é um túnel."

Purochana, não constatando nenhuma suspeita entre os Pandavas, instalou-os em sua casa em Varanavata, ficou a servi-los e aguardou a ordem de Duryodhana.

Em seu quarto, Bhima disse:

"Sinto o cheiro das chamas ocultas nos forros e pisos de madeira betuminosa embebida de manteiga. Cheire as paredes de laca revestidas de gesso. Cheire a resina e a cera de óleo e cânhamo ocultas no bambu seco e na palha ressecada do telhado. Por que permaneceremos aqui nesta armadilha de morte?"

"Nós esperamos", respondeu Yudhishthira. "Nada sabemos. Duryodhana tem dinheiro, posição e poder."

Kunti saía frequentemente com Purochana para que ele pudesse mostrar-lhe o festival: e, enquanto estava fora, veio um homem conversar com Yudhishthira.

"Sou um mineiro. Vidura falou como um bárbaro. Começando pela porta, dentro de catorze noites, o sol reluzirá à meia-noite. Diga-me o que fazer."

"Comece à beira do rio", disse Yudhishthira, "e termine... *aqui*." E fincou o pé no piso da entrada da casa.

O mineiro prosseguiu:

"Na tarde do último dia, erga essas tábuas".

No décimo terceiro dia, Yudhishthira disse a Nakula e Sahadeva:

"Precisamos de seis pessoas. Encontrem-nas para nós".

Os gêmeos sorriram, e Sahadeva disse:

"Cadáveres: cinco homens vistosos e uma velha".

"Do cemitério, de nenhum outro lugar."

"Sim, queimados... parcialmente queimados; estarão prontos."

Na noite seguinte, após o jantar, Purochana retirou-se para seu quarto, e Yudhishthira abriu a boca do túnel. Nakula e Sahadeva ergueram os corpos que haviam reunido e os depuseram, um em cada cama.[2]

Um vento forte começou a soprar noite adentro. Bhima disse: "Entrem no túnel. Irei em um minuto". Quando os outros haviam partido, ele caminhou ruidosamente até o quarto de Purochana e bateu à porta.

Purochana abriu-a, esfregando os olhos como se tivesse estado dormindo.

"Detesto perturbar seu repouso", disse Bhima. "Mas a porta de fora está trancada."

"Eu sempre a tranco", retrucou Purochana, "e durmo aqui para que ninguém entre e nos assalte."

"Sei disso."

2. No *Mahabharata* indiano, seis pessoas da casta mais baixa foram aprisionadas e queimadas vivas por Yudhishthira. (N. do T.)

Bhima alcançou seus irmãos e Kunti no túnel.

"Já é muito tarde, Bhima, e..."

"E talvez não seja uma boa ideia eu sair?"

"Sim, é isso." O ministro sorriu.

"Embora a casa vá ser queimada até o chão esta noite?"

Purochana deu um passo para trás e estatelou-se em sua cama, de onde ficou a observar Bhima, que disse:

"As ordens de Duryodhana não devem ser desobedecidas. Você não deve atear o fogo aqui, na única entrada?"

"Sim... Eu sou um homem velho, Bhima..."

"Por dentro ou por fora?"

"Ele não disse."

Bhima ergueu uma lâmpada ardente e entregou-a a Purochana. "Foi uma negligência da parte dele. Mas você não crê que seja seguro sair."

"Bhima, como um favor..."

"Eu o farei", concedeu o Pandava. Purochana atirou a lâmpada contra a porta da frente e, antes que ela se tornasse uma muralha de chamas, um instante depois, ele jazia em seu leito com o pescoço quebrado.

Bhima correu com todas as suas forças e pulou dentro do túnel quando as labaredas já engoliam a casa. Ela queimou ao vento durante toda a noite. De manhã, junto com o povo de Varanavata, que viera remexer as cinzas, apareceu o mineiro, que cobriu a entrada do túnel por cima, e depois por baixo.

Quando Dhritarashtra soube que os corpos dos Pandavas haviam sido encontrados, convocou Kripa e disse:

"Irei interrogar dois homens. Esconda-se em alguma parte desta sala. Aquele que mentir para mim deve morrer".

"Eu o matarei, Majestade", assegurou Kripa. "Trarei meu arco e duas flechas."

Dhritarashtra mandou chamar seus filhos Duryodhana e Duhsasana. "Agora Pandu está efetivamente morto", disse ele, "e isso não pode ser desfeito. Purochana era seu ministro. Aquele incêndio foi acidental?"

Duryodhana nem hesitou: "Não".

"Duhsasana?"

"Não foi acidente, Majestade", respondeu o irmão de Duryodhana.

"Podem ir." Quando partiram, Dhritarashtra suspirou, e pensou: "Com bondade poderíamos ter vivido como um bosque de árvores majestosas à luz do sol. Mas agora Duryodhana está só, para ser adorado como única árvore numa vila". E chamou: "Kripa!".

"Aqui estou."

"Esse é meu filho! Agora o meu caminho está claro. Não há mais escolha a ser feita. Mas... quanto perdemos!"

Bhima alcançou seus irmãos e Kunti no túnel, e juntos correram sob os muros de Varanavata. Bhima afastou alguns arbustos e eis que se encontraram todos com os ventos noturnos. Do interior dos muros, o clarão do Abençoado Lar iluminava o céu e dançava rubro sobre o Ganges, estendendo-se sobre suas ribanceiras arenosas. Enquanto Bhima escondia novamente a boca do túnel, Yudhishthira viu um barco aguardando no rio e foi até lá.

O barqueiro disse:

"Venho da parte de Vidura, aquele que falou com você em língua bárbara perto de Hastinapura. Ele os abraça; e manda dizer que vagando terão boa fortuna; adverte-os para que sejam cautelosos. Que ninguém saiba quem são, essa é a sua mensagem. Diga-me o que devo fazer".

Yudhishthira respondeu:

"Diga a ele que obedecemos, nossas vidas são dele! Agora, aceite-nos a bordo".

Com todas as bandeiras desfraldadas na tenebrosa meia-noite, o barco desceu o rio. De madrugada, os Pandavas e Kunti desembarcaram numa floresta virgem, longe de qualquer cidade, disfarçados de brâmanes errantes.

Bhima abriu-lhes uma picada através da mata à maneira dos elefantes, afastando as árvores do caminho e fincando na terra as já caídas; sua mãe e seus irmãos seguiam atrás sob uma chuva de folhas e galhos que tombavam. Ele os carregava quando estavam cansados, sob os braços e nas costas; e assim, por um dia e uma noite, seguiram para o sul, guiados pelo sol e pelas florestas.

Então, tarde da noite, a floresta tornou-se menos desolada; viram um lugar onde homens haviam catado lenha ou caçado. A fim de prosseguirem em paz, seguiram uma trilha de veados por lagos e vales ocultos e, ao raiar do dia, chegaram aos portões do vilarejo de Ekachakra. Ao se abrirem os portões, eles entraram. Por bondade e caridade e pelo amor dos deuses, um brâmane ofereceu-lhes hospedagem em sua casa. Todos os dias, liam em voz alta o sagrado *Veda* e mendigavam seu alimento pelo vilarejo inteiro. E todas a noites partilhavam a comida que haviam recebido; Bhima comia metade; e o resto era dividido em cinco para os outros.

Um dia, Kunti e Bhima estavam sozinhos em casa quando ouviram um grito de partir o coração vindo dos aposentos do brâmane. Kunti correu para descobrir o que estava errado, como uma vaca corre para seu bezerrinho, mas, à entrada do quarto, estacou. Viu o brâmane sentado, com sua esposa e filha, os três chorando desesperadamente, e não quis intrometer-se na dor particular que sentiam.

Mas o brâmane o viu e disse:

"Esta vida é infame, oca como um junco, sem fruto como o bambu! É feita de dor, alimenta-se de servidão e miséria, e adorna-se de doenças! Já não creio na salvação! Lamento ter um dia amado alguma coisa ou pessoa, pois agora sua perda é minha também! É tarde demais... agora é tarde demais para escapar!"

Kunti perguntou:

"O que houve? Diga-me, para que possa aliviar sua agonia".

"Essas são palavras bondosas", disse ele, "e dignas de você! Mas não há esperança; nada há a fazer. Não longe daqui vive Vaka, o rei Rakshasa comedor de gente. Ele protege Ekachakra do mal, mas, como tributo, todos os anos precisamos enviar-lhe um carro cheio de arroz cozido, dois búfalos e um ser humano, para um campo afastado da vila. A cada ano tiramos a sorte... e ela caiu sobre mim para amanhã!"

"Vocês não têm rei humano?", assombrou-se Kunti.

"Ele teme o demônio e está sempre afastado, jamais perto. Mas sabíamos de tudo isso e resolvemos permanecer aqui assim mesmo, raciocinando que os dias de tirarmos a sorte são poucos e as casas aqui em Ekachakra são muitas. Nem mesmo um rei-demônio pode impedir um brâmane de vagar por onde ele quiser. O brâmane é livre, e não considera as fronteiras dos Estados e reinos. Mas agora eu não sou livre! A sorte está lançada; Vaka jamais me deixará passar."

A esposa do brâmane interrompeu o pranto e disse:

"Não temos dinheiro para comprar um substituto, meu Senhor, mas eu irei em seu lugar. Talvez Vaka não assassine uma mulher".

A filha disse:

"Meu irmãozinho morreria, sem sua mãe; e todos pereceremos, sem meu pai. Deixe-me ir, e tenha outro filho após mim".

Nesse instante, o pequeno filho do brâmane entrou em casa, sujo e sorridente, segurando um tufo de grama. Tocou cada um de sua família e disse-lhes:

"Meu pai, não chore. Minha mãe, não chore. Não chore, minha irmã". Riu e continuou: "Pois com esta espada de grama eu matarei o maldoso Rakshasa que come gente".

Sua mãe tomou-o nos braços, apertando-o forte, e, apesar da dor, conseguiram sorrir. O brâmane voltou-se para Kunti e disse:

"Você vê? Nós nos amamos tanto que morreremos juntos, amanhã. Fique morando nesta casa depois que partirmos. Não há outro caminho; jamais suportaríamos enviar um de nós à morte sozinho".

"Um de meus filhos levará a comida a Vaka amanhã."

"Você nada sabe!", bradou o brâmane. "Seus filhos são meus hóspedes, e estão sob minha proteção, por irrisória que seja. Não posso enviá-los a Vaka, como não poderia matá-los, se me pedissem!"

Kunti sentou-se ao lado do brâmane.

"Ouça... e não diga nada a ninguém. Não será o meu filho, mas sim Vaka quem morrerá. Essa é a verdade."

"Mas como?"

"Brâmane, tivesse eu quinhentos filhos, e não cinco, e ainda assim cada um me seria tão caro quanto seus filhos lhe são queridos. Por que eu mandaria um para a morte? Após longos anos de estudo secreto e penitências indizíveis, meu filho aprendeu de seu preceptor muitos mantras e encantamentos. Mas não peça para conhecer seus mantras de morte. Se forem revelados, toda a virtude e todo o poder das palavras desaparecerão instantaneamente e para sempre."

"Jura que isso é verdade?"

"Brâmane, os favores nunca se perdem para um homem verdadeiro. Você foi bondoso para nós, que não temos lar: quem devemos matar para mostrar-lhe o poder dos mantras?"

O brâmane permaneceu em silêncio.

"Pois então prepare o arroz e os animais, e prometa-nos que guardará segredo."

"Dou-lhe minha palavra e minha promessa. Tudo estará pronto para ele à noite."

Bhima sorriu alegremente quando ouviu o plano de Kunti, e disse:

"Isso é maravilhoso! Nunca tive o suficiente para comer aqui!"

Naquela noite Yudhishthira olhou de relance o rosto de Bhima e perguntou a Kunti:

"O que pensa fazer agora o Filho do Vento?"

"É ideia minha", respondeu ela. "Ele vai matar aquele rei Rakshasa."

Yudhishthira atirou longe seu prato de comida, e Bhima apanhou--o. Mas o semblante de Yudhishthira estava fechado, e ele disse:

"Temos ouvido falar desse Vaka o dia inteiro! Todos estão muito tristes, e por isso nos deram bastante comida! Mas isso é um assassinato; veja como Bhima está magro".

Bhima sorriu para seu irmão e respondeu:

"Como condiz a um pobre brâmane, Yudhishthira!"

"Não é assassinato, então, mas suicídio... a não ser que você esteja louco."

"Seja como for, é contrário ao *Veda*", lembrou Arjuna, com voz solene.

Yudhishthira estava furioso. Voltou-se para sua mãe e gritou:

"Kunti Devi, diga-me: como pode ele vencer?"

"Sente-se aqui ao meu lado", disse Kunti, "e acalme-se. Acha que perdi o juízo com a velhice? Quando Bhima tinha um dia de idade e estava deitado em meu colo, um reluzente tigre cor de laranja enfiou a cabeça através dos arbustos tão perto do meu rosto que pude sentir seu bafo quente. Sem pensar, levantei-me, e Bhima tombou ao chão sobre uma pedra redonda, esfacelando-a. Não deve um xátria colocar sua força a serviço dos fracos que se sintam ameaçados? E aqui, onde este brâmane é nosso anfitrião, ajudando-nos a nos esconder dos espiões de Duryodhana, e toda a vila vive com pavor daquele demônio miserável, você não quer fazer nada? Bhima irá levar a Vaka sua comida, e não se discute mais. E irá sozinho."

"Não temos sequer uma faca de cozinha conosco", argumentou Yudhishthira.

"Sozinho, sem armas, e nem mais uma palavra a esse respeito!", encerrou Kunti.

De manhã, antes da alvorada, Bhima partiu no carro de búfalos até uma clareira, na floresta de Vaka. Primeiro fez uma fogueira, assou os animais e os devorou. Ainda enquanto comia, seu corpo já se esvaziava e, quando a carne acabou, ele atacou o arroz, sentado no chão e clamando, a cada bocado: "Oh, Vaka! Venha pegar suas coisas, monstro medonho!".

Vaka saiu a passos largos da mata. Cheirou o homem, e sua boca encheu-se de saliva ao pensar em sangue humano fresco, quente e espumoso. O rei Rakshasa tinha ombros largos e era alto como um penhasco; seus cabelos, barbas e olhos eram de um vermelho flamejante; sua boca se abria de orelha a orelha; e estas eram compridas e pontiagudas como pontas afiadas de flechas. Sua pele era verde; em sua enorme barriga caberia um elefante; seus braços e pernas eram grossos como gigantescos baobás. Lambeu as escuras fuças, mostrando as presas e os dentes aguçados. Ele era horrível. Foi quando viu Bhima sentado comendo seu arroz.

A boca de Vaka se abriu de espanto e seus olhos se esbugalharam de surpresa. Com uma pavorosa carranca, gritou: "Qual o tolo que come o alimento do rei diante dos seus próprios olhos?".

Bhima lançou-lhe um único olhar, sorriu para ele e deu-lhe as costas, ainda comendo sofregamente o arroz, já pela metade.

O semblante de Vaka escureceu. Avançou para Bhima com os braços acima da cabeça e golpeou-lhe as costas com ambos os punhos. Mas Bhima nem sequer ergueu os olhos. Continuou simplesmente comendo. Ele havia-se feito resistente.

Vaka, observando seu arroz desaparecer, arrancou uma árvore para usar como cassetete. Mas o arroz já se acabara. Bhima levantou-se e arrebatou a árvore das mãos de Vaka. E a seguir atirou-a contra o demônio, que se agachou, esquivando-se. Bhima havia-se feito enorme.

"Pelos deuses, como você é feio!", provocou Bhima, desviando-se das árvores que Vaka lhe atirava, "além de idiota. Não sabe que é falta de educação apressar os convidados às refeições? Para não falar em comê-los! Está gordo e sebento por nada. Tem a barriga de um bebezão, ou então está grávido e...".

As raízes de uma pesada árvore atingiram o rosto de Bhima em cheio. Ela se espatifou em galhos e gravetos, mas Bhima não moveu sequer um fio de cabelo. Ele havia-se feito pesado.

Bhima voltou-se para cuspir a terra da boca. Vaka esgotara todas as árvores, e atracou-se com o Pandava pelas costas, espremendo-o em seus braços. Teria sido o mesmo tentar esmagar um remoinho com esse golpe mortal. Bhima retorceu-se e libertou-se e, rugindo como um leão, levantou Vaka acima da sua cabeça e atirou-o ao chão, onde ele morreu com as costas partidas.

Ao raiar do sol, Bhima arrastou o corpo até um dos portões de Ekachakra e lá o abandonou sem ser visto. Quando os habitantes da vila acordaram e viram o grande Rakshasa sem vida, estraçalhado e coberto de sangue, ficaram pasmados e maravilhados. Sentiram-se trêmulos, e ficaram gélidos; e, ao se lembrarem quem havia sido sorteado, dirigiram-se às centenas para a casa do brâmane onde residiam os Pandavas.

Ele saiu e explicou:

"Certo brâmane bem versado nos mantras de morte do sagrado Veda levou o tributo a Vaka em meu lugar. Disse-me que não temesse por ele e partiu com os búfalos e o arroz, avisando que jamais retornaria, pois seus votos não permitem que ele entre na mesma cidade duas vezes. E mais do que isso eu nada sei".

A vila inteira preparou então uma festiva celebração e consagraram uma enorme árvore em honra ao brâmane desconhecido, um herói e mestre do seu ofício. Os Pandavas continuaram vivendo como antes, até que certa noite um mendigo bateu em sua porta, dizendo:

"Há uma clareira na floresta com árvores arrancadas, espalhadas como palha ao vento".

Yudhishthira ergueu-se unindo as mãos.

"Vyasa!"

Vyasa retribuiu o cumprimento e sentou-se ao lado deles.

"Estive procurando todos vocês", disse. "Tenho algo a lhes contar."

Ouçam!

Após a batalha em que foi capturado para Drona, o rei Drupada deixou seu palácio e sua rainha e pôs-se a vagar por toda a Terra, adquirindo força e poder. Transmitiu a todos o êxtase de viver e dissipou as mágoas que turbavam seu vigor. Ninguém o conhecia, nem sabia onde estava, mas todos os dias ele suplicava a Shiva que lhe desse um filho que derrotasse Drona.

Em sonhos, Shiva lhe disse: "Agora é a hora. Drupada preparou um fogo em nome do deus e despejou manteiga clara em duas taças, conforme lhe revelara o sonho: uma para um filho, a outra para uma filha".

O rei Panchala disse: "Para a morte de Drona!", e derramou uma taça de *ghrita*, a manteiga fervida e coada sobre o fogo. As chamas projetaram-se para o alto e delas saiu um jovem de armadura e grande coroa, empunhando uma espada. Enquanto a armadura de seu filho esfriava e endurecia sobre seu corpo, Drupada disse: "Bem-vindo seja. Dou-lhe o nome de Dhrishtadyumna. *Para a esposa do arqueiro queimado*".

Em seguida foi Draupadi que saiu do fogo de Shiva, com os cabelos negros caindo sobre os pés nus e o corpo escuro a exalar o aroma de um lótus azul. Seus olhos eram pretos e grandes como as pétalas do lótus; suas unhas, brilhantes como o cobre; ela era linda, afetuosa e terna. Drupada viu-a e exclamou: "Excelente, meu Senhor!". Levou então seus dois filhos nascidos do fogo para Kampilya.

"Agora vocês devem ir à cidade de Drupada", disse Vyasa, "para a swayamvara de Draupadi, pois o mundo os tem como mortos e calcinados."

Ao se aproximarem de Panchala austral, os Pandavas e Kunti encontraram inúmeros brâmanes na estrada, e um dele disse:

"Venham conosco para Kampilya! Drupada nos dará presentes e alimento, e veremos todos os reis do mundo lá reunidos! Ele terá atores e cantores e dançarinos, haverá histórias para se ouvir, e... todos vocês parecem fortes... talvez ganhem um prêmio contra os atletas do rei".

Yudhishthira sorriu, seus olhos dourados brilharam, e ele respondeu:

"Sim, nós iremos para ver".

A cidade estava empoeirada, apinhada de gente e cheia de música. Arautos magníficos tentavam abrir passagem para as carruagens dos reis; carros de bois, rangendo com suas rodas sólidas e altas como homens traziam comida; por todos os portões entravam andarilhos e nômades e nobres e atores e fazendeiros e artesãos e artistas e mercadores e todas as famílias e parentes e amigos e inimigos, para testemunharem a escolha que a ígnea Draupadi faria.

Os Pandavas encontraram alojamento na casa de um oleiro e iam diariamente até a arena coberta de seda de Drupada, onde se distribuía comida de graça a todos; misturavam-se, anônimos, entre os brâmanes, postando-se à sombra dos altos palácios brancos onde estavam hospedados os convidados reais. Sentiram o frescor da água perfumada com sândalo, que impedia o pó de se levantar e chegar até os reis; absorveram a fragrância das flores e do agáloco negro; viram o brilho do ouro e dos diamantes dentro das mansões alvas como o pescoço de um cisne; e retornaram à cidade repleta para esperar.

Drupada jamais fora derrotado numa batalha, exceto por Arjuna, de modo que queria que ele se casasse com Draupadi. Pensava nisso quando ela nasceu, e persistia nesse pensamento agora. Não acreditava que Arjuna estivesse morto, porque não o queria.

Mandara fazer um arco tão rijo que ninguém senão Arjuna poderia puxá-lo, mesmo em sonho. No céu, sobre a arena, dependurara um chifre de vaca, que oscilava no ar. Então chegou a hora: os reis tomaram seus lugares; os brâmanes sentaram-se no chão; e Dhrishtadyumna, carregando aquele arco e cinco longas flechas, acompanhou sua irmã à arena. Draupadi segurava a guirlanda que daria ao seu marido.

Dhrishtadyumna acendeu um fogo como testemunha, e todos silenciaram. Olhou para os monarcas e disse:

"Eis que estamos aqui. Haverá alguém que estique este arco e lance estas flechas àquele chifre? Se Draupadi o quiser, ela o escolherá".

Cada rei, ao ser chamado, ia e tentava retesar o arco. Mas nenhum deles foi capaz disso. Alguns eram atirados longe pelo arco e cobriam-se de pó; outros tombavam ajoelhados, exaustos; outros, ainda, nem sequer tentavam essa façanha. Os brâmanes se esforçavam ao máximo para não rir, e a paciência dos reis foi-se esgotando, pois imaginavam que Drupada queria enganá-los. Duryodhana também tentou, mas, embora puxasse até seus músculos estourarem a armadura de bronze nas costas, fracassou.

E então não havia mais reis a serem chamados. Karna não viera; ele sabia que Draupadi jamais amaria um auriga. Dhrishtadyumna perscrutou os convidados reais e deu as costas a todos.

"Não há nenhum homem aqui?", indagou. "Que se aproxime qualquer um da plateia."

Arjuna se levantou de entre os brâmanes e caminhou até onde estava o arco. Os brâmanes se agitaram e principiou uma discussão; alguns diziam: "Segurem esse homem! O que pode fazer um andarilho magro e sujo, de olhos inquietos, exceto expor-nos ao ridículo?". Mas outros respondiam: "Nada há que um brâmane não possa fazer".

Os reis iam se alvoroçando de raiva e já se ouvia o som do deslizar de espadas sendo desembainhadas. Dhrishtadyumna voltou-se para eles por um momento e disse calmamente:

"Fiquem quietos, ou meu irascível pai irá esmigalhá-los em mil pedaços! Ele está só esperando, em sua carruagem branca, que a cortesia real seja esquecida".

Entregou o arco a Arjuna, que disse:

"Acautele-se deles, Dhrishtadyumna!"

Dhrishtadyumna sorriu.

"Eles parecem, de fato, ferozes! Mas nada tema, brâmane. Meus homens estão espalhados no meio deles, e também muitos reis pacíficos que não desejam Draupadi. Nada tem a temer."

Arjuna esticou o arco e, num piscar de olhos, lançou as cinco flechas dentro do chifre, que girava no ar sem cessar. Os brâmanes aplaudiram. Draupadi pôs sua branca guirlanda na cabeça de Arjuna; e os dois se viram rodeados de brâmanes agitando suas peles de veado e brandindo suas canecas de água feitas de casca de coco. Os reis ergueram-se para partir, e o exército de Drupada entrou pelos dois lados e pelo meio. Arjuna jogou uma túnica empoeirada sobre Draupadi e os dois se perderam na multidão.

Já estava escurecendo quando Arjuna e Draupadi chegaram à casa do oleiro. Yudhishthira e Kunti lá estavam, e Bhima chegou logo depois com os gêmeos.

Kunti deu as boas-vindas a Draupadi, e Arjuna tomou a palavra:

"Princesa, esta é nossa mãe Kunti. Eu sou Arjuna, este é Bhima, aquele é Yudhishthira, lá está Sahadeva, e ali temos Nakula!"

Os Pandavas olharam para Draupadi, e a princesa Panchala olhou para todos eles. Os irmãos, então, olharam para Arjuna, e ele disse:

"Sim."

"Isso eu farei!", exclamou Draupadi.

Ouviu-se, subitamente, alguém chamando da entrada da casa: "Arjuna!", e todos se voltaram para ver quem era. Lá estavam dois homens, um moreno-escuro e o outro, claro. O moreno disse: "Deixem-nos entrar, antes que alguém nos veja", e Arjuna abriu-lhe a casa.

"Eu sou Krishna", declarou o forasteiro escuro, "e este é meu irmão mais velho, Balarama. Kunti, nós tínhamos certeza de que você e seus filhos ainda estavam vivos. Draupadi, foi uma bela escolha a sua. Saímos de nosso lar à beira-mar para assistir à sua swayamvara."

"Majestade, eu...", disse Arjuna.

Krishna riu.

"Bharata, eu não sou rei! Ouça, eu o conheço desde há muito tempo. As outras vidas, eu as recordo, e você não. Mas devemos ir, agora, para que ninguém nos encontre aqui."

Indraprastha

Brahma disse,
"Mesmo depois de ouvir dez mil explicações,
um tolo não se torna mais sábio.
Mas um homem inteligente só precisa de duas mil e quinhentas".

"Dhrishtadyumna, meu filho! Para onde foi Draupadi? Terei arrojado uma flor fresca e vivente à cova?", perguntou Drupada, de manhã. "Aquele homem não era nenhum brâmane!"

"Era Arjuna", replicou Dhrishtadyumna.

"E onde estão eles?"

"Majestade, ontem à noite eu segui minha irmã até a casa humilde de um oleiro. Lá a vi entrar com Arjuna, e três outros logo depois. Em seguida, Krishna e Balarama entraram e saíram rapidamente, enquanto eu aguardava do lado de fora até que as luzes se apagassem. Fui então para dentro e escondi-me na escuridão, perto da porta. Apurei os ouvidos e pude escutar vozes graves como o ressoar de lúgubres trovões no céu. E descobri que naquela casa estão os cinco Pandavas, sua mãe e minha irmã. Lado a lado dormiam os cinco irmãos; Kunti deitara-se transversalmente às suas cabeças, Draupadi perpendicularmente aos seus pés."

"Eu bem sabia!", gritou Drupada. "Como poderia Duryodhana queimá-los! Não mais se esconderão dele; traga-os aqui."

Dhrishtadyumna disfarçou-se com roupas velhas e, guiando uma velha carroça de lenha, foi até aquela casa. Chegando lá, gritou da boleia:

"Ei, brâmanes, venho oferecer hospedagem a todos. Entrem nesta carroça comigo".

Yudhishthira foi à porta e disse:

"O que temos com quem o mandou aqui?"

"Sou um homem pobre", respondeu Dhrishtadyumna. "Não sou pago para falar em plena rua."

"Está certo", retrucou Yudhishthira, "iremos com você." E Dhrishtadyumna conduziu-os ao palácio de Drupada. Kunti e Draupadi retiraram-se para os aposentos femininos, e o príncipe Panchala levou os Pandavas até seu pai.

"Não nos encontramos em alguma parte antes?", indagou Drupada. "Podemos saber seus nomes?"

"Não", disse Arjuna. "Todas as suas perguntas foram respondidas por aquele arco e por aquelas flechas."

Drupada sorriu.

"Ó Pandavas, bem-vindos a Kampilya! E agora, Arjuna, eis que eu guardo a sua vida."

"Eu lhe agradeço, Drupada! E há mais uma coisa: Draupadi nos escolheu a todos como seus esposos."

"Ela é uma mulher, eu atenderei seu coração", retorquiu o rei. "Dhrishtadyumna, tire esse disfarce e vá como meu mensageiro a

Dhritarashtra. Diga a ele: 'Do rei de Panchala para o rei de Kurujangala: Encontrei cinco filhos, de alguma maneira você os perdeu. Onde haverão de morar?'"

Draupadi desposou primeiro Yudhishthira, no dia seguinte Bhima, e em cinco dias havia-se casado com todos eles no palácio de seu pai.

Dhrishtadyumna cavalgou como o vento até Hastinapura. Perto da cidade, cruzou com Duryodhana sem trocarem palavra, indo direto como uma flecha a Dhritarashtra.

"Majestade, sou Dhrishtadyumna", apresentou-se ele. "A boa fortuna chegou à sua casa."

"Duryodhana conquistou Draupadi?", perguntou Dhritarashtra.

"Coisa melhor: os Pandavas a desposaram."

"Vencemos novamente", disse o rei.

"Majestade", disse Dhrishtadyumna, "encontrou aquilo que lançou fora; recupere agora seu bom nome oferecendo-lhes metade de seu reino. Serão seus amigos, se o permitir. Lave a mácula do incêndio e jamais mude de ideia."

Dhritarashtra disse a Vidura:

"Este será meu presente de casamento. Vá a Kampilya e convide-os a virem aqui".

Duryodhana entrou nesse momento e disse:

"Por que haveremos de querer os Pandavas? Se o mundo inteiro estiver contra Dhritarashtra, ele haverá de preservar o seu reino, se esse for o seu destino, ainda que seu único esforço seja o de respirar! E se estiver destinado a perder o trono... faça o que fizer, empenhe-se com todas as suas forças, fatalmente haverá de tombar".

"Vidura", disse Dhritarashtra, "vá a Kampilya e diga o que eu disse. Minha dor com a morte dos Pandavas é morta; que esta seja a última morte entre nós."

Vidura saudou os Pandavas, cheirando seus cabelos, como se fossem seus filhos. "Voltem comigo", disse a eles. "Todos os esperam, e as mulheres querem conhecer sua esposa."[3]

"O senhor nos deu nossas vidas, Bharata!", respondeu Yudhishthira. "O que quiser que seja feito, nós faremos pelo senhor!"

Vidura prosseguiu:

"Dhritarashtra fala com sinceridade. O lugar de vocês é nossa terra; eles lhes dará o local para construírem sua cidade, e ainda metade do reino".

"Somos seus", disse Arjuna. "Diga-nos o que fazer."

"Não", discordou Vidura, "não são meus, eu os dou de volta. Sigam para onde quer o rei, para perto da floresta Khandava, no Yamuna. Alimentem e respeitem seu povo: sejam como as nuvens de chuva e os campos abertos são para o trigo, como a árvore de grande copa é para os pássaros: tornem-se um refúgio e um arrimo para todos os Kurus."

"E Duryodhana?", perguntou Bhima.

"É muito difícil sobrepujar Duryodhana", disse Vidura, "mesmo ele estando despreocupadamente sozinho. Mas neste momento Dhritarashtra e Bhima não tomarão seu partido, nem Drona, nem Kripa. É a hora de retornarem e garantirem sua segurança."

Perto da floresta Khandava os Pandavas construíram a cidade de Indraprastha, cercada por um muro alto como o céu e alvo como a prata. No seu interior, lótus espelhados iam crescendo em lagoas; pessoas iam para morar na cidade, e pássaros de belos gorjeios fizeram morada nos jardins e nos parques.

Arjuna perguntou a Yudhishthira: "Majestade, quem é Krishna, que veio ao nosso encontro em Panchala?".

"Ele cresceu entre os vaqueiros do Yamuna com seu irmão", respondeu Yudhishthira. "Mas mudaram-se então para Dwaravati, a

3. O "beijo aspirado" é uma maneira tradicional de cumprimentar um parente mais jovem.

Cidade dos Portais, no litoral do mar do Oeste, governado por Ugrasena, o rei Yadava. O pai de Krishna é irmão de Kunti; foi por isso que ele veio ver-nos."

"Perguntei a Kunti se eu já o vira antes", disse Arjuna, "quando criança. Ele me é familiar, e ao mesmo tempo um estranho. Ela me disse que nós nunca nos encontramos."

"É um sentimento singular", concordou Yudhishthira. "Sinto o mesmo com respeito a Karna."

"Karna! O amigo de Duryodhana?"

"Ele mesmo. Ao vê-lo, já sabia o que iria fazer."

"Vou partir para aquela cidade próxima ao mar que dança, se me permite", disse Arjuna.

"Vá, Bharata", disse Yudhishthira. "Vá até lá e descubra."

Arjuna caminhou por dois meses até chegar ao oceano, seguindo então o litoral para o sul. Sem saber, ia-se aproximando de Dwaravati, e Krishna o encontrou certa noite, no caminho do oceano. Os dois estavam sós, face a face diante do vento marítimo, e permaneceram em silêncio por um momento.

Krishna foi o primeiro a falar:

"Nara, foi assim que nos encontramos: às margens de uma água que era leite. Bem-vindo seja".

Arjuna uniu as mãos em namastê e disse, vagarosamente:

"Eu me lembro... Narayana... Senhor Narayana! Era isso o que queria dizer-me!"

Krishna sorriu e abraçou Arjuna.

"Você e eu temos sido amigos desde então; recorda-se da árvore?"

Arjuna lembrava-se. "A árvore de Narayana! Ela é alta e...". A lembrança esvaeceu-se.

"Tem suas raízes numa montanha de prata; tem suas folhas e galhos no dia e na noite. Venha comigo, agora. Minha carruagem está aqui perto."

Em Dwaravati, Arjuna encontrou Balarama, com suas túnicas azuis e sua guirlanda de flores silvestres, que o cumprimentou: "Bem-vindo. E também Paz!". E tomou um longo gole de um grande jarro de barro com vinho que carregava para toda parte.

"Enquanto você vinha para cá", disse Krishna, "Balarama estava em Hastinapura e em Indraprastha, ensinando Bhima e Duryodhana a manejarem melhor a clava."

Balarama balançava sobre os pés, mas continuava bebendo, e disse, pastosamente:

"E-e-eu certa vez fui para... com minha! Pumba! A muralha de uma cidade. Boa noite, Bharata".

"Boa noite", respondeu Arjuna, e Balarama se foi, seguindo, trôpego, o caminho de casa.

Arjuna morava já há algum tempo na casa de Krishna, quando certo dia vislumbrou uma linda moça que lhe conquistou o coração com insistentes olhares furtivos. Conversou com Krishna, e Krishna lhe disse:

"Como pode o coração de nômade apaixonar-se assim tão facilmente? Aquela é minha irmã Subhadra".

"Para tê-la", confessou Arjuna, "eu farei qualquer coisa que um homem tiver de fazer."

Krishna sorriu. "Nosso costume é a swayamvara. Mas na cerimônia ela poderá escolher quem realmente quiser! Ouça: vivo com ela há muitos anos, mas nem eu conheço sua mente. Portanto, tome-a à força. Quem sabe o que ela fará por conta própria?"

"Como? Quando?"

"Pegue minha carruagem, mas não ponha arma alguma dentro. Em alguns dias, Subhadra fará um piquenique fora dos muros da cidade. Rapte-a, e eu os encontrarei em Indraprastha."

Arjuna esperou impacientemente o dia de Subhadra ir para o campo. E então, na carruagem de Krishna, dispersou todos os seus criados armados e tomou-a, mantendo-a junto de si enquanto a carruagem zunia, ao se afastar.

Os servos de Subhadra voltaram correndo para Dwaravati e contaram a Krishna e Balarama o que se passara. Balarama entornou uma gigantesca taça de vinho de flores quente e temperado e lançou mão de uma comprida trombeta de ouro pendurada em sua porta.

"O que vai fazer?"

"Chamem meus arqueiros!", bradou Balarama. "Aquele que recebemos como hóspede roubou sua carruagem e nossa irmã! Por que você fica aí, parado, sonhando?"

"Eu emprestei a ele minha carruagem", disse Krishna. "Por que há indecisão e dúvida nas coisas do amor?"

Balarama encheu novamente sua taça de vinho e sentou-se.

"Palavras!", disse ele, e tomou um gole. "Desta vez. Se eles forem felizes."

"Transportados de uma lagoa límpida para outra, como um lótus", respondeu Krishna.

Arjuna e Subhadra dirigiram-se sem pressa para Indraprastha. Caminharam à beira-mar, recolhendo pérolas e às margens de rios onde a água argêntea corria por entre pedras arredondadas. Deitaram-se ao pé de risonhos canteiros azuis de flores, perto de lagos onde os animais vinham saciar a sede, e em serenas cavernas ocultas do mundo. Os caminhos que seguiam pelas ravinas eram cobertos pela copagem das árvores, enquanto as trilhas dos morros eram abertas aos olhos do sol. Subhadra tornava-se mais e mais linda; Arjuna a tinha como um tesouro mais valioso que um reino, ou que todo o mundo, ou que ele próprio.

Quando chegaram, afinal, a Indraprastha, Arjuna vestiu-a com o traje simples de uma camponesa e levou-a até os aposentos das mulheres.

"Por que trazê-la aqui?", perguntou Draupadi. "Vá a outro lugar com ela, pois o segundo nó em torno de um feixe sempre torna mais solto o primeiro!"

Subhadra nada respondeu, mas foi até Kunti e ajoelhou-se diante dela. Kunti cheirou seus cabelos, sorriu e disse: "Bem-vinda à nossa casa.

Minha bênção a ambos vocês". E acrescentou, dirigindo-se a Draupadi: "E saiba, meu filho não é nenhum feixe de varas a ser lançado ao fogo".

Como a lua cheia, Subhadra prostrou-se diante de Draupadi.

Krishna veio com presentes de casamento para Subhadra e para Draupadi; eram baús de ouro repletos de barras de prata, e vacas leiteiras, e cavalos brancos; e de Balarama ele trouxe um milhar de elefantes cujos rostos eram como montanhas, com mantos e sinos e tronos no lombo.

"Que cresçam e prosperem como a alma em um corpo feliz", disse Krishna.

Enviou seu séquito de volta a Swaravati e permaneceu em Indraprastha como convidado dos Pandavas.

Certo dia, em pleno verão, Krishna e Arjuna caminhavam perto da floresta Khandava, ao longo do Yamuna, após banharem-se em suas águas. Os dois riam juntos, quando um homem do mato foi até eles, vestindo trapos negros. Era alto e esguio; sua pele era como o ouro; em torno do rosto eriçavam-se cabelos e barba louros, e sua boca estava besuntada de manteiga.

Sorriu para eles, mostrando dentes dourados, e disse:

"Meus senhores, sou um andarilho faminto. Por favor, deem-me comida".

"Mas é claro!", retrucou Arjuna. "Nós lhe daremos o que pudermos. O que você quer comer?"

"A floresta Khandava", respondeu o ente do mato, estendendo as mãos abertas. Em sua palma cintilava uma pequenina chama. "Sou Agni, o Deus do Fogo", exclamou ele, "e esta floresta ressecada há de ser minha comida!"

Arjuna saudou-o com as mãos unidas. "Por quê?"

"Estou fraco e entorpecido", declarou Agni, "pois comi muita manteiga dos sacrifícios dos reis. Estou doente, e somente isso poderá revivificar-me. Mas já tentei por sete vezes queimar a floresta Khandava e sempre choveu, pois a cada vez Indra vem e a protege com doces chuvas."

"Diga-me", indagou Krishna, "há pessoas morando nesta erma vastidão de Khandava?"

"Ninguém", disse Agni.

"E animais?"

"Alguns. Mas fugirão de mim e se safarão, Krishna."

"E os pássaros vistosos e as árvores emaranhadas?"

"Os pássaros voarão; as árvores têm suas raízes fora do meu alcance. Esta é uma estranha floresta. Nada que estiver sob a proteção de Arjuna queimará."

Arjuna disse, então:

"Conceda-nos os meios, e refrearemos Indra".

"Concedo!". Agni entregou a Arjuna o arco Gandiva, duas aljavas de flechas que jamais se esgotavam e uma carruagem multicolorida, com cavalos brancos e uma bandeira com a figura de um gorila selvagem. O deus disse: "Isto é seu, Bharata, até eu lhe tomar de volta. Na carruagem há um disco de ferro para Krishna".

"É o bastante", disse Krishna. "Foi generoso conosco, Agni."

"Senhor Narayana", retrucou o deus, "esta pesada chakra (este disco de mil raios, afiado como uma navalha nas bordas, com uma haste de ferro atravessada no centro, para que se possa atirá-lo) tem sido sua desde que a criou. Eu apenas a preservei para Narayana!".

As profundezas da terra se inquietaram e estremeceram, e ouviu-se o som de algo que se rasga, como o do retorcimento de uma grande árvore ao vento: Arjuna retesara o arco Gandiva. Entrou na carruagem com Krishna e disse: "Estamos prontos".

Em todos os mundos o fogo cessou. Todas as chamas se apagaram, uma a uma: abandonaram cozinhas e lâmpadas e pederneiras e meteoritos; deixaram os palácios dos reis e as choupanas dos fazendeiros; desapareceram de todos os céus e da Terra e do submundo dos

Najas. Sete línguas de fogo surgiram no supercílio de Agni. Seus cabelos se inflamaram e um vento quente soprou por Khandava. Nuvens de pó escureceram o firmamento; galhos foram arrancados das árvores e atirados violentamente ao chão.

Agni agachou-se e roçou com o dedo na macega ressequida. O Senhor do Fogo, envolto em espessa fumaça, desapareceu num relampejar de flamas que atingiu Krishna e Arjuna com seu calor e forçou os cavalos da carruagem a retroceder. Folhas e pedaços de pau incendiados eram atirados contra as árvores e o fogo subiu até os céus.

Os deuses perguntaram a Indra:

"O que Agni está fazendo? Chegou o momento de destruirmos os três mundos?"

Indra baixou os olhos para Khandava. Viu árvores explodirem, retorcerem-se e tombarem, soltando fagulhas ao vento, como um rio de fogo.

Nuvens de tempestade desceram com grande estrondo sobre a floresta, ocultando o sol e despejando chuva, como mil cachoeiras. Raios riscavam furiosamente por entre as chamas. A fumaça se elevou e escureceu as nuvens; as trevas se tornaram mais negras; e uma chuva fervente jorrou soltando vapor.

E então, rápido como a Lua encobre o céu com névoa, Arjuna cobriu o fogo com uma abóbada de flechas. Abateu os raios de Indra antes que pudessem quebrar suas flechas. Mas o peso da água das chuvas esmagou a abóbada, e todo o líquido caiu sobre Khandava como se quisesse submergi-la num oceano. As flamas sibilaram e bruxulearam.

Uma flecha com a ponta em chamas zuniu do arco Gandiva, perfurou as nuvens e as destruiu, secando-as e dissipando-as. O Sol voltou a brilhar e o fogo voltou a rugir por toda a mata.

Quando Indra viu as nuvens de chuva rompidas e dispersas pela arma eólia, surgiu no firmamento em seu elefante branco, brandindo um raio. Junto com ele apareceram todos os deuses dos céus, imóveis e imponentes como as montanhas. Varuna, Senhor do Oceano, montava um peixe preso na rédea; Yama, Senhor dos Mortos, de epiderme verde e rubras túnicas, carregava uma mortífera clava, sentado em seu búfalo; Skanda, o deus da guerra, vinha sobre um pavão, sem se mexer, com todas as seis faces voltadas diretamente contra Arjuna e apontando sua comprida lança; Vaishravana, Senhor dos Tesouros, dirigia sua biga com uma maça cheia de cravos; Surya, o Sol, trazia um dardo reluzente; os gêmeos Aswins traziam plantas verdes envenenadas.

Trovões ribombaram pelo firmamento; meteoros atravessaram os céus em raios brilhantes, caindo fumegantes sobre a Terra.

Krishna viu os deuses rodeando Indra, protegidos por couraças de ouro e couro resistente. Pairavam sem medo, perto do horizonte, não muito distantes, todos olhando para Arjuna e Krishna. Seus olhos, fixos, não piscavam e suas armas brilhavam como um segundo Sol.

"Não se mexa", disse Krishna. "Isto será obra minha."

Indra ergueu o raio e atirou-o contra eles com toda a sua força. Mas, enquanto descia crepitando pelo ar com grande rapidez, Krishna atirou sua chakra contra ele, e os dois se chocaram em pleno céu.

"É o fim de ambos!", gritou Indra, enquanto o céu e a Terra tremiam com a grande explosão e o terrível abalo.

Mas eis que a chakra já estava de volta às mãos de Krishna; o raio jazia em pedaços vibrantes na Terra. Krishna chamou:

"Indra! Não ouviram falar de nós nos céus?"

"Benditos sejam os dois!", respondeu o Senhor dos Deuses. "Já ouvi falar de vocês. Partimos agora. Quem pode lutar contra a alma de toda a vida e seu amigo de outrora?". E os deuses se desvaneceram e sumiram.

Krishna riu. "Bharata, ESTE é o mundo. Não há nenhum outro!"

Arjuna olhou em volta. A floresta estava quase inteiramente consumida, e Agni voltara a ser visível como homem, ainda que forte, ágil e fulgurante. Seus olhos eram de um escarlate chamejante; sua língua, de um carmim flâmeo; seus cabelos, incandescentes – e ele perseguia alguém.

Era o Asura Maya, o arquiteto dos deuses de outrora, que fugia das chamas. Maya precipitou-se da floresta e gritou:

"A proteção de Arjuna! Venha a mim, depressa!"[4]

Arjuna chamou-o: "Não tema!". E a carruagem correu em direção a Maya. As chamas retrocederam e apagaram-se. Agni uniu as mãos em namastê e desapareceu; Maya, o Asura, pulou para a carruagem de Arjuna. Era noite, e só carvões em brasa revelavam onde a floresta Khandava uma vez existira. Arjuna dirigiu por algum tempo seu carro ao longo do rio, até que os três – Arjuna, Krishna e o Asura Maya – desceram e sentaram-se na aprazível ribanceira do rio.

"Querido rei", disse Maya, "deixe-me retribuir sua bondade. Permita-me, Bharata, que eu lhe faça algo. Sou um grande artista e posso criar tudo o que desejar."

Arjuna respondeu:

"Construa-nos então um palácio – um palácio tal que não possa jamais ser imitado, mesmo após meticuloso exame".

Maya recostou-se numa árvore e sorriu. "Sim... sim!", murmurou. "É o que farei. Na encosta boreal dos Himalaias há um local repleto de marcos lisos e sem relevo fincados na terra, e que brilham como os deuses; são orlados de ouro, decorados com flores douradas e cravejados de joias. Não sei quem os colocou lá, nem o que significam, pois são resquícios de uma era longínqua, antes do meu tempo. Mas nas proximidades tenho guardadas minhas próprias pedras preciosas, quase que talhadas para um edifício. Irei até lá e voltarei com meu suprimento. E para meu caro Arjuna tenho ainda a trombeta de búzio chamada Devadatta, que chegou do mar às minhas mãos não sei bem como. Tenho conservado tudo isso há muito tempo para a pessoa certa."

Krishna deitou-se às margens do rio e disse:

"Há incontáveis eternidades depositei lá aqueles marcos, um a um, para ornamentarem a cordilheira e revelarem que jamais estou longe. Hoje não há ninguém vivendo por perto. Mas deixei sinais meus

---

4. No *Mahabharata* indiano, o segundo livro começa aqui. O mome Maya não tem o mesmo sentido da palavra "maya" ("ilusão", "engodo", em sânscrito). Aqui, significa, "construtor", "arquiteto", mas William Buck usa-o em ambos os sentidos. (N. do T.)

igualmente claros por todo o mundo. Estão em toda parte, basta ao homem querer vê-los – estão sempre ao seu redor, aonde quer que ele vá".

Maya sorriu para o rio que fluía e disse consigo mesmo: "É verdade, então, que nenhum ser vivo pode sequer piscar os olhos sem Krishna...".

"Quem costumava morar lá?", perguntou Arjuna.

"Você", respondeu Krishna.

"Não me recordo."

"Não. Vivemos lá há muito tempo, e era seu lar. Lá encontrou amor e sofrimento, felicidade e morte. Mas você não se lembra de nada."

Maya começou a construir seu palácio, mantendo-o oculto e invisível até terminá-lo. Sobre mil colunas de ouro, concebeu um edifício mágico de mármore branco engastado com pérolas. Trabalhou dia e noite, à luz do Sol e à luz da Lua e à luz dos raios cintilantes das joias e das pérolas. Cobriu as janelas externas com fios entrelaçados de ouro. Fixou lâmpadas de gemas preciosas que luziam suavemente nas salas, corredores e galerias, gemas que jorravam ao serem tocadas. Forrou com tapetes finos os pisos e os aposentos decorados, e fez tomarem corpo amplos lanços de escadas.

Ao lado da porta principal, Maya colocou uma árvore de luzes. Suas folhas eram finas camadas recortadas de esmeralda e berilo, com veios de ouro. O tronco alto e os galhos compridos tinham incrustados todos os tipos de pedras preciosas, e dela emanava o perfume das florestas montesinas de grande altitude. Ressoava musicalmente ao vento; rutilava e cintilava ao Sol como se suas grandes folhas estivessem recém-umedecidas. Flores de coral rosa e escarlate abriam e fechavam-se com o dia e a noite.

Maya transportou para lá árvores adultas e transformou os átrios em parques; trouxe pássaros de primoroso canto para habitarem as árvores. Criou lagos e piscinas e encheu-os de peixes e flores. Tornou o palácio fresco no calor e quente no frio. Ao terminar, sentiu-se muito satisfeito, e um sorriso prazeroso fez o seu rosto brilhar.

Todos olham para Arjuna e Krishna.

Postou-se diante da porta principal e desfez o encantamento de ilusão; chamou Krishna e os Pandavas para verem o que havia realizado.

"É tão lindo", comentou Arjuna, "que quase não parece real. O palácio é uma ilusão, Maya?"

"Não sei", disse Maya. "Eu estava muito cansado (trabalhei como um demônio para construí-lo), mas agora minhas dores e minha exaustão desapareceram, como uma nuvem se desvanece diante da face da Lua. Se o palácio também se desvanecesse agora, o que eu haveria de dizer?"

Krishna riu. Maya prostrou-se e disse:

"Adeus, Pandavas. Volto para o lugar de onde vim. Adeus, Krishna". Ergueu-se e desapareceu.

"Acautelem-se", advertiu Krishna. "Maya confunde suas bênçãos. Deixem que eu vá na frente."

Os Pandavas seguiram Krishna escada acima. "Há perigo?", perguntou Arjuna.

Krishna respondeu por sobre os ombros:

"Não exatamente, mas...". E, com um forte estalo, Krishna trombou numa porta fechada de cristal límpido e recuou, esfregando a testa contundida. "Veem? Este é o tipo de coisa que não se deve fazer...". Krishna persistiu forçando a porta. Até que desistiu e se dirigiu para outra porta menor, ao lado. "Entrarei por aqui, senão...". Aproximou-se da portinhola, forçou-a e tombou, desequilibrado, para dentro.

Krishna estatelara-se sobre o belíssimo piso. "Bem, entrem. Não há porta aqui. Apenas ar; ar e nada mais."

Depois das chuvas, após Krishna haver retornado a Swaravati, Yudhishthira recebeu uma mensagem de Duryodhana: "Estou acompanhando Sakuni das montanhas para visitar minha mãe em Hastinapura. Passaremos por perto e pedimos para visitar sua cidade".

"Eu não o deixarei entrar!", clamou Bhima. "Há perigo em palavras tão inocentes."

"Não, mas deixaremos que veja como vivemos", disse Yudhishthira, "e ele deixará de conspirar contra nós."

Bhima sorriu antipaticamente.

"Ele já tem um plano; de outro modo não viria. Mas Yudhishthira deve agir como rei: faça o que quiser, rapidamente, sem pensar... e, acima de tudo, sem considerar as consequências."

"Não gostamos dele", disse Arjuna, "mas como podemos recusar? Se discutirmos entre nós, ele já terá vencido. Que Yudhishthira decida."

"Já decidi", concluiu Yudhishthira. "Ele será nosso hóspede por um dia."

E assim, Bharata, Duryodhana veio a Indraprastha. Parecia não haver perigo em sua chegada. Num átrio interno, porém, Maya construíra uma piscina de águas cristalinas e tranquilas como o ar. Um lanço de escadas levava até o local, e no fundo da lagoa cresciam flores mágicas, de modo que ela parecia vazia. Duryodhana passeava por lá e foi descendo os degraus sem pensar. Ao molhar os pés, espantou-se de tal modo que escorregou e caiu com grande estardalhaço dentro da água.

E alguém dava risada dele – uma gargalhada diabólica.

Sakuni ajudou-o a trocar a túnica e juntos saíram à procura de Yudhishthira em outro pátio ajardinado, onde um riacho de cristais semelhantes à água precisava ser atravessado. Duryodhana já estava furioso e, quando viu aquele regato vítreo, com peixes de vidro parecendo vivos, e nenúfares de vidro, pôs-se a vigiar atentamente cada passo, mas acabou topando num pedaço duro de cristal. E gritou:

"Yudhishthira, um dos seus criados me insultou nesta casa de traições!"

Yudhishthira sorriu.

"Isso não é tão grave quanto a combustão espontânea, príncipe! Diga-me o que o ludibriou desta vez."

"Parece uma jovem donzela saltitando sobre poças de chuva", disse Bhima. "Você é um grande ator, Duryodhana."

Sakuni deu um passo à frente.

"Majestade", disse a Yudhishthira, "o príncipe Kuru foi humilhado em sua casa. Exigimos desculpas."

Yudhishthira inclinou-se para a frente e disse:

"Nenhuma temos a dar, a você ou a seu cliente".

Duryodhana replicou:

"Yudhishthira, eu o desafio".

Yudhishthira voltou-se rapidamente:

"A quê?"

"Deixe-me falar", interveio Sakuni. "Aceita?"

"Sim."

"A um jogo de dados."

"Muito bem", respondeu Yudhishthira. "Em Hastinapura, quando a Lua estiver cheia."

"Assim será, Majestade", concordou Sakuni polidamente. "Não desejamos ter mais problemas aqui."

Arjuna disse então:

"Sakuni, você pensa que salvou Duryodhana de arriscar sua vida, mas não é verdade".

"Tenho para mim", disse Sakuni, "que Duryodhana é um tolo em invejá-los. Mas não há armas ocultas num dado. Você é como um passarinho miúdo ciscando carne na goela do leão; e dizendo aos outros 'Não joguem!'. Se têm medo, não se arrisquem."

"Falo claramente", disse Arjuna. "Pense no que irá acontecer, e veja o que acaba de fazer, em vez de apenas fingir que vê."

"Você fala claramente", retrucou Sakuni, "porque essa é a sua natureza."

"E...?"

"Não é a de todos, Arjuna!"

Yudhishthira finalizou:

"Como um planeta brilhante caído do céu, eis que a razão foi sobrepujada, e o homem se dobra a seu destino. Deixem-nos agora; partiremos depois".

Em Hastinapura, Vyasa veio e conversou com Satyavati, sua mãe, e com Ambika, Ambalika e a mãe de Vidura:

"O mundo está envelhecido. Não permaneçam aqui apenas para presenciar a morte dos Kurus. Deixem esta cidade e partam comigo". E as levou para morarem com ele na floresta, onde ainda vivem num recôndito retiro.

A AREIA QUE CAI

Eu sou o rei;
Minhas riquezas e meus tesouros
São vastos demais para serem contados.

E todavia nada possuo.
Ainda que tudo da minha cidade se torne cinzas,
Nada que é meu sofrerá dano.

Majestade, na lua cheia os Pandavas foram a Hastinapura com Draupadi e Kunti. Deixaram a esposa e sua mãe com as mulheres Kurus e dirigiram-se à sala do conselho de Dhritarashtra. O rei não estava, mas Duryodhana, seus irmãos e Sakuni os aguardavam. E, como num conselho, todos os presentes deixaram suas armas do lado de fora e entraram na sala.

Karna estava lá, assim como Bhima, Drona e Vidura. Sakuni permanecia ao lado de Duryodhana, junto ao pano de jogo quadrado esticado no chão. Os Pandavas se sentaram em frente a eles. Duryodhana disse: "Comecemos, então". Ofereceu dois conjuntos de longos dados de marfim com seis lados e duas extremidades. "Tome três, Yudhishthira."

Quando o Pandava havia escolhido, Duryodhana entregou os outros três a Sakuni. "Ele os lançará por mim", explicou.

"Isso é permitido?", inquiriu Bhima.

"Não é proibido em parte alguma", retrucou Sakuni, com um sorriso. "Vence o primeiro e mais alto. E jogarei, utilizando as riquezas de Duryodhana contra as suas."

"Duryodhana, cuidado", disse Arjuna. "Numa enchente o rio transborda e arrasta consigo todas as árvores que crescem perto. Nenhuma consegue escapar."

Duryodhana riu.

"Nenhuma! Vamos, comecemos o jogo!"

"Aposto todas as minhas pérolas", disse Yudhishthira, "que enchem uma centena de vasos, cada um da altura de um homem" – e lançou os dados sobre o pano.

"Aposto o mesmo número de pérolas do tesouro de Duryodhana", revidou Sakuni. – Lançou os dados e exclamou: "Vejam, eu as ganhei".

Yudhishthira advertiu-o:

"Não sucumba ao orgulho: apostemos milhares e milhares!". Depois de ambos lançarem os dados, Sakuni disse:

"Vejam, eu venci!"

Yudhishthira disse:

"Lanço os dados por muitos jarros finíssimos de ouro e a minha tremenda carruagem real".

Foi a vez de Sakuni, e ele exclamou:

"Venci!"

"Meus elefantes e meus guerreiros."

"Venci!"

"Meus cavalos Gandharvas e minhas joias extraídas pelos Najas."

Novamente Sakuni lançou os dados e exclamou:

"Ganhei tudo!"

O rei montês tinha pálidos olhos azuis, e sorriu bondosamente para Yudhishthira.

"Perdeu muito, Majestade. Resta-lhe ainda algo para apostar?"

Yudhishthira respondeu:

"Lanço agora por toda a inominável riqueza que é minha em Indraprastha".

"Aposto todo o tesouro de Duryodhana", disse Sakuni. O príncipe montês lançou os dados – e exclamou:

"Vejam, venci: ganhei tudo!"

"Aposto minhas vacas e minhas ovelhas!"

"Venci!"

"Minha cidade."

"É minha!"

"Aposto, então, meu irmão Nakula."

"Ele é meu!"

"Sahadeva."

"É meu!"

"Arjuna é minha riqueza; eu o aposto."

"Majestade, veja: venci!"

"Bhima."

"Ele é meu, Bharata!"

"Aposto a mim mesmo, contra meus quatro irmãos."

"Ganhei-o! O quê, agora?"

"Arrisco Draupadi contra nós cinco."

"Ah! Yudhishthira, eu a ganhei!"

O conselho aguardava em exânime silêncio; Bhishma e Drona estavam encharcados de suor. Vidura segurou a cabeça com as mãos e suspirou como uma serpente.

Duryodhana dirigiu-se até ele e disse:

"Traga aqui Draupadi de esbelta cintura e largos quadris para trabalhar para nós na cozinha".

Vidura ergueu os olhos:

"O quê?"

"Ouviu o que eu disse", sentenciou Duryodhana.

Vidura levantou-se, furioso como uma leoa arrastada para longe de sua presa. Seu rosto tornou-se sombrio e tenebroso, e Duryodhana recuou como se estivesse sendo empurrado.

"Seu rematado imbecil!", bradou Vidura. "Está se atando com nós que nem os deuses poderão desatar! Tigres lhe devoram os pés, serpentes mortíferas pairam sobre sua cabeça, prontas a dar o golpe, e eis que está à beira de um penhasco pedindo-me que o empurre para o abismo! Yudhishthira já perdeu a si mesmo, não tinha o direito de apostar Draupadi. Pare com isso, suas mãos já roçam as portas do próprio Inferno!"

"Se você não for..."

"Ah, eu não irei! Nada mais quero ter com isso!". Vidura voltou-se e deixou o recinto.

Duryodhana enviou um criado em seu lugar, mas o homem retornou desacompanhado e dirigiu-se a Yudhishthira:

"Draupadi lhe pergunta: 'Qual é o homem que aposta sua mulher num jogo de dados?'". Mas ele não obteve resposta. Yudhishthira permanecia atônito, olhando fixamente para os dados no tapete.

"Vá buscar o meu prêmio", ordenou Duryodhana.

"Mas o que devo dizer?"

"Tem medo dela? Duhsasana, vá você. Escravos nossos não podem causar-nos mal."

O irmão de Duryodhana foi aos aposentos das mulheres, e quando Draupadi tentou fugir, ele a agarrou pelos cabelos e arrastou-a atrás de si até a sala de jogos. Empurrou-a com violência pela porta adentro e prendeu as mãos na ponta de suas vestes para começar a despi-la.

Naquele instante Draupadi pensou em Krishna, para quem nada é impossível, nada é desconhecido, nada é insuportável. De Dwaravati, ele foi àquela sala antes que o pensamento da filha de Drupada estivesse plenamente formado e escondeu-se atrás de um pilar. Duhsasana arrancou as vestes de Draupadi, mas viu que ela trajava outra roupa por baixo. E Krishna jurou morte àquele homem quando fosse a hora.

Duhsasana arrancou também essa outra túnica, e outra debaixo daquela, e ainda outra, até que Draupadi ergueu os olhos e observou a pilha de roupas, que ia crescendo. Viu mantos finos de todas as cores sendo jogados pelo chão e, quando já vinte ou trinta estavam espalhados por todos os cantos e Duhsasana parou para recuperar o fôlego, Draupadi atacou-o. Ela não o esbofeteou, Majestade; avançou sobre ele com os punhos fechados, como um pugilista, e ele tombou como uma mosca morta que subitamente deixa de zumbir. Caíra desmaiado, e sangue escorria de sua boca.

Os olhos de Duryodhana arregalaram-se de ira e fúria. Buscou sua espada, e não a encontrou. Ia avançando contra Draupadi, mas Bhima barrou-lhe o caminho.

"Deixe-me passar!"

Bhima encarou-o e penetrou-o com seus olhos cinzentos sob os cabelos argênteos, e sua mão caiu sobre os ombros de Duryodhana com todo o peso do Tempo. Não havia expressão alguma no rosto de Bhima, mas com aquela mão ele forçou Duryodhana a retroceder, embora o príncipe resistisse com todas as suas forças. Recuou um passo, depois outro, e então, em silêncio, Duryodhana caiu de joelhos resfolegando, sem ar.

Bhima dirigiu-se à assembleia:

"Mostrem agora seu respeito pela idade e pela sabedoria. Respondam! É preciso que respondam! Draupadi foi ganha em jogo, ou não? Yudhishthira primeiro perdeu a si mesmo, mas diz-se que uma esposa deve estar sempre a serviço do seu marido".

Karna levantou-se e disse:

"Nada há que nos obrigue a responder-lhe. Esta Draupadi de cinco maridos bem merece ser ganha ou perdida num lance de dados!"

Bhisma voltou-se para Draupadi:

"Estes Kurus, minha senhora, estão sob alguma maldição, como ouvi há muito tempo. Aquilo que os poderosos dizem ser certo acaba por adquirir o peso da sua força; e ainda que os fracos falem a verdade, quem lhes dará ouvidos? Assim, pois, que Yudhishthira diga o que deve ser feito".

Mas Yudhishthira permanecia em transe, inconsciente do que se passava. Duryodhana se descobriu, pondo a nu sua graciosa coxa, rija como o pau-ferro, e disse rindo:

"Que Draupadi escolha outro marido... alguém que não seja escravo e que não irá perdê-la no jogo!"

Bhima olhou para ele, chamejante de raiva, e gritou:

"Vou arrebentar essa coxa!" – Faíscas de fogo redemoinhavam ao seu redor, como aquelas que no escuro escapam de cada frincha e racha uma árvore em chamas. Duryodhana encarou-o, estupefato, e naquele instante Vidura retornou, trazendo Dhritarashtra pelas mãos.

"Majestade", disse ele, "neste momento seu filho discute em público a posse de uma dama real. Flamas de ira preenchem a sala. Ele pensa haver conquistado Draupadi, mas na realidade foi vencido pela Morte."

Dhritarashtra estendeu a mão e disse:

"Duryodhana, vejo que acaba de ganhar grandes riquezas em sonho; dê-me os dados". Duryodhana obedeceu. O rei cego esmagou o marfim em suas mãos e devolveu os pedaços a seu filho. "Sente-se, agora", disse ele. "Venha cá, Draupadi."

Draupadi foi, e disse:

"Majestade, suas mãos estão sangrando".

"Enfaixe-as para mim." Draupadi rasgou uma tira de suas novas vestes e amarrou-a em torno das mãos de Dhritarashtra, que ofereceu: "Peça-me algo em troca".

"Liberte Bhima, Bharata."

"Está livre. Peça algo mais."

"Liberte seus irmãos."

"Também estão livres. Peça algo mais."

"Não posso pedir mais de duas vezes, Majestade."

"Pois bem, não peça", retrucou Dhritarashtra. "Eu a liberto e restauro aos Pandavas tudo o que perderam."

Karna fixou os olhos atentamente em Draupadi, e em Yudhishthira e seus irmãos, e disse:

"Draupadi, você os salvou, como uma jangada salva náufragos. Muitas bênçãos e boa fortuna sejam suas: superou a si mesma em beleza".

Dhritarashtra indagou:

"Bhima, o que pensa sobre isso?"

"Não posso aprovar", respondeu. "Não tenho favoritos; seus filhos e os de Pandu são iguais para mim."

"Drona?"

"Penso o mesmo. Tenhamos paz."

Vidura disse ao rei: "Seus dois melhores e mais antigos amigos puseram em palavras o que está em meu coração".

Karna interpôs-se e disse:

"Mas estes velhotes mimados só sabem falar. São incapazes de fazer outra coisa".

"Se discorda", retrucou Dhritarashtra, "mostre-nos algo melhor."

"Eu mostrarei", exclamou Duryodhana. "Meu desafio permanece sem solução. Incitei a raiva dos Pandavas e eles jamais me perdoarão."

"Deixe estar", respondeu Dhritarashtra. "Já não fez o suficiente?"

Duryodhana declarou:

"Sou o que sou. Como a água flui para baixo, e não para cima, sigo a minha própria natureza. Reis pacíficos são devorados por outros. Somente a insatisfação leva à felicidade".

"O que quer você?"

"Não existem regras que ditem quem é o inimigo. Tudo depende de como nos sentimos. Devo arriscar tudo para conseguir a destruição dos Pandavas. Que partam do meu reino! Por que devo governar somente a metade dele? Lancemos os dados novamente (mais uma vez apenas), e que o perdedor seja banido para a floresta."

"E então os deixará em paz, aconteça o que acontecer?"

"Sim."

"Lançará os dados com suas próprias mãos?"

"Sim."

"Yudhishthira, o que tem a dizer?"

"Não posso recusar um desafio", respondeu Yudhishthira. "Mas por que haveria ele de nos deixar em paz, se vencer?"

"Porque não mais seremos rivais", disse Duryodhana. "Se eu perder, permita que Duhsasana, Karna, Sakuni e eu próprio fiquemos doze anos nas florestas, onde for da sua vontade, e deixe-nos passar o décimo terceiro ano disfarçados em alguma cidade. Mas, se perder, Yudhishthira, você fará o mesmo com seus irmãos. E quem for descoberto durante o último ano deverá retornar à floresta por igual número de anos, e novamente passar o décimo terceiro disfarçado."

"E depois?", indagou Yudhishthira.

"O perdedor poderá reivindicar seu reino outra vez."

"Sucesso ou desventura hão de vir a mim, jogue eu ou não", observou Yudhishthira. "Não tenho medo."

Duryodhana trouxe outros dados, e lançou três deles.

"Sete!", exclamou Bhima. E Yudhishthira lançou os seus.

Duryodhana sussurrou:

"Seis".

Os Pandavas prepararam-se para partir. Vidura disse-lhes:

"Kunti viverá comigo como minha hóspede. Quando retornarem da floresta, serão mais fortes do que são hoje. Que a Lua lhes dê felicidade e a Terra, paciência; e não se esqueçam do que aprenderam ao vaguear pelo mundo da última vez".

"Yudhishthira", disse Kunti, "cuide de seus irmãos." E logo acrescentou: "Sahadeva, fique aqui comigo".

Mas ele respondeu:

"Não posso".

Arjuna enviou uma mensagem a Indraprastha dizendo a Subhadra que retornasse a Dwaravati. E então os Pandavas e Draupadi deixaram Hastinapura a pé pelo portão sul.

Vidura ficou a observá-los partir, e Dhristarashtra pediu:

"Descreva-me o que vê".

"Draupadi", disse Vidura, "linda como a lua cheia, caminha à frente; ela chora e cobre o rosto com as mãos, que se fecham como o lótus à noite, e se abrem como o lótus noturnal após o pôr do sol. Yudhishthira vem a seguir, com a face envolta num pano. E depois Bhima, apertando irrequietamente os braços. Sahadeva caminha atrás dele, com cinzas brancas ocultando-lhe o semblante, e seu irmão Nakula cobriu o corpo com um talco. Por último vem Arjuna, lançando docemente ao seu redor grãos de areia com ambas as mãos."

"Por que fazem isso?"

"Caminham em direção à morte, Majestade. Yudhishthira não deseja abrasar ninguém com seu olhar. Bhima pensa em seu vigor. Nakula não quer partir o coração de nenhuma mulher ao vê-lo partir. Draupadi é a primeira no coração de todos, e Sahadeva não quer ser reconhecido. Arjuna, cuja perícia é sombria e cujas obras são de prata, lança grânulos de areia como haverá de lançar flechas na batalha. Ouça: os Kurus clamam contra Dhritarashtra, com seu terrível silêncio. O Sol eclipsou-se, e raios brancos cintilam como espelhos no céu vazio."

Duryodhana viu isso e foi até Drona, que lhe disse:

"Não o abandonarei. Seja paciente, saiba esperar, e quando houver ameaça de perigo, eu o protegerei. Mas, Duryodhana, não perca um só instante: faça rapidamente tudo o que quiser fazer, pois sua alegria é efêmera como o orvalho brando no verão".

Naquela noite, Dhritarashtra sentou-se a sós com seu auriga, Sanjaya. E Sanjaya disse:

"Majestade, a loucura pode surpreender um homem e, sob uma estranha luz, o mal lhe parecerá o bem. Ele ansiará pela insensatez e pela insanidade, e desejará seguir esse caminho. Receberá com boas-vindas a destruição e a calamidade, e por elas será esmagado. Quem senão seu filho ousaria desonrar Draupadi?"

Dhritarashtra disse:

"Sanjaya, nós insultamos Lakshmi, Lakshmi em pessoa, a doce deusa da boa fortuna, nascida do mar de leite. Houvera ela derramado uma lágrima apenas sobre a Terra e estaríamos todos aniquilados agora. Bhima haverá de retornar, como também Arjuna e Krishna. E Draupadi jamais nos perdoará. O vento começa a soprar na noite e já apagou todas as nossas lâmpadas e fogueiras. Do lado de fora do palácio, todos os carros de guerra estão calcinados, com suas bandeiras tombadas ao chão. Ó Sanjaya, por que tenho tal afeição por Duryodhana que acabei por atrair a desgraça sobre todos nós?"

Já fora da cidade, os Pandavas tomaram seus carros e, ao anoitecer, haviam alcançado as proximidades de Ganga, onde passaram a noite. Os Kurus que lá viviam os receberam de braços abertos e acenderam suas fogueiras por todo o rio imerso em trevas. Os Pandavas banharam-se em água fresca e ficaram conversando entre si no ar revigorante da noite.

À primeira luz pálida da aurora, Arjuna entrou na floresta para caçar. Caminhava silenciosamente por entre as árvores quando ouviu o som de uma flauta transversal, doce e suave – e a melodia da flauta era, no início, o canto do mar tranquilo e, logo depois, era o canto dos reis Bharatas tocado muito lentamente.

"Arjuna, querido príncipe, venha cá."

"Saudações, Krishna."

"Saudações, Arjuna. O que faz aqui?"

Arjuna sentou-se ao lado do amigo.

"Caço... Perdemos nosso reino e temos de viver na floresta por doze anos."

"Quando eu era jovem", disse Krishna, "morava em Vrindavana, no rio Yamuna, e costumava chamar as mulheres até mim com esta flauta. Devo usar minha chakra e encharcar a Terra com o sangue de Duryodhana e o do radiante Karna?"

"Não é hora, e a questão diz respeito somente a nós."

Krishna sorriu.

"Lembre-se: você é meu, e eu sou seu. Quem o agride, agride também a mim. Você vem de mim, Arjuna, e eu de você, e não existe ninguém que possa compreender a diferença entre nós."

Arjuna logo matou um veado, e Krishna ajudou-o a carregar o animal até o acampamento. Os Pandavas deram graças a Krishna como se dá graças a uma brisa suave no mormaço de um dia de verão. Mas Draupadi rompeu em prantos ao vê-lo, e suas lágrimas caíram queimando sobre seus seios vívidos.

"Como pode ser", lamentou-se ela, "que eu tenha sido arrastada por Duhsasana como um animal? Eu nasci do fogo de Shiva! Krishna, você é minha única proteção."

Krishna consolou-a:

"Princesa, permaneceremos na roda da vida que gira e gira, e vagamos eternamente de um nascimento a outro. Agora somos reis, logo depois passamos toda uma existência na crista de uma folha de relva. Mas vivemos sempre. Nada pode deter a roda. Nada e ninguém jamais nos fará perder esta vida, haja o que houver. Draupadi, quando lhe sobrevém uma grande felicidade, você não estranha e hesita em acreditar que ela seja real?"

"Muitas vezes penso assim."

"Não aceite, portanto, este infortúnio sem pô-lo à prova. Nada sabemos; ele talvez desapareça, e talvez nem seja verdadeiro."

"Não há nada que possa fazer, Krishna?"

"O quê?"

"Peça a Arjuna que mostre a Duryodhana que não somos seus escravos!"

"Você não prefere ter um marido? Karna o mataria."

"Mataria Arjuna?"

"Sim", respondeu Krishna. "A armadura com que nasceu o torna o melhor dos guerreiros."

Arjuna ouviu-os conversando e disse:

"Percorrerei sozinho as montanhas por algum tempo e verei o que posso encontrar. Sejam pacientes e aguardem o meu retorno".

Draupadi segurou-o pela mão e disse:

"Levará o coração de todos nós consigo, e eu serei quem mais sentirá a nostalgia do afastamento. Todas as manhãs e todas as noites derramarei manteiga em nosso fogo para protegê-lo de qualquer mal... Ó Arjuna, volte logo, ou perderemos todo o prazer de viver".

Arjuna tomou seu arco e sua espada. Caminhando floresta adentro, foi-se aproximando das grandes montanhas de neve e começou a galgar as encostas da grande cordilheira. Atravessou um reluzente arvoredo dourado e uma mata de árvores pétreas cujas folhas petrificadas murmuravam ao vento da noite. Mais acima havia outras árvores com galhos de gemas preciosas e folhas entrelaçadas de prata; não muito longe delas, Arjuna encontrou um velho maltrapilho sentado debaixo de um pinheiro comum, sorvendo, com estardalhaço, o vinho de uma caneca de barro.

O velhote abriu um sorriso de poucos e negros dentes quebrados e disse:

"Somente seres pacíficos vivem além desta árvore, mas você não os verá se prosseguir, porque serão invisíveis a seus olhos. Aquelas árvores douradas que deixou atrás de si podem realizar qualquer desejo. Volte até elas e obtenha o que almeja".

Arjuna encarou-o com gravidade e disse:

“O valor daquelas árvores é como o da palha”.

“Este não é o lugar para se portar armas”, retrucou o velho. “Jogue-as fora e viva aqui em paz.”

Mas Arjuna respondeu:

“Não sou tão pobre que precise vir até aqui para encontrar a paz”.

“Se for adiante com o arco e a espada, encontrará apenas a aridez do gelo ressoando ao vento eterno. Será açoitado por nevascas em que pássaro algum é capaz de voar.”

“Não temo nada disso.”

“Pelos Santos!” E o velhote coçou a perna. “Mas, então, o que deseja?”

“Algo para beber seria bem-vindo.”

“Claro, claro, aqui está.” Arjuna tomou o caneco e esvaziou-o e, quando olhou novamente, o velhote havia desaparecido.

Arjuna atirou o caneco de barro o mais longe que pôde montanha acima. Quando este bateu no chão, explodiu com o estrépito do trovão; fez estremecer a Terra e racharem-se os picos dos montes; as árvores das encostas lançaram uma saraiva de folhas verde-ébano e flores douradas, semelhante a uma nuvem negra entrelaçada com relâmpagos.

Arjuna pensou: "Eis um vinho suave, Senhor Indra", e continuou seu caminho. Ao entardecer, parou para beber de um riacho azul e profundo que fluía lentamente numa campina elevada. Havia flores de cristal vivo crescendo por ali, e quando Arjuna roçou em uma, ela se partiu e caiu no musgo macio, espatifando-se com o som musical de vidro fino que se quebra.

Esse ruído suave ficou pairando no ar, pois caíra um profundo silêncio por toda parte. O regato não fazia barulho ao correr: todas as aves e animais permaneciam quietos; um vento silente soprava por entre as árvores; e Arjuna não ouvia o som do seu próprio movimento.

Sem ruído algum para romper o silêncio, um javali selvagem saiu em disparada de um arbusto e avançou sobre Arjuna através daquele prado, como num sonho. Arjuna logo derrubou o animal com uma flecha, mas, ao lançar a seta, a corda do seu arco produziu um estalo. A flecha atingiu o alvo, o javali soltou um uivo e tombou, e todos os ruídos do mundo voltaram a soar. Arjuna ajoelhou-se ao lado do bicho. Havia duas flechas, lado a lado, fincadas pela metade em seu corpo.

"Ladrão! Afaste-se do meu jantar." Arjuna ergueu os olhos e viu um montanhês de pé ali perto, alto e claro, vestido com pele de tigre, segurando um pequeno arco. O caçador disse: "Este é o meu lar. Você nada tem a fazer por aqui".

Arjuna levantou-se:

"Desculpe-me, nós dois o atingimos".

"Você me inspira desprezo", bradou o estranho.

Arjuna enrubesceu sob a pele escura.

"Acalme-se. Pode ficar com o bicho, que eu seguirei meu caminho."

Mas o montanhês fuzilou-o com o olhar:

Então, num dia nublado de inverno...

"Palavras, palavras e mais palavras! Pode ficar com ele! Você me parece um covarde!". E, dizendo isso, retesou seu arco com uma flecha e mandou-a voando em direção a Arjuna, tudo tão celeremente que nem era possível distinguir suas mãos. A flecha deixou de acertar a cabeça de Arjuna pela metade da largura de um dedo.

O Pandava sorriu e lançou de volta uma descarga de flechas. Mas o caçador gargalhava enquanto as setas se estilhaçavam todas contra seu corpo, e ele se viu pisando uma pilha de lascas. Lançou outras tantas flechas de volta a Arjuna, e gritou-lhe:

"Use as suas melhores setas!"

"Ótimo", disse Arjuna. "Excelente!" Partiu em pleno voo as flechas disparadas contra ele, algumas em dois pedaços, outras em três. E ficaram os dois algum tempo atirando flechas um contra o outro, até que se acabaram as de Arjuna. O sorriso abandonou-lhe o semblante: as inesgotáveis aljavas de Agni estavam vazias!

O caçador catou um punhado de terra e pronunciou algumas palavras sobre ele. Arjuna sabia que se tratava de um mantra, e sacou sua espada para repeli-lo. Mas o cabo quebrou-se e a lâmina permaneceu na bainha. Arjuna viu o caçador soprar o pó em sua direção com as mãos espalmadas, e o mundo começou a rodopiar ao seu redor; sentiu o fôlego faltar-lhe e ir embora, e tombou para tentar recuperá-lo, caindo mais e mais, como uma pluma, sobre a Terra macia onde jazia em sono profundo.

Era noite quando Arjuna despertou, e viu-se próximo a um ribeirão. Lavou o rosto com água e com a lama moldou uma imagem simples de Shiva, depositando uma flor em cima. Mas a flor desapareceu. Arjuna olhou ao redor e viu o caçador montês sentado ao lado do javali, e em seus cabelos estava a flor.

"Shiva!" E os olhos de Arjuna cruzaram o olhar fixo do deus.

"Arjuna, não há outro como você! Abençoado seja, meu amigo!"

O perfume dos pinheiros espalhava-se pelo ar. O deus da coroa selênica, senhor dos animais selvagens e das árvores verdejantes, brilhava iluminado na floresta, como o Sol sobre o incêndio na mata. Shiva sorriu e estendeu a mão.

"Sente-se ao meu lado, Bharata."

O crepúsculo acentuou-se. Os gritos das aves e dos animais tornaram-se mais estridentes; as trevas desceram sobre as montanhas; e um vento seco rebentava galhos e ramos das árvores oscilantes, que se erguiam diante das estrelas.

"Amanhã, vá ao céu de Indra", disse Shiva, "e seu pai o receberá com imensa alegria, pois estou satisfeito com você. Indra enviará sua carruagem ao alvorecer. Mas por ora descanse aqui."

"Sim", respondeu Arjuna.

Shiva levantou-se. "Adeus, Bharata."

"Adeus, Shiva." E, sozinho na escuridão, no seio da montanha, Arjuna adormeceu sob as cintilantes estrelas do céu.

Dez cavalos cinzentos desceram do céu matinal puxando a carruagem prateada de Indra. Na sua ventoinha reluziam lâminas e giravam rodas; espadas e dardos alados, faianças branco-turvas, faiscantes raios cinza e os mais fulgentes relâmpagos estremeciam e ribombavam e chacoalhavam em xalmas e engradados e caixotes pendurados dos lados. Num remoinho de poeira, o carro celestial pousou suavemente na Terra, perto de Arjuna.

Matali, o auriga, pulou da boleia e juntou suas mãos às de Arjuna. Os cavalos puseram-se a bater impacientemente as patas no solo, mas Matali acalmou-os, pronunciando "OM" num sussurro. Arjuna adentrou então a carruagem, e Matali tomou as rédeas.

Estalando e crepitando, partiram velozmente rumo ao céu, e Matali gritou: "Eis que estamos invisíveis como o vento, e a caminho dos céus!". Logo deixaram o Sol e a Lua para trás, viajando à luz das estrelas pendentes como imensas lâmpadas no firmamento, distantes da Terra.

Atravessaram os portais dos céus, e Airavata, o grande elefante branco, volveu lentamente sua pesada cabeça com quatro presas afiadas com ponta de prata, e observou-os passar. Lá, diante dos olhos de Arjuna, descortinava-se Amaravati, a cidade de Indra, estendendo-se além dos horizontes à sua frente, repleta de reluzentes carruagens que se movem com o pensamento, a revelar as suas enormes avenidas de luzes, formando o grande caminho estrelado que vemos da Terra, riscando ao meio o céu de verão.

Matali atravessou a cidade até chegarem ao bosque Nandana, onde cada árvore se curvava sob o peso de sua florescência e oscilava delicadamente na atmosfera dos deuses. Lá viviam os Ghandarvas e os Apsaras, os músicos e as ninfas dos céus, e lá entrou a carruagem cruzando um portal de âmbar, até parar diante de um pavilhão de seda, onde Indra estava sentado com sua rainha, Indrani.

Vestido de prata e branco e engalanado sob um pálio branco de sete fileiras preso a um bordão de ouro, Indra ergueu-se e abraçou Arjuna. Com as mãos perfumadas que apresentavam as finas cicatrizes alvas dos raios de tempestade, ele segurou o filho e cheirou seus cabelos. E quanto mais o olhava, mais feliz se sentia em olhar para ele.

Sentaram-se lado a lado. De uma bolsa de couro, o Senhor das Chuvas atirou ao colo um sem-número de partículas luminescentes de raios brilhantes, tecendo-as até que formassem um diadema, e colocou a reluzente coroa sobre a cabeça de Arjuna. Ficaram, então, vendo as Apsaras dançar ao som da música dos Gandharvas, e extasiaram-se com aquelas lindíssimas mulheres gingando e retorcendo-se, capazes, em qualquer pose, de roubar o coração e a mente de quem as contemplasse, ninfas de cintura fina e pele macia, largos quadris, cabelos esvoaçantes e olhos negros.

Quando Arjuna já se retirara para seu quarto no palácio de Indra, o rei dos deuses convocou Chitraratha, o líder dos Gandharvas, e disse:

"Enquanto as mais formosas Apsaras dançavam para nós, o olhar de Arjuna caía sempre sobre Urvasi.[5] Há muito tempo, enquanto Nara e Narayama haviam deixado os homens e ido juntos aos Himalaias, algumas Apsaras celestes vieram para perturbá-los. Achavam-se belas demais para serem ignoradas por alguém, mas quando Narayana as viu ele apenas sorriu e, ao sentar-se na Terra, colocou uma flor caída em sua coxa nua. Daquela flor surgiu Urvasi, cuja formosura fez com que as outras parecessem vulgares, envergonhando a vaidade de todas. Narayana enviou-a aqui para mim e eu dei a ela um lar nos céus. Talvez Arjuna ainda se recorde dela naqueles tempos; por isso, vá convidá-la a ir até ele.

Chitraratha sentiu grande prazer em ir e grande prazer em se ver ao lado de Urvasi. Transmitiu a ela a mensagem de Indra, e ela ficou feliz em recebê-la. Imaginando os lençóis frescos e aconchegantes do quarto de Arjuna, replicou:

"Eu irei. Apaixonei-me pelo filho de Indra desde que senti seus olhos em mim pela primeira vez. E, embora ele viva no palácio do rei dos deuses, só conhecerá os céus quando tiver Urvasi nos braços".

---

5. O episódio de Urvasi, a ninfa, e seu casamento cokm Arjuna é um acréscimo posterior à história do *Mahabharata*. (N. do T.)

SEGUNDA PARTE

NO ENTREMEIO

Nala e Damayanti

OM!
Saúdo e reverencio Narayana,
E Nara, o melhor dos homens,
E Saraswati, a Deusa:

JAYA!

Vaisampayana disse: "Majestade, quando Arjuna partiu?".

"Krishna deixou os Pandavas perto daquele rio nas florestas de Kurujangala."

Janamejaya perguntou: "O que fizeram então?".

Vaisampayana respondeu: "Yudhishthira e seus irmãos penetraram com suas carruagens mais profundamente na floresta, onde ninguém jamais vivera, e buscaram algum lugar para esperar até que Arjuna retornasse".

Ouça, Majestade:

Estava próximo o fim do inverno e eles se dirigiram floresta adentro por muitos dias, até que pararam sob uma árvore de copa larga curvada ao peso dos ramos, perto de uma nascente que jorrava água cristalina do seio da Terra. Lá fizeram seu lar e, após algum tempo, o poeta Vyasa veio visitá-los.

Depois de repousar, Vyasa disse a Yudhishthira:

"Pensa que nunca houve alguém mais miserável que você, mas eu lhe contarei uma história que aconteceu há muito, muito tempo, a história de um rei infinitamente mais desgraçado".

Ouça, Bharata:

Houve certa vez um rei do povo Nishada chamado Nala, que era forte e belo, perito em culinária e em cuidar de cavalos, e apreciador do jogo de dados. Quando era jovem, ouviu menestréis dos morros de Vindhya cantarem a beleza de Damayanti, filha de Bhima, o rei Vidarbha, e apaixonou-se sem jamais tê-la visto, passando longas horas solitário em seu jardim a sonhar com ela. De fato, Damayanti era tão linda que refulgia entre suas criadas como o relâmpago entre as nuvens estivais, e fazia transbordar de alegria e felicidade os corações de todos os que a viam.

Um dia, no jardim, Nala viu um bando de cisnes de asas douradas, nadando numa lagoa. Foi-se aproximando mansamente da água e, embora as aves revoassem ao vê-lo, foi suficientemente rápido para prender uma em suas mãos.[6]

O cisne olhou para Nala e disse:

"Não me faça mal: deixe-me ir. Voarei até Vidarbha e lá direi a Damayanti palavras tais que ela jamais desejará desposar outro homem".

---

6. É uma concepção poética do sânscrito que os gansos podem separar a água do leite, se uma mistura de ambos lhes for oferecida. Como aforismo para o dia a dia, significa que não se mdeve aceitar o mal (água) com o bem (leite), mas que se deve saber destinguir entre os dois. A ave mencionada (hamsa) é, na realidade, um ganso, não um cisne, mas o último é mais poético. (N. do T.)

Nala libertou o pássaro, e os cisnes partiram em revoada para Kundinapura, em Vidarbha, pousando onde Damayanti brincava, num jardim, com suas criadas. As moças tentaram capturá-los, mas cada ave fugiu numa direção. O cisne que Nala tocara levou Damayanti para longe das suas companheiras até um canto ermo, onde se quedou sob uma roseira e deixou que ela o pegasse no colo e lhe acariciasse as plumas.

"Como é lindo!", exclamou ela. "Você deve ser o cisne mais lindo do mundo."

"Estive em todas as terras", disse a ave, "e em nenhuma encontrei outra mulher tão linda, princesa."

"Essas palavras são apenas para me agradar."

"Meus elogios não lhe fazem mais do que justiça. E não há bondade alguma em haver sido criada assim tão linda. Sempre que pouso, as pessoas tentam agarrar-me e prender-me como coisa delas. Mas quem é digno de mim senão a minha companheira? Ela é tão linda quanto eu, e eu creio que foi criada somente para mim. Jamais poderia encontrar em lugar algum outra como ela, nem ser feliz por um instante sem ela."

"Ah!, cisne meu!"

"Sim, princesa!"

"Já conheceu tanto do mundo... Encontrou alguma vez um príncipe que fizesse jus à beleza que há pouco disse ser minha?"

"Um príncipe não", respondeu o cisne, "mas um rei. E um apenas. É Nala, o rei Nishada, que vive não longe daqui, nestas mesmas montanhas; mas quem há de saber quando ele irá se casar? Contudo, das centenas de milhares de reis e príncipes que já vi, ele é o único capaz de trazer vida e fecundidade aos seus dias e anos, princesa. Creio que ele é Kama, o deus do amor, nascido homem, que vive como rei. Quando o melhor se une ao melhor não poderá deixar de haver felicidade."

Damayanti soltou o cisne e, desse momento em diante, pôs-se a pensar apenas em Nala, chorando todas as noites até adormecer. Emagreceu, perdeu a cor e recusava-se a olhar ou a falar com quem quer que fosse. Seus servos contaram ao rei que ela estava doente, mas

Bhima sabia que chegara a hora de Damayanti escolher um marido. E convidou todos os reis daquelas terras à sua cidade, para a swayamvara de Damayanti.

Nos céus, quatros dos deuses haviam visto Damayanti, e desejaram-na. Eram eles Indra, Agni, o Deus do Fogo, Varuna, o Senhor dos Mares e Rios, e Yama, o Deus dos Mortos. Os quatro desceram ao firmamento terrestre em suas carruagens e, na véspera da swayamvara, estavam chegando a Kundinapura pelo ar quando avistaram Nala lá embaixo, na estrada que levava à cidade de Bhima.

Os deuses deixaram seus carros nos céus e, à beira da estrada, tornaram-se visíveis.

Indra fez parar a carruagem de Nala e disse a ele:

"Eu sou Indra, e comigo estão Agni, Yama e Varuna. É capaz de ir entregar uma mensagem a Damayanti para nós?"

"Seu pai a guarda bem, no interior do palácio", respondeu Nala.

"Mas você conseguirá vê-la", garantiu Indra. "Fale com ela, e diga-lhe que estamos aqui para que possa escolher um deus como marido."

"Assim farei. Eu gostaria de falar com ela", disse Nala. Indra então pegou uma pitada de pó da estrada e jogou-a sobre Nala, e os deuses desapareceram.

Naquela noite, Nala passou sem ser visto por centenas dos guardas mais hábeis do palácio de Bhima, e chegou aos aposentos de Damayanti. Ela lá estava com as criadas, preparando seu vestido de casamento. Ao ver Nala, as outras mulheres pasmaram, e matutaram em silêncio: "Como é belo; e quão nobre ele é; que deus será este?".

Damayanti sorriu-lhe e perguntou:

"Quem é você? Como conseguiu entrar para me ver?"

"Princesa, meu nome é Nala, e Indra me enviou para falar com você. Não fora assim, eu jamais teria conseguido entrar."

"Majestade, sente-se aqui comigo."

"Para ser fiel à minha palavra, devo transmitir-lhe a mensagem dos quatro deuses que estarão presentes em sua swayamvara, onde poderá escolher o marido que desejar."

"Eu me lembrarei", disse Damayanti. "Mas não fique se arriscando ao perigo. Eu o verei de manhã."

Nala partiu; no dia seguinte os convidados de Bhima se reuniram numa câmara do palácio, como tigres numa caverna. Quando Damayanti entrou, todos os olhos se voltaram para ela e se fixaram em seu corpo, onde caíra o primeiro olhar, sem que ninguém sentisse desejo de se mover ou de ver mais. Damayanti ouviu recitarem os nomes e as famílias de todos os reis. E então levaram sua guirlanda de flores brancas até onde Nala se assentara. Mas eis que lá havia cinco homens sentados juntos, todos idênticos.

"Estes deuses matreiros certamente não derrotarão a mim", pensou Damayanti, e em voz alta disse: "Levante-se, Nala".

Todos os cinco se ergueram como um só. Damayanti encarou-os atentamente e reparou que os olhos de quatro deles não piscavam, que suas vestes não revelavam sinais de suor e que seus pés não chegavam a tocar no piso. Damayanti sorriu e colocou sua guirlanda em torno do pescoço de Nala.

Indra murmurou:

"Excelente, excelente!"

"Ai de nós!", lamuriaram-se os outros reis.

Nala tomou a mão de Damayanti e disse:

"Eu permanecerei seu para sempre".

Esfuziante de amor, Damayanti retornou com Nala para seu reino, e Indra, com os outros deuses, retornou aos céus. No caminho, encontraram Kali, o deus das desgraças, que se dirigia à Terra.

"Para onde vai?", perguntou Indra.

Aquele espírito infiel e maligno respondeu:

"Meu coração está preso a Damayanti; vou obtê-la em sua swayamvara".

"Assim não será", disse Indra. "Ó mais vil e traiçoeiro dos deuses, ela já escolheu seu marido e está casada com Nala."

Kali espumou.

"Como ele foi preferido aos próprios deuses, amaldiçoarei Nala com um destino terrível!"

Indra tocou num de seus raios de tempestade e disse:

"Tudo aconteceu com a minha permissão! Se ousar amaldiçoar Nala, você mesmo haverá de cair no Inferno".

Indra partiu, mas Kali foi incapaz de conter sua raiva. Chegando a Nishada, constatou a felicidade de Nala e Damayanti, e sua ira se tornou maior do que nunca. E então, cheio de fúria e crueldade, apareceu diante de Pushkara, irmão de Nala, e avisou-o:

"Estou prestes a entrar no corpo de Nala para destruí-lo, membro dentro de membro, face dentro de face. Vá jogar dados com ele, pois não perderá".

Pushkara encontrou seu irmão, que estava com Damayanti, e desafiou-o a um jogo de dados. Nala não pôde nem desejava recusar, especialmente diante de Damayanti. E então começou a jogar contra Pushkara. Possuído por Kali, principiou a perder tudo o que apostava. Foi perdendo suas riquezas e seu reino, pouco a pouco, dia a dia. Seus amigos e seu povo foram pedir-lhe que encerrasse o jogo, mas quando Damayanti o avisou de que estavam reunidos ali, ele não lhe deu resposta. Triste e envergonhada, ela os mandou embora, e todos disseram consigo mesmos: "Ele está morto".

Os dados continuaram caindo a favor de Pushkara. Por fim, Nala perdeu tudo quanto possuía, enquanto Damayanti assistia, impotente. Pushkara disse:

"Nala, acaba de perder tudo, exceto Damayanti. Quer arriscá-la no jogo?"

Nala não respondeu, mas atirou seus ornamentos ao chão e deixou o palácio com Damayanti, cada um trajando uma só túnica. Vagaram a pé por prados e campinas, vivendo de frutas e raízes silvestres. No terceiro dia encontraram três pássaros dourados, pousados no solo, que não voaram quando os dois se aproximaram. Nala lançou sua túnica sobre eles a fim de capturá-los, mas as aves ergueram-se em revoada, levando sua veste, e uma delas ainda lhe disse:

"Somos os mesmos dados de antes, e não queríamos deixar alguém como você nem com um pedaço de pano".

Nala pôs-se a falar, com uma voz estranha:

"Veja ali, onde as estradas se cruzam, indo daqui para Kosala, Avanti e Vidarbha".

"O que está me dizendo?", gritou Damayanti. "Posso suportar tudo, menos que me mande embora."

"Não, eu posso desfazer-me de mim mesmo", respondeu Nala, "mas jamais de você." E sua voz voltara a ser a sua própria.

"Se quiser ir para Vidarbha, iremos juntos." Damayanti enrolou metade de sua túnica em torno de Nala. "Meu pai haverá de nos receber bem."

"Uma vez eu lhe trouxe felicidade lá. Mas agora só traria dor e pranto à sua família. Devemos permanecer juntos onde não somos conhecidos até que o infortúnio nos abandone."

Nessa noite chegaram a um abrigo tosco para viajantes, na floresta, e deitaram-se no chão. Damayanti logo dormia profundamente, mas Nala não encontrava repouso, e pensava consigo mesmo: "E se eu fizer isso? E se eu fizer aquilo? E se eu não fizer? Ela aqui sofre por minha causa; se eu a deixar, talvez vá a seu pai, em vez de ficar vagando na miséria comigo. Depois de algum tempo encontrará novamente a felicidade, sem mim".

Fora do abrigo, Nala encontrou jogado um espadim afiado, sem a bainha e abandonado. Com a arma cortou ao meio a túnica de Damayanti, adormecida, e abandonou a esposa sozinha na floresta. Mas seu coração o traiu, e ele não conseguiu partir. Voltou, e chorou quando a viu. Novamente partiu, e retornou novamente, com o coração partido em dois, sendo arrasado por Kali e exaltado pelo amor. Partindo e retornando várias vezes seguidas, Nala foi, enfim, vencido por Kali e sumiu, tropeçando, sozinho, pela noite escura.

No céu, os olhos arregalados de Indra acompanhavam a guerra entre o amor e a loucura, e seus trovões ribombaram funestamente sobre a floresta Nishada, em trevas profundas. E então, envolto em névoas, nuvens de chuvas, Indra curvou-se sobre a Terra e chamou seu amigo Karkotaka, o rei Naja. Karkotaka ouviu as palavras de Indra, e seu capelo, ornado de preciosidades, abriu-se quando ele respondeu: Eu o farei.

Damayanti acordou sozinha na floresta. Procurou Nala, chamando: "Eu o vejo; por que não vem até mim? Como haverá de passar os seus dias sem mim? Por quanto tempo viverá, exausto e faminto, dormindo sob as árvores, em solidão? Não há conforto igual a uma esposa". Chamou e chamou por ele, e, quando compreendeu que estava realmente sozinha, caiu em prantos e disse: "Enquanto jogava dados ele nem sequer ouvia as minhas palavras. Sua mente está perturbada pela loucura, e não foi ele que agiu assim. Agora, em nome dos deuses que me viram escolher Nala, imploro que quem nos trouxe a esta desgraça sofra uma dor maior que a nossa e viva uma vida ainda mais miserável!".

Damayanti prosseguiu pela mata virgem, plena do cantar de grilos, repleta de leões, leopardos, ursos, búfalos e veados. Atravessou rios e montanhas, indo, indo, sempre indo, até encontrar um tigre com as fuças peludas, e indagou: "Viu por estas matas o nobre Nala?". O tigre não lhe respondeu, prosseguindo em seu caminho e indo beber água no rio. Damayanti acabou por chegar a uma árvore Asoka, que se erguia, escarlate, na floresta, e disse: "Ó, Asoka, cujo nome significa 'sem tristeza', onde, nesta vastidão, está Nala?". Mas não houve resposta da árvore. Damayanti circundou-a três vezes e depois partiu. Perguntou à montanha, que se erguia aos céus como um estandarte sobre a floresta: "Sinto medo. Alguma vez avistou meu marido, dos seus picos e penhascos? Console-me e diga-me onde ele está". Mas a montanha encristada nada sabia e não pôde responder.

Damayanti chegou então a uma ravina tranquila, verdejante e silenciosa, onde ascetas de mente controlada viviam sobre a água, ou no ar, ou sobre folhas caídas. Haviam envelhecido buscando o caminho dos céus pela fé e pela adoração e, em volta deles, macacos e veados brincavam juntos, sem medo do homem. Árvores com frutos e flores cresciam à beira de um rio cristalino margeado por uma pastagem macia e por ervas que se curvavam às brisas do verão.

Damayanti hesitou em se aproximar, mas um senhor idoso vestido com casca de árvore e com dois pássaros bravios nos ombros a viu, e disse: "Bem-vinda seja. Sente-se aqui ao meu lado".

"Tudo vai bem com sua vida aqui, com suas árvores e com os animais e os pássaros que vivem com o senhor?", perguntou Damayanti.

"Tudo vai bem", respondeu o asceta. "Mas diga-nos quem é você e o que busca. Seria a deusa desta floresta, ou da montanha, ou do rio? Não se entristeça, mas conte-me."

"Sou Damayanti, a buscar Nala pela floresta."

"Então vá a Vidarbha e espere."

"Não. Lá é onde ele jamais estará."

"Vemos isso pelo nosso poder", disse o asceta. "Vá para casa; seu pai encontrará Nala. Você nunca o achará desta maneira. Mas saiba que um dia o verá novamente, e que novamente com ele governará Nishada, se nos obedecer."

Os olhos de Damayanti se encheram de lágrimas e, quando os fechou para que elas cessassem de brotar, o eremita desapareceu, e nem os ascetas nem os animais nem as fogueiras haviam permanecido. A cor deixou o rosto da princesa mais uma vez, e a noite sombria se aproximava quando viu elefantes atravessando a mata ao seu redor e ouviu o ruído de homens.

Esquelética e com aspecto selvagem, pálida como o luar do outono, Damayanti viu uma caravana preparando o acampamento noturno à beira de um rio. Quando se aproximou das fogueiras acesas, o chefe da caravana recuou e estremeceu:

"Ansiamos pela sua proteção! Rakshasi ou Apsaras, não nos assustem nesta floresta tenebrosa!"

"Sou humana", respondeu Damayanti, "e não posso causar-lhes mal. Para onde vão? Encontraram mais alguém nesta floresta?"

"Pela vida de Manibhadra, o rei Yaksha, protetor dos que viajam pelo mundo, não encontramos homem ou mulher, exceto você. Estamos indo para o reino dos Chedis.

Coberta de pó, Damayanti acompanhou a caravana até a capital dos Chedis, e ficou a vagar pelas ruas. Garotos começaram a persegui-la, gritando: "Como é atraente nesse vestido esfarrapado, com os seios à mostra e os quadris redondos!". Ela tentou ignorá-los, mas homens e mulheres juntaram-se aos meninos e começaram a atirar-lhe pedras.

Eis que um homem vestido com pele de veado, com os cabelos amarrados em nós, postou-se ao seu lado e disse: "Eu sou Sudeva, o brâmane. Fique atrás de mim".

Damayanti escondeu-se atrás de Sudeva, que enfrentou o povaréu, bradando:

"Saiam daqui e não excitem a ira de um brâmane pacífico e de doce coração".

"Ó grande brâmane", berrou um homem, "você a quer só para si!". A multidão gargalhou. E o homem prosseguiu: "Vamos divertir-nos expulsando esse lunático da nossa cidade".

"Posso perdoar crianças ignorantes", disse Sudeva, "mas não um homem corajoso como você. Não me cuspa mais palavras; feche sua boca e desapareça, como eu ordenei."

"E se eu não lhe obedecer?". O homem encheu as mãos com lama pegajosa.

"A pequena cobra verde nessa lama é muito arisca", disse Sudeva.

O homem sacudiu as mãos e pulou para o lado. Sudeva e os outros riram-se dele. O homem então encarou a multidão e berrou:

"Ah, seus tolos! Vocês nos ouviram: que cada um de vocês vá tratar da própria vida ou, então, terão a cabeça esmigalhada por mim".

Todos se foram rapidamente, e Sudeva dirigiu-se ao homem:

"Abençoado seja, meu filho".

"Não foi nada, brâmane. Vi uma pequenina cobra que não existia, mas vi também a dócil espada que leva sob sua capa, e sei que ela existe."

Sudeva levou Damayanti embora. Limpou a poeira da sua testa e viu uma marca dourada de nascença em seu supercílio, na forma de um lótus.

"Seu esplendor é como o fogo envolto em espessa fumaça", disse ele. "O rei Vidarbha enviou muitos à sua procura, Damayanti, mas eu a encontrei. Por que se esconde, princesa?"

"Procuro meu coração, que se perdeu."

"O coração do rei Bhima também se perdeu. Se ama seu pai, vá até ele e deixe que ele encontre Nala com um milhar de pares de olhos."

"Sim, brâmane", disse Damayanti. "Estou cansada de vagar sem rumo."

Sudeva encaminhou Damayanti ao rei Chedi e, com uma escolta de cavalaria, o monarca a enviou num palanquim a Vidarbha. O rei Bhima rejubilou-se ao vê-la e presenteou Sudeva com terras, ouro e mil cabeças de gado, e cada enviado de Chedi recebeu um cavalo e seda suficiente para cinquenta túnicas. Mandou ainda devolver o palanquim, cheio de ouro, no dorso de um elefante.

Damayanti procurou sua mãe e disse:

"Continuarei vestindo esta túnica rasgada até reencontrar Nala e, se não voltar a vê-lo, logo morrerei e trocarei este corpo por um lugar melhor."

A rainha chorou e procurou seu marido. Ele mandou chamar Damayanti e lhe disse:

"Um rei tem olhos e ouvidos em toda parte. Meus brâmanes e meus guerreiros, que buscaram por você, agora procurarão Nala. Disfarçados, haverão de perguntar em cada povoado, vila e cidade do mundo, em cada campo e cada prado em que houver mesmo que seja um só homem! Diga-me: o que deverão perguntar?"

"Que perguntem o seguinte", respondeu Damayanti: "Querido jogador, para onde foste? Tu que és tão bom, por que fazes sofrer tão cruelmente a tua esposa?"

Depois de haver deixado Damayanti bem para trás, Nala viu seu caminho barrado por um incêndio na mata. Chamas altíssimas avançavam sobre ele, queimando e calcinando as árvores, as ramagens e as ervas. Correu para escapar e, ao fugir em certa direção, ouviu uma voz que o chamava: "Nala, venha para cá!".

Olhou em volta e viu uma serpente Naja enrolada sobre a Terra.

"Sou Karkotaka", exclamou o ofídio. "Não conseguirei escapar do fogo se você não me ajudar. Carregue-me, e eu serei leve em suas mãos."

Karkotaka se fez pequeno como um dedo, e Nala escapou com a cobra para longe do fogo. E já a teria posto no chão, se Karkotaka não dissesse: "Caminhe ainda um pouco mais, contando os passos". E Nala carregou a serpente em suas mãos, contando ao andar; no décimo passo, Karkotaka picou-o no pulso.

Ele deixou cair a serpente. O veneno de Karkotaka não causava dor, mas Nala ficou torto, deformado e horrendo. Karkotaka aumentou de tamanho novamente e disse: "Agora ninguém o reconhecerá e, enquanto aquele que o iludiu permanecer em você, ele arderá em dores lancinantes no interior do seu corpo. A desgraça passará de relance por você e minha peçonha o protegerá de todo mal. Agora vá a Ayodhya, em Kosala, e diga ao rei Rituparna: 'Eu sou o auriga Vahuka'. Ele será seu amigo, e você já não estará longe da vitória". Karkotaka tirou duas peças de seda de sob uma pedra e deu-as a Nala. "Quando desejar suas formas verdadeiras, vista-as e pense em mim."

Em Ayodhya, Nala disse a Rituparna:

"Contrate-me para preparar sua comida e cuidar de seus cavalos".

E o rei Solar respondeu:

"Vahuka, permaneça comigo e faça isso tudo! Sempre gostei de cavalos velozes! Torne meus cavalos os mais rápidos e ligeiros e eu lhe pagarei dez mil!"

Quando Vahuka já estava havia algum tempo a serviço de Rituparna, o brâmane Parnada buscou um refúgio para descansar nas cavalariças do rei. Vahuka trouxe-lhe água e alimento e disse:

"Brâmane, é melhor ter um lar do que vagar por estradas empoeiradas".

"É verdade", replicou Parnada. "Mas ouvi um oráculo de Shiva em meu sono, e não poderei repousar enquanto não descobrir seu significado. Aí então haverei de retornar à minha casa."

"O que foi que ouviu?"

"Ouça. Estas foram as palavras, estas e nenhuma outra: 'Querido jogador, para onde foste? Tu que és tão bom, por que fazes sofrer tão cruelmente a tua esposa?'"

Vahuka suspirou. "Isso pode significar tantas coisas! Essa esposa foi abandonada, talvez, numa floresta repleta de perigos, e agora deve estar morta. Seria melhor que você voltasse à sua casa, em vez de aventurar-se em supor que em algum lugar irá desvendar o mistério."

"Mas pense nas palavras. Ela deve estar viva."

"Brâmane, há muito tempo que essas palavras chegaram a seus ouvidos?"

"Dois meses ainda não se passaram."

"Esse jogador deve estar aguardando algo", disse Vahuka. "Se ela o ama, não se deve irar com alguém tão fraco, que mesmo os pássaros são capazes de lhe roubarem o derradeiro resquício do seu reino."

Dez dias depois, Parnada estava diante de Damayanti, em Kundinapura. E disse:

"Cheguei a Ayodhya, em busca de Nala, e repeti suas palavras uma centena de vezes antes que o auriga de Rituparna me respondesse, atrás do palácio. Depois disso, voltei diretamente para cá nos cavalos mais céleres que pude comprar. Vahuka é o auriga, desfigurado e torto, como que aleijado desde o nascimento sob uma estrela maligna. Mas, ainda que seu corpo seja feio e disforme, seu falar é o de um rei. Após deixá-lo, voltei sem ser visto e fiquei a observá-lo até o anoitecer. Quando se aproxima de uma galeria baixa, não se agacha, mas é a passagem que se eleva para ele. Preparou o jantar para Rituparna, e as tigelas encheram-se por si mesmas com água, conforme o seu desejo. Ervas se inflamaram em suas mãos e ele acendeu o fogo da cozinha enquanto elas ardiam, sem sofrer ferimento algum. E quando a comida ficou pronta, para a decoração dos pratos, ele comprimiu flores entre as palmas e elas permaneceram viçosas e mais frescas e mais lindas do que antes. Ele não se parece em nada com Nala, e é impossível que esteja disfarçado; mas é ele".

"Brâmane", disse Damayanti, "maior bondade que a sua comigo não existe em todo o mundo. Eu lhe darei o meu ouro e a minha prata, e quando recuperar Nala meu pai lhe ofertará dádiva idêntica. Mas por ora o rei nada deve saber."

Damayanti chamou Sudeva e lhe disse:

"Temos Nala em nossas mãos. Vista-se de mensageiro real e vá a Ayodhya. Avise Rituparna de que eu escolherei outro marido e, seja qual for o dia em que lá chegar, diga-lhe: 'Será amanhã! A filha de Vidarbha escolherá um segundo marido logo após a aurora'".

Rituparna, ao ouvir essas palavras, correu até Vahuka. "Leve-me a Vidarbha ainda esta noite, e tudo o que eu lhe puder dar será seu."

Vahuka examinou cuidadosamente os cavalos, enquanto Rituparna, cheio de ansiedade, observava e tentava apressá-lo. Finalmente, atrelou com bocais protuberantes quatro cavalos magros de narinas largas, vindos de Sindh, e disse a Rituparna que entrasse na quadriga. O rei olhou para os animais e vacilou:

"Mas são estes que nos irão levar?"

"Majestade", retrucou Vahuka, "se o senhor não gosta destes, escolha outros."

Rituparna, vestindo os mais finos trajes, pulou para dentro do carro.

"Não, não, Vahuka. Eu me calo. Mas faça-me chegar lá."

Vahuka conversou com os cavalos, e eles, caindo de joelhos, pularam para o céu, puxando a carruagem atrás de si e rasgando o firmamento rumo a Vidarbha. Lá embaixo, a Terra parecia girar mais rápido que uma flecha zunindo. Rituparna gritou por sobre o vento:

"Isso é maravilhoso! Nunca cavalguei tão depressa em minha vida. Você é tão exímio com cavalos quanto eu com números".

Vahuka estancou a carruagem em pleno ar.

"O que disse, Majestade?"

"Vê aquela nogueira? Tem no total cinquenta milhões de folhas e duas mil e noventa e cinco nozes, e os frutos e folhas caídos no chão excedem os que ainda permanecem na árvore em cento e um. Mas, Vahuka, não se atrase! Você é o único auriga do mundo; não há nenhum outro sobre a face da Terra. A felicidade será sua eternamente. Por que paramos?"

"Majestade, já percorremos um terço do caminho. Não fará mal aos cavalos descansarem, desde que nada bebam."

"Pois bem", disse Rituparna, "vá lá e conte-os, então." E a quadriga desceu à Terra. Vahuka verificou que os números do rei eram exatos, e ficou perplexo.

"Por qual arte aprendeu isso?"

Rituparna desamarrou uma bolsa de couro do seu cinturão e dela sacou três dados.

"E isso não é tudo", revelou o rei Ayodhya. "Posso fazer dar qualquer número que você queira."

"Doze."

"Sob que forma? Seis, cinco, um."

"Olhe agora: ei-los!". E Rituparna apanhou seus dados. "Peça outro número."

"Não, já basta. Ensine-me apenas como fazer isso e partiremos novamente."

"Também me explicará por que seus cavalos correm tanto?"

"Rituparna! Acabou de me prometer qualquer coisa. Mas ensine-me agora a ciência dos dados, e mais tarde eu lhe explicarei sobre os cavalos."

Quando Rituparna ensinou a Vahuka o controle dos dados, o próprio conhecimento expulsou Kali do corpo do auriga. O deus maligno era invisível a Rituparna, mas Vahuka podia vê-lo, trêmulo e aterrorizado, encostado numa árvore e cuspindo de sua boca o ígneo veneno de Karkotaka.

Kali disse, de modo que só Vahuka pudesse ouvir:

"Nala, não me amaldiçoe! Estive me abrasando dentro de você. Não pude escapar antes. Dê-me sua proteção e todo aquele que ouvir o seu nome não terá nada a temer de mim".

Vahuka olvidou sua ira e deu as costas a Kali. Subiu novamente na carruagem com Rituparna e os cavalos voltaram a riscar o firmamento, voando rumo a Vidarbha.

Quando Rituparna chegou a Kundinapura, verificou num relance que não havia preparativos para uma swayamvara. No interior do palácio, o rei Bhima veio cumprimentá-lo e disse:

"Bem-vindo! A que devemos sua visita?"

Rituparna pensou por um momento e respondeu:

"Vim manifestar-lhe meu apreço e estima, Majestade".

"Sinto-me honrado, Rituparna", disse Bhima. "Descanse, agora, e permaneça conosco pelo tempo que quiser." Mas Bhima ponderou consigo mesmo: "Não é possível que tenha vindo de tão longe apenas para ver-me; mas isso não tem importância; saberei os motivos mais tarde".

Damayanti observava de um terraço, enquanto Vahuka desatrelava os cavalos e os levava à cocheira. E enviou sua criada, Kesini, para falar com ele.

Kesini abordou Vahuka e saudou-o:

"Bem-vindo seja. Damayanti deseja saber por que veio até aqui".

"Esta manhã, em Ayodhya, Rituparna soube da swayamvara de sua patroa, e por isso eu o trouxe até aqui."

"De tão longe em um dia! Diga-me, já se ouviu falar em Ayodhya de um homem que abandonou sua esposa adormecida na floresta, após prometer a ela na presença dos deuses: 'Eu permanecerei seu para sempre?'"

"Se alguém ensandecido prometeu isso, quem condenaria sua esposa por dizer: 'Eu escolherei um segundo marido digno de mim amanhã', embora este homem ainda viva, incógnito, desconhecido de todos?"

"Ele não é desconhecido, Majestade, e não há swayamvara alguma. Ó Nala! Vá até ela agora."

De sob a camisa, Nala tirou duas peças de finíssima seda azul, ornamentadas com quadrados contornados em dourado, no estilo Naja. "Antes devo vestir isto, e então irei contigo encontrar Damayanti."

E quando Nala encontrou Damayanti novamente, o passado tornou-se uma noite escura, iluminada enfim por uma intensa lua azulada. A rainha contou ao rei Bhima o que acontecera, e ele declarou: "Amanhã eu o verei com Damayanti ao seu lado".

De manhã, Rituparna não conseguia acreditar no que via. "Nala! Se eu lhe fiz algum mal, perdoe-me."

"Nada há a perdoar. Retornarei agora a Nishada."

"Ah! Permita-me ir também."

"Rituparna, não há necessidade. Mas não me esqueci de que cumpriu a sua parte do nosso trato; portanto, venha aprender comigo como locomover-se rapidamente sobre as terras e através dos céus com cavalos." E Nala ensinou ao amigo tudo o que sabia sobre esses animais, despedindo-se dele quando retornou a Ayodhya.

E ele próprio se pôs a voltar a Nishada numa carruagem branca, com Damayanti a seu lado. O brâmane Sudeva ia à frente, em trajes vermelhos, como um arauto. Ao reconhecerem Nala, os Nishadas escancararam os portões do palácio. Sudeva entrou sozinho, e Pushkara saiu para ver quem chegara.

"Quem é você?", perguntou ele insolentemente. "E como conseguiu entrar?"

Sudeva respondeu com voz rouca e profunda:

"Ao nome de Yama todas as portas se abrem. Não há muro ou parede que possa manter afastado um mensageiro escarlate do Senhor da Morte".

Pushkara ciciou, ofegante: "Você... você é...".

Sudeva riu. "Intrépido rei, da parte de Nala lanço um desafio a seus pés. Eu sou Sudeva, o arauto. Pode escolher entre duelar com dados ou com armas."

"Ah, é isso?"

"Isso mesmo."

"Está bem. E o que possui ele para apostar nos dados, afinal? Ora, convide-o a entrar. Lembro-me sempre de meu irmão, pois não gosto de jogar dados com mais ninguém."

Quando Pushkara viu o irmão, exclamou:

"Nishada, apostarei tudo o que ganhei de você contra tudo o que porventura tiver. Damayanti, afinal, será minha e servirá a mim como uma Apsara".

"Comecemos", disse Nala.

Cada um dos irmãos jogou seus dados. E bendito seja Nala, que recuperou seu reino e sua riqueza em um único lance!

Vyasa prosseguiu:

"E assim foi que Nala caiu em desgraça através dos dados, como aconteceu com o senhor. Mas não se desespere, pois a roda da fortuna tanto sobe como desce. E esta antiga história, de Karkotaka, o rei Naja, e da princesa Damayanti, do rei Nala e de Rituparna, é um veneno mortífero para o mal e a desventura".

"Quando eu era recém-nascido numa ilha do rio Gêmeo, do Yamuna, irmão do Ganges, disse adeus a Satyavati, minha mãe, e entrei floresta adentro ao lado de Parashara, meu pai. Alguns anos depois, organizei o Veda, em meu tempo livre, e o livro sagrado diz que os trapaceiros podem ser destruídos pela trapaça, e que a honra de quem assim os destrói não se turva."

Yudhishthira perguntou:

"Mas qual é a trapaça?"

"Enquanto Duryodhana governar sozinho, ele ganhará força", disse Vyasa. "No Veda, um dia e uma noite passados em desconforto podem ser considerados um ano."

"É uma boa maneira de envelhecer", observou Yudhishthira, "mas não posso ir a Duryodhana e expor-lhe isso. E Arjuna está ausente."

"O darma de um rei não é viver na floresta."

"Nem praticar a miséria e o desconforto."

"Portanto", encerrou Vyasa, "se quiser honrar seu voto e promessa, abandone o temor de que alguém hábil no jogo virá para intimá-lo. Eu conheço a ciência dos dados tão bem quanto o rei Ayodhya da história, e vou ensiná-la a você. E mais: chegaram-me notícias das montanhas, vindas numa folha a flutuar pelo Ganges, de que os Himalaias estão fumegando com o calor da batalha entre Arjuna e um desconhecido caçador da cordilheira."

O LÓTUS DE MIL PÉTALAS

Ouça:
Vou falar da honra entre os homens, e do
amor verdadeiro jamais esquecido, como nas
histórias de Reis e Demônios que os velhos
contam às crianças.
Enquanto Brahma dorme, ele ouve algo
perdido sendo mencionado em seu sonho de
Vida, e ele se recorda, e aquilo que se perdeu
volta a surgir entre nós, como há muito tempo atrás.

Majestade, cada dia no céu é um ano na Terra, e onze anos se passaram antes que os irmãos de Arjuna voltassem a encontrá-lo.

No céu, Chitraratha correu ao trono de Indra para avisá-lo:

"Arjuna recusou Urvasi, afirmando que ela se parecia com sua mãe! Disse que a fitou enquanto dançava, por ela lhe parecer tão linda quanto Kunti!"

"Não importa", disse o Senhor dos deuses.

"Mas ela o amaldiçoou, e por um ano ele será dançarino, rejeitado como eunuco por todas as mulheres!"

"Ótimo", disse Indra. "Vá e ensine a Arjuna a música celestial dos Gandharvas e a dança das Apsaras. Diga-lhe que a maldição de Urvasi o atingirá no décimo terceiro ano de exílio, proporcionando-lhe um disfarce impenetrável. E, após haver aprendido com você, eu ensinarei a ele o manejo das armas mortais dos deuses."

Os irmãos de Arjuna viveram na floresta durante um mês, e o segundo já não lhes pareceu longo. Após haverem permanecido lá um ano, o seguinte transcorreu mais depressa; as estações iam e vinham, com todas as suas transformações, até que dez anos se passaram.

Certa noite, então, Yudhishthira sonhou que estava sozinho na floresta, próximo de casa, e despontavam os primeiros clarões da alvorada. Subitamente, criaturas selvagens do dia começaram a se agitar. Sentiu outras presenças ao seu redor e sabia que estava sendo observado por muitos olhos, que mal se ocultavam de sua vista na vaga e indistinta mata.

À medida que o céu ia clareando, Yudhishthira pôde distinguir homens, mulheres e crianças de pé à sua volta, todos vestidos com peles de veado, olhando-o em silêncio. Um homem saiu do meio das árvores, sem um só ruído, e ajoelhou-se próximo de Yudhishthira, em seu sonho.

Com as palmas das mãos unidas no peito, aquele ser da floresta pediu:

"Bharata, somos os veados desta floresta. Majestade, pouquíssimos de nós ainda restam, como sementes, como palavras violadas e enfraquecidas; se não partirem, pereceremos todos, só para alimentá-los".

Nesse momento Yudhishthira acordou, e era de manhã. Contou a seus irmãos:

"Devemos prosseguir e permitir que os animais da mata se recuperem".

"É verdade", concordou Bhima. "De outra forma, em breve teremos apenas ervas para comer. Já ouviram falar de Mankanaka?"

"O que aconteceu a ele?", perguntou Draupadi.

"Era um homem velho", disse Bhima, "e foi advertido sobre os perigos de uma má alimentação."

Ouça, princesa:

Mankanaka viveu por muito, muito tempo comendo plantas e ervas daninhas na floresta. Não se relacionava com ninguém, e passava os dias sentado, pensando e fazendo amizade com todos os animais, aves e peixes do rio.

Ele era muito forte, é claro, por ter vivido daquela maneira tanto tempo, mas não sabia. Um dia feriu a mão na ponta afiada de uma lâmina de grama, ao preparar uma esteira, e do seu corte jorrou seiva, e não sangue. Mankanaka ficou tão estupefato e satisfeito que começou a bailar, dançando para cá e para lá, rodopiando e rodopiando para cima e para baixo; e, embora não percebesse, era tão vigoroso que o mundo todo dançava com ele. Nada e ninguém conseguia permanecer quieto; nada e ninguém conseguia resistir-lhe. Todos os animais e plantas, e até mesmo as pedras e as folhas caídas, foram tomados pelo seu vigor.

Não havia quem conseguisse parar. Os deuses olharam para baixo e viram a Terra estremecendo e desmoronando, a poeira erguendo-se, os oceanos, agitados, a se revolverem, e todas as coisas criadas correndo o perigo de dançarem até a morte antes de Mankanaka se dar conta do que estava fazendo. Dirigiram-se apressadamente a Shiva e disseram-lhe: "*Detenha aquele homem!*", Shiva vestiu trajes de eremita e desceu à Terra, onde permaneceu quieto e imóvel, enquanto o mundo inteiro bailava a seu redor, até que disse mansamente: "*Fique quieto por um instante e diga-me por que você dança*".

Mankanaka parou e sorriu para Shiva, enquanto o mundo se assentava, agradecido. Quando, finalmente, conseguiu falar, o velho ermitão respondeu ao deus:

"Algo maravilhoso aconteceu comigo! Vê a seiva que se esvai de minha mão? É *por isso* que danço!"

Shiva sorriu e disse com brandura:

"Isso é maravilhoso, mas veja...". Fincou a unha no seu polegar e voaram cinzas alvas como a neve, que pousaram delicadamente.

"E assim Shiva salvou o mundo", disse Bhima. "Mas o mesmo acontecerá se nos pusermos a comer ervas."

"Poderíamos eliminar Duryodhana desse modo", observou Yudhishthira, "mas precisamos encontrar Arjuna novamente antes de findar o ano, se ainda restar algo dele depois de Urvasi."

"Quem é Urvasi?", perguntou Draupadi.

"Uma Apsara", respondeu Yudhishthira. "Foi ela quem provocou o nascimento de Rishyasringa, cujo pai era um eremita do deserto e cuja mãe era uma cerva vermelha."

"Como pôde fazer isso? E quem era Rishyasringa?"

"Bem", disse Yudhishthira, "sente-se aqui comigo, e eu lhe contarei."

Ouça:

Foi na terra de Anga, numa floresta erma às margens de um lago de montanha, que o recluso Vibhandaka encontrou a ninfa Urvasi banhando-se. Quando a viu, sua semente vital deixou o corpo e derramou-se no lago, onde uma cerva vermelha que lá bebia a engoliu. No momento oportuno, pariu um menino com manchas aveludadas no supercílio que mais tarde se desenvolveram nos cornos de um cervídeo.

Vibhandaka ouviu o bebê chorando na floresta e pegou o filho, para viver com ele. Deu ao garoto o nome de Rishyasringa, e o menino cresceu sem jamais ver outro ser humano a não ser o pai.

Quando Rishyasringa se tornou rapaz, houve uma terrível seca em Anga. O calor do verão não cessava, e continuou torrando e esturricando tudo, sem que nenhuma chuva caísse. O Ganges minguou em seu leito, os córregos secaram e muitos poços se tornaram apenas lama; e a atmosfera brônzea permanecia carregada, pesada e imóvel, sufocando a vida de Anga como um peso gigantesco num forno.

À meia-noite, Champa, capital de Anga, era como uma fornalha e, numa sacada de seu palácio, o rei Lomapada questionava seus mais sábios ministros sobre como fazer a chuva voltar a cair. E eles lhe disseram:

"Um homem de coração puro deve suplicar, e a chuva virá".

Lomapada enviou seus mensageiros por todo o reino, mas não lograram encontrar em toda a terra alguém que tivesse o coração desanuviado. Muitos tentaram, naqueles dias causticantes e noites sufocantes, mas nenhuma chuva caiu sobre a Terra abrasada.

Veio então um velho e disse a Lomapada:

"O rio Kausiki ainda corre de um longínquo lago onde há muito tempo vi uma cerva parir um menino. Esse garoto hoje deve ser homem, e, se ainda viver por lá, há de ser tão inocente quanto um cervídeo. Procure-o. Bastará que ele apareça em Champa para a chuva cair".

"Mandarei minha carruagem real trazê-lo", declarou o rei.

Mas os ministros o advertiram:

"Não há estradas".

"Enviarei então meu elefante e meu exército."

"Majestade", disseram a ele, "não há passagem pelas montanhas e florestas que não leve vários meses para ser transposta."

"Um elefante poderá ir abrindo seu próprio caminho. "

"Mas esse homem é tímido como um cervo. Haverá de se esconder, e jamais será encontrado."

"Pois bem, como irei então achá-lo?". E ninguém sabia como...

Logo depois disso, a princesa Santa procurou seu pai quando este se encontrava a sós e lhe disse:

"Eu o trarei da floresta".

"Como?", perguntou Lomapada.

"Ordene a seus homens que façam o que eu mandar", explicou Santa. "O que está para ser feito não é difícil: eu e minhas criadas o deixaremos, meu pai, e retornaremos com o filho da cerva."

"Comecemos imediatamente", disse o rei. "Que ordens devo dar?"

"Que preparem a barca real, tirem todos os assentos e a encham de terra. Apenas o leme deve permanecer. Faça que construam uma cabana na barca, e que a rodeiem de árvores, flores, arbustos e ervas, de modo que ninguém perceba estar ela flutuando na água. Isso feito, mande homens num barco rebocar-nos pelo Kausiki."

O eremitério flutuante foi construído, rebocado pelo Kausiki até o lago e atracado às suas margens, indistinguível da terra firme. Santa explorou as matas e logo descobriu que Rishyasringa morava na choupana de Vibhandaka e que este costumava passar o dia fora, à cata de comida. Um dia, após vê-lo entrar na floresta, Santa foi até sua choça, vestida de raríssimas sedas e levando consigo uma bola de borracha e uma cesta com frutas e vinhos. Quando chegou lá, a choupana estava vazia, e somente um cervo adulto, com vinte coroas em seus cornos, a observava da orla da clareira de Vibhandaka.

Santa espiou dentro da casa, fingindo ignorar o veado, e disse:

"Que tristeza! Vim visitar Rishyasringa em vão, e agora não chegarei nem a vê-lo!". E chorou como se o seu coração estivesse partido.

Sentiu então alguém de pé atrás de si e, voltando-se, encarou Rishyasringa diretamente nos olhos, que eram tranquilos como os de um cervo e que a observavam com vivo interesse por entre as pontas e curvas dos chifres.

"Bom dia", disse ele, "eu sou Rishyasringa. Dou-lhe as boas-vindas ao nosso eremitério."

"Ah", respondeu Santa, "espero que estejam bem e em paz aqui na floresta, que as boas obras de seu pai sejam em número cada vez maior e que você o siga pelos caminhos mais elevados da religião."

Rishyasringa retrucou:

"O seu brilho é como a luz! Sente-se nestas esteiras de relva, e eu trarei água fresca para lavar-lhe os pés e também para beber, e algumas deliciosas raízes e landes cruas para comer. Mas diga-me o seu nome. Onde mora? A que votos religiosos deve essa sua radiância?"

Santa sorriu e disse:

"Minha ermida não é longe daqui, mas meus votos proíbem-me de lhe dizer o meu nome, de comer da sua comida, de beber da sua água ou de tê-lo inclinado diante de mim. Pelos termos da minha religião, eu é que devo dar-lhe a comida e a bebida do meu cesto, e lavar-lhe os pés. E, como meus votos são muito estritos, devo, antes de tudo, segurá-lo em meus braços e premer meus lábios contra os seus".

Santa abraçou Rishyasringa e beijou-o, e os dois então sentaram-se para comer os doces frutos que ela trouxera de Champa e que ele jamais provara, e, para beber, os antigos vinhos da adega de Lomapada. Ensinou a ele o secreto darma de brincar de atirar uma bola de borracha e o mistério velado dos jogos de pegador. E, quando estavam ambos cansados, rindo, felizes, ela o tomou novamente nos braços, guardou seus pertences e partiu, lançando-lhe olhares tímidos e acanhados por sobre os ombros, após anunciar: "É hora do ofertório ao fogo sagrado em minha ermida, mas eu voltarei a visitá-lo".

Pouco depois chegava Vibhandaka de sua coleta de frutos amargos, nozes caídas e raízes secas e enodadas. Caminhou majestosamente até o casebre, com os olhos fulvos reluzindo. Seu corpo era inteiramente coberto por uma finíssima penugem loura, que lhe cobria até a ponta das unhas, e ele se movia como um leão, forte e gracioso. Atirou os frutos silvestres dentro da choupana e pôs-se diante de Rishyasringa, que tinha os olhos perdidos no espaço, e perguntou-lhe: "Por que não está cortando lenha?".

Rishyasringa não o ouviu.

Um pouco mais alto, Vibhandaka indagou: "Já poliu as cuias e as colheres?".

Ensinou a ele o secreto darma de brincar de atirar uma bola de borracha.

Nenhuma resposta.

Vibhandaka berrou: "*O que aconteceu hoje aqui? Enlouqueceu? Perdeu a razão?*".

Rishyasringa suspirou, volveu os olhos para cima e encarou o pai. Suspirou novamente e disse:

"O mundo é oco e vazio, para onde quer que eu olhe, porque meu amigo partiu".

"Amigo?"

"Meu pai, um estudante de religião veio hoje aqui, fulgurante e gracioso como um deus. Era lindo, mais que lindo, e seus cabelos negros, perfumados e atados com cordões dourados, eram longos, bem longos. Sua pele macia era suave como finíssimo ouro aquecido, e em seu peito havia duas macias almofadas arredondadas. Suas vestes eram maravilhosas, diferentes das minhas. Nos cabelos levava uma flor que eu jamais vira, e em torno do pescoço, um ornamento cheio de brilho. Sua cintura era esbelta, e ele trazia contas musicais em torno dos pulsos e tornozelos. Sua voz era alegre e límpida, como o canto de um pássaro ao amanhecer, e sobre seus olhos havia belíssimas curvas negras. Carregava um enorme fruto redondo que cai ao chão para só então pular de volta ao céu, e me abraçou, puxando meus cabelos para trazer minha boca à altura da sua, e cobriu meus lábios com os seus, soltando pequenos sons murmurantes. Deu-me doces frutos, sem casca por fora ou caroços por dentro, e uma água sagrada aromática e de leve sabor que me deixou muito feliz e fez com que a Terra parecesse girar sob meus pés. E então, com ansiosa devoção, partiu de volta à sua ermida. Agora meu coração está triste e minha alma anseia por ver essa nobre figura novamente. Gostaria de ser seu amigo e companheiro para sempre. Meu pai, qual o nome desses votos que ele pratica?"

Vibhandaka franziu o cenho e disse:

"*Pois deixe que eu lhe diga, aquilo era um Rakshasa!* É assim que surgem à luz do dia. Esse Rakshasa descobriu que não conseguia sobrepujá-lo e tentou enfraquecê-lo com alimentos condimentados e água envenenada, para que pudesse voltar à noite e dilacerá-lo com seus colmilhos ensanguentados, e esmigalhá-lo, mastigá-lo e degluti-lo! É um ser terrível e implacável esse que viu. Seus olhos eram vermelhos de tanto beber sangue?"

"Não."

"Estava disfarçado! Mas não tema, ele não logrará arruinar sua vida. Amanhã irei persegui-lo e matá-lo! E minhas orações protegerão nosso lar. Mas nunca mais volte a pôr os olhos nesses medonhos monstros demoníacos!"

"Eu prometo evitar os Rakshasas para sempre", concordou Ri-shyasringa.

Entretanto, Rishyasringa era ingênuo, mas não tão ingênuo. E, assim, quando viu Santa no dia seguinte, caminhando em sua direção por entre as árvores, correu até ela e disse, ofegante:

"Vamos já para a sua ermida antes que meu pai retorne!"

Santa levou-o para a casa flutuante e o entreteve com todas as coisas que ele jamais vira antes, de modo que Rishyasringa nem percebeu que estavam navegando rio abaixo, até afluírem para o Ganges, já perto de Champa. Lá, a marinha do rei os interceptou, e Lomapada veio a bordo para dizer:

"Peça por chuva".

Rishyasringa abriu a boca para responder, mas um raio estremeceu o céu antes que pronunciasse uma só palavra, e a chuva caiu aos cântaros, reticulando a água do rio e atingindo a Terra empoeirada como dardos de ferro. O rei correu para fora em meio à tempestade, sob nuvens negras que cuspiam relâmpagos. Em um instante estava completamente encharcado, e, de pé à porta da casa flutuante, rindo e chorando ao mesmo tempo, Lomapada gritou: "Eu os casarei! Encontrem-me em casa!". E partiu.

A chuva caiu, dia após dia, e as plantações começaram a germinar. Lomapada presenteou Rishyasringa com metade do seu palácio, e Santa e seu marido lá viveram até as chuvas amainarem e as estradas do reino deixarem de ser rios de lama e voltarem a dar passagem. Rishyasringa disse ao rei:

"Meu pai há de vir dardejando ferozmente das montanhas, à caça do demônio que me levou embora".

Lomapada sorriu para seu novo filho e replicou:

"Eu já antevi isso. Sua maldição, como a ira de um rei, seria devastadora; mas ele não lançará praga contra nós. Prepare-se para apresentar sua esposa a ele, e não pense nesse assunto".

E então, das montanhas, veio Vibhandaka, examinando cada floresta, vigiando noite após noite, em busca de um sinal daquele Rakshasa furtivo, e aproximando-se mais e mais de Champa. Porém, mal deixara a encosta das montanhas, viu-se recebido pelo povo de Anga ao longo do caminho, como um velho e benquisto amigo que há muito tempo não viam. Quando estava cansado ou faminto, à noite ou de dia, surgia sempre alguém para abrigá-lo ou alimentá-lo, alguém à beira da estrada cuidando de um rebanho ou de um campo arado.

Na primeira noite em que isso aconteceu, Vibhandaka disse ao fazendeiro que o recebeu:

"Hei de encontrar o espírito maligno e arrebentarei sua cabeça em milhares de pedaços por haver devorado meu filho".

E o fazendeiro respondeu:

"Sim, santo homem, mas seja bem-vindo, em nome de Rishyasringa!"

"O quê? Onde está ele?"

"Santo homem", disse o fazendeiro, "Sua Majestade, Rishyasringa, salvou-nos a todos da morte, e agora vive em Champa no palácio do rei. Todos estes campos e todo este gado são dele. Por isso eu lhe dou as boas-vindas em seu nome."

"Quem era aquele Rakshasa?"

"Meu Senhor, era Santa, Excelência."

"Quem é Santa?", perguntou Vibhandaka.

"A filha do rei, Excelência", explicou o fazendeiro. "Não havia chuva, como sabe, Senhor, até Santa trazer seu filho a nós, e sem ele estaríamos todos mortos, Eminência."

"Eu não sabia disso."

"Venerável Senhor, aquilo que..."

"Basta", encerrou Vibhandaka. "De manhã, arranje-me um cavalo."

E, durante o resto de sua viagem a Champa, Vibhandaka verificou que seu filho era dono de todas as vacas e de todos os prados ao longo da estrada, e a cada dia havia um cavalo melhor para ele montar. Na segunda noite soube da casa flutuante. Na terceira noite descobriu que seu filho se casara com Santa. E na manhã seguinte Lomapada veio saudá-lo, preparando-lhe a refeição matinal com as próprias mãos.

Ao anoitecer, enfeitado com magnólias douradas, Vibhandaka e o rei entraram no palácio de braços dados, e Santa serviu-lhes o jantar. Vibhandaka concedeu ao filho e ao matrimônio suas mais sublimes bênçãos. E, à luz áurea que emanava dos magníficos cornos de Rishyasringa, Vibhandaka lhe pediu:

"Quando nascer o seu filho, devem ir visitar-me na floresta, todos vocês".

"Sim, meu pai."

"Mas então precisa partir?", inquiriu Lomapada.

"De madrugada", disse Vibhandaka.

"Meu barco mais veloz irá levá-lo..."

"Não", recusou o eremita. "Devo ir andando, pois temo que o conforto destrua todos os homens."

"E agora *nós* devemos partir", disse Yudhishthira.

"Para onde?", perguntou Sahadeva.

"Para a montanha Kailasa, nos Himalaias, onde os Yakshas guardam o castelo de Vaishravana, senhor de todas as riquezas e de todos os tesouros."

Os Pandavas e Draupadi iniciaram sua jornada, Bharata, e, quando as carruagens não conseguiam mais galgar as encostas, esconderam-nas e puseram-se a escalar os morros a pé. Estavam perto de Kailasa, quando Yudhishthira disse: "Baixem os olhos agora e não pronunciem palavra, pois passaremos perto do pico de Rishava". Ri-shava era um homem feroz que odiava companhia humana e a conversa entre pessoas, pondo-se a viver naquele cume em perfeita solidão. Um dia disse à montanha: "Se alguém vier aqui e olhar ao redor, faça pesar seu coração com dor e pranto para que não continue a subir; e se alguém abrir a boca e falar, lance-lhe pedras e convoque os ventos e os furacões a fim de purificarem o local dos ruídos de gente". E, embora Rishava esteja morto há muito, sua montanha ainda lhe obedece.

Os Pandavas prosseguiram cautelosamente, com grande cuidado a cada passo, mas, justamente ao passarem pelo pico de Rishava, enfrentando íngreme terreno com areia e pedras de todos os tamanhos, Yudhishthira torceu o tornozelo e gritou: "Maldição!".

No mesmo instante, vendavais estrondosos começaram a uivar, arremessando saraivadas de pedras pelo ar, e ensurdecedoras nuvens de areia varreram o céu, ocultando o solo. Turbilhões de folhas secas estalavam ao vento, árvores rachavam e partiam-se, e ficou escuro como à meia-noite em toda parte.

Sahadeva curvou-se sobre o jarro de argila que guardava o fogo do grupo e buscou abrigo numa caverna, enquanto seus irmãos se refugiavam atrás de penedos ou de enormes formigueiros, duros como rocha. Bhima carregou Draupadi para trás de uma escarpa e inclinou-se sobre ela, protegendo-a, enquanto uma chuva cortante caía em torrentes grossas como eixos de carruagens. Trovões ribombavam por sobre os penhascos. Relâmpagos violentos fundiram a Terra em vidro. Um rio espumante e caudaloso, cheio de toras rolantes, lama e rochas que rodopiavam, começou a correr sob seus pés. Em todas as direções, nada havia senão água. Os céus e a Terra haviam desaparecido.

Subitamente, tudo terminou. O sol voltou a brilhar. As enxurradas foram-se reduzindo a um cristalino riacho e, por fim, secaram. Nakula torceu a água dos longos cabelos negros e, com um sorriso, ajudou Yudhishthira a levantar-se.

E todos prosseguiram, até que uma centena de grandes montanhas tivessem ocultado inteiramente aquele malfadado pico, e Kailasa surgisse diante de seus olhos, de um pálido prata-fosco contra o céu.

Aquele, Bharata, era o lado de Kailasa visível ao mundo, mas foi a outra encosta longínqua que os Pandavas galgaram, chegando a uma campina, no topo do planalto, onde uma árvore gigante abria sua frondosa copa de folhas e flores delicadas e frutos adocicados. Naquele antigo e abençoado retiro, os Pandavas recostaram-se para descansar no robusto tronco dessa árvore, a árvore de Narayana, à sombra de seus grossos galhos e ramos, bem acima do mundo. Sentiram o caule fresco e suave em suas costas, e o seu cansaço deixou de existir.

Do seio da montanha, viram cachoeiras despencando para as profundezas, jorrando água em canais de coral e rubi, numa rede de rios que desaguavam em lagoas rubras do pólen do lótus, onde elefantes se banhavam e bandos de cisnes e gansos selvagens vermelhos repousavam. Acima deles, nas escarpas e cumes de Kailasa, sobre picos de ouro e gemas preciosas tingidos de alto a baixo com metais montanheses, cresciam árvores de folhas de prata, e árvores da cor do fogo, e do ouro liquefeito, e do mar quando é fundo e límpido. Rios e regatos coloridos corriam por entre as pedras e rochedos, pretos, marrons, amarelos e brancos e cavernas de minério escarlate reluziam como um pôr do sol petrificado.

Um dia, Draupadi sentara-se ao ar da manhã quando o vento do nordeste soprou em seu colo um lótus branco de mil pétalas. Jamais vira flor tão linda e perfumada; levou-a até Bhima, exclamando:

"Veja que flor maravilhosa! Ó Bhima, mesmo quando Arjuna está aqui é a você que recorro para me ajudar... Se eu ao menos tivesse várias destas flores, faria nossa casa de ramos e galhos de igual beleza".

"Onde a conseguiu?"

"Veio das montanhas, impelida pelo vento."

Bhima armou-se com o arco e as flechas.

"Irei procurar com empenho", disse a ela, "e, se encontrar outras, eu as trarei para você."

Bhima deixou seu lar perto da árvore gigante e começou a galgar pelas florestas e campinas acima, em busca da morada do lótus de mil pétalas. Pavões dançavam nos galhos ao som dos sinos das Apsaras, que somente eles ouviam; bailavam como se estivesse prestes a chover e abriam suas caudas como coroas para as árvores. Abelhas negras carregadas de néctar repousavam sobre flores em toda parte. Bhima subia e subia pelas matas e ravinas de Kailasa, até que veados mascando capim vieram observá-lo, enquanto as esposas dos Yakshas, todas ocultas, acompanhavam-no com o olhar.

Bhima seguiu uma trilha estreita num cerrado bosque de olmos e, após uma curva, viu seu caminho bloqueado por um macaco deitado. O animal era da cor do cobre, de ombros largos e pescoço curto. Tinha orelhas vermelhas e o seu longo rabo era ligeiramente torto na ponta. Estava esparramado no chão com os olhos fechados e a cabeça sobre os braços.

"Saia do meu caminho, macaco!", gritou Bhima. "Vá embora daqui!"

O macaco não fez mais que entreabrir os sonolentos olhos vermelhos e fechá-los novamente.

"Saia daí e deixe-me passar!"

O macaco fitou-o por alguns instantes, lambeu os dentes brancos, afiados, com a língua cúprica e disse:

"Estou doente, e descansava aqui em paz. Nós, bichos, somos ignorantes, mas por que as suas maneiras são tão horrorosas? E o que um asno como você está fazendo por aqui?"

Mas, pela vida que tinha em si, Bhima não conseguiu mover aquele rabo de macaco.

Bhima franziu a testa e mordeu os lábios.

"Então, quem é você nessa pele de macaco?"

"Ora, mas que otário, eu sou um macaco! Não enxerga bem? Por favor, vá para casa e aprenda a ser cavalheiro."

"Você está no meu caminho", disse Bhima, "portanto, mexa-se."

"Ah, grande herói", suspirou o macaco, "estou doente demais para me levantar. Faltam-me forças até para rastejar. Preciso de todo o meu vigor apenas para respirar. A extraordinária honra de conversar com você irá, provavelmente, me matar."

"Pois então cale-se. Vá para outro lugar."

"De nada adiantaria. Seja como for, você não pode ir além daqui, pois este caminho leva aos céus e é usado somente pelos deuses. Estou lhe dizendo isso por caridade; se prosseguir, os deuses o cobrirão com todo tipo de maldição e ruína."

"Não lhe estou perguntando sobre pragas e calamidades!"

"Bem, se quer ir adiante tão desesperadamente", disse o macaco, "basta erguer o meu rabo e prosseguir, já que não pode esquecer isso."

Bhima segurou a cauda do macaco com a mão esquerda para tirá-la do caminho, mas ela não se mexeu. Prendeu-a com ambas as mãos e puxou e retorceu-se e esbugalhou os olhos até se exaurir. Mas, pela vida que tinha em si, não conseguiu mover aquele rabo de macaco nem pelo espaço de um grão de cevada.

"Ufa!", Bhima sentou-se, limpou o suor da testa e olhou atentamente para o macaco. "O que é isso?"

O macaco bocejou. E, estalando a língua na boca, disse:

"Veja! O Filho do Vento salta pelo ar
E voa através das nuvens com um bramido,
Enquanto lá embaixo as ondas hostis
Espumam, rebentam e borrifam no salino mar verde".

"Hanuman!", exclamou Bhima, levando as mãos à testa. "Eu sou o seu irmão Bhima."

Hanuman ria e ria, espojando-se na terra e enxugando as lágrimas dos olhos com as patas. E, então, precipitou-se pelas árvores, pulando de galho em galho, pendurando-se pelo rabo. Rodou e rodou, tombou, gargalhando, girou e rodopiou sem parar, até cair. Finalmente, acalmou-se um pouco e sentou-se diante de Bhima, cheio de matreirice nos olhinhos vermelhos.

"Bhima!", disse ele, batendo com o rabo no chão. "Você teria uma banana?"

"Não trouxe comida alguma", respondeu Bhima.

"Nenhuma comida? Ouça:

'O chefe dos macacos é perfeito;
Em conhecimento e força não há outro igual.
As árvores arranca e das nuvens se apossa, em Lanka,
E a cidade de Ravana com o rabo incendeia!'

Agora vou amarrar Duryodhana e trazê-lo aqui, e ver se acho uma banana em Hastinapura."

"Não vai, não. Muito obrigado, Hanuman."

"Escute aqui, infeliz Pandava, não há poder sobre a face da Terra que possa salvar Duryodhana se eu investir contra ele. Sou como o relâmpago: estrondeante e ligeiro, luminoso e brilhante e difícil de encarar!"

"Você levou o anel de Rama para Sita quando ela era prisioneira. Por que não a trouxe de volta com você?"

"Está bem!", Hanuman rodopiava e rodopiava com os quadris no chão. "Você quer fazer tudo sozinho, como Rama." Subitamente, estancou, tocando no braço de Bhima com a pata. "Tem certeza de que não trouxe nada para comer?"

"Nem uma migalha. Há alimento por toda parte."

"Um homem sábio não lastima a derrota nem se rejubila com a vitória", pronunciou Hanuman, "mas eu sou apenas um macaco, e estou muito desapontado com você. Não é nada atencioso. Saiba que tenho idade suficiente para merecer um pouco de respeito."

"Você é um simples macaco, sentado aí, matraqueando como um ser humano e agindo como se fosse dono do mundo!"

"É algo bom de ser", disse Hanuman. "Um macaco corre atrás de todas as coisas, mas nunca as alcança porque imediatamente se distrai com qualquer outro assunto. Sempre sente prazer em correr e pular, e jamais deseja a terrível barafunda de possuir bens. Não diga a ninguém que moro aqui. Eu viverei enquanto a história de Rama for ouvida na Terra, e não quero ser perturbado. Mas você pode visitar-me quando quiser."

"Não permaneceremos muito tempo por aqui", explicou Bhima. "Quando Arjuna voltar, precisaremos partir."

"Talvez você volte algum dia." Hanuman gesticulou vagamente no ar com uma das mãos. "Se prosseguir em frente, cruzar para o outro lado e subir, olhará para baixo e verá o lago dos lótus."

Mais ao fim da tarde, Bhima se encontrava no cimo de Kailasa, olhando para baixo e contemplando o lago que era um leito para as flores de lótus de mil pétalas, imaculadamente brancas e palidamente azuis. Bhima estava reclinado em seu arco, com o queixo entre as mãos, sorrindo, quando todas as sombras do Sol desapareceram e imediatamente cintilaram de volta. Do cume, acima dele, veio um clarão de luz, e ele viu, com o canto dos olhos, um enorme portal feito de joias fechar-se silenciosamente.

Era o pórtico de entrada do castelo De Vai shravana, o Deus das Riquezas. Bhima contemplou o palácio de ouro e cristal; as gigantescas muralhas de pedras preciosas e pálidas pérolas aquosas, largas como uma estrada nas proximidades de uma grande cidade; as torres e torreões de prata e marfim, elevando-se às alturas com vitrais claríssimos de finas folhas de diamante e telhados pontiagudos de turquesa e lazurita; as fileiras de reluzentes flâmulas e pendões de seda esvoaçando ao vento em mastros de âmbar; e os jardins e bosques além dos muros, onde pilhas e pilhas de gemas não lapidadas descansavam à sombra. Todas as riquezas lá se encontravam, Bharata – tudo aquilo que os homens mundanos têm como riqueza e tesouro –, e lá ainda se encontram, lá nas alturas, nos cumes onde o ar é rarefeito, na tênue atmosfera e à alva luz solar dos Himalaias, nos tremeluzentes raios de luar que à noite desvelam as verdadeiras cores de tudo o que existe.

Um Yaksha de orelhas semelhantes a cravelhas e olhos perfeitamente redondos havia fechado o portão principal do castelo De Vai shravana. Correu para Manibhadra, o rei Yaksha, e sussurrou-lhe algo. Manibhadra saiu chacoalhando suas armaduras pelas infindáveis galerias do palácio. Finalmente, encontrou Vaishravana e avisou-o:

"Há um mortal observando-nos da montanha".

"*O quê?*", trovejou Vaishravana.

O rosto cor de alfazema de Manibhadra empalideceu, e sua voz tornou-se trêmula. "Um homem, de pele dourada e braços vigorosos, está observando este castelo!"

"Atrelem os cavalos!", bradou Vaishravana. O Senhor dos Tesouros, que percorre o mundo nos ombros dos homens, sacudiu seus quatro pálidos braços e rapidamente pegou um laço de diamantes e uma espada de cristais, um arco flexível de rododendro e um punhado de flechas de pedra e de ferro. Manibhadra atou a guirlanda dourada de guerra na testa de Vaishravana.

E então metade do castelo ergueu-se ao céu puxado por dezoito mil cavalos, numa carruagem prodigiosa e colossal de nuvens negras entretecidas por arco-íris resplandecentes amarrados com nós furta-cor. Os cavalos voaram tão velozmente em direção a Bhima que arrastaram o céu com suas patas e sugaram a atmosfera com seus pulmões.

Bhima viu-se coberto pela sombra de meia cidade pairando no ar sobre sua cabeça. Vaishravana debruçou-se de uma janela e gritou para baixo:

"Quem viola o Castelo da Aurora do Mundo?"

Bhima ainda se recostava em seu arco, ainda sorria para o lago de lótus, lá embaixo. Não olhou para cima e não respondeu.

O Senhor dos Tesouros pulou da janela e permaneceu flutuando no ar, a dois palmos de distância de Bhima. Inclinou-se para ele e sussurrou com ferocidade:

"Quem é você?"

Bhima sorriu-lhe.

"Isso não importa, não tem a menor importância", ameaçou Vaishravana. "Você terá de ser morto, de qualquer maneira."

"Vê todas as flores de lótus?", indagou Bhima.

"Que flores?"

"As de mil pétalas, lá embaixo, no lago" – disse Bhima, com uma voz meiga.

"Ah! Isso é de uma grande beleza! Nem a lua cheia despontando por trás de uma nuvem escura à noite é mais maravilhosa."

"Por quê?"

"Você não veio aqui para me roubar", respondeu Vaishravana.

"Tudo o que é seu os pássaros relegam e os animais rejeitam", disse Bhima. "Eu vim em busca de flores perfumadas."

Vaishravana passou a língua nos lábios e disse:

"Desculpe-me... mas você tem de morrer, pois viu o meu castelo".

"Ah!"

"Não me dirá o seu nome, antes de sucumbir nas mãos de meus trinta e seis milhões de Yakshas?"

Bhima respirou profundamente e, com um sopro, arrancou a armadura de Vaishravana. E então murmurou:

"Eu sou Bhima, o Filho do Vento. Cuidado, Senhor dos Tesouros".

Quando viram essa afronta, milhares de Yakshas partiram voando da carruagem etérea e pousaram em formação atrás de Vaishravana. Mas o Senhor dos Tesouros reteve-os com um gesto, e as armas desapareceram de sua mão.

"A mente é mais difícil de domar que um macaco", disse Bhima. "Todavia, tente aceitar a ideia de me trazer uma braçada daquelas flores."

"Kaunteya, você está aqui com seus irmãos?", indagou Vaishravana.

"Aguardamos Arjuna perto da árvore Visala, no eremitério de Badari."

"Bhima... é uma honra." Vaishravana fitou os Yakshas. "Manibhadra! Traga algumas flores daquele lago... uma braçada, ligeiro!"

O rei Yaksha despejou os lótus nos braços de Bhima, curvou-se solenemente diante dele e desapareceu. O Senhor dos Tesouros disse:

"Aceite-as como presente meu, assim como minha proteção; enquanto vagarem pelo mundo, eu os guardarei, a todos vocês. Não querem ser meus hóspedes por algum tempo?"

"É bondade sua convidar-nos", agradeceu Bhima, "mas..."

"Não tenho amigos de fato em qualquer um dos mundos."

"Devemos encontrar Arjuna diante da árvore de Narayana: é o que diz Yudhishthira. Se partirmos, poderemos perdê-lo."

"Assim é, se Yudhishthira o diz. Mas, e depois?"

Bhima cerrou seu enorme punho, e era como uma serpente de cinco cabeças. "Depois vem Duryodhana."

"E depois?"

"Um macaco e um deus, ambos me convidaram para retornar", ponderou Bhima. "Kailasa é um bom lar."

"Aproveitem o que é bom e suportem o que é mau", disse o Senhor dos Tesouros. Presenteou Bhima com seda para que enastrasse as flores e subiu em sua carruagem. Os cavalos voltaram-se, e o castelo partiu voando a zunir, como se um milhar de pássaros de asas macias revoassem para pousar numa árvore. Bhima ficou só na montanha. O palácio de Vaishravana já não era visível, e apenas o pai de Bhima, o Vento, se movia lá embaixo no vale e subia pelas encostas, soprando por entre as árvores e balançando as flores no lago.

Uma rede de ferro

O Universo tornou-se água,
água sem princípio nem fim,
sem Terra ou céu,
sem espaço ou luz,
sem som ou movimento.

As águas escuras, então,
permaneceram quietas e silentes,
esperando, e nada tocando.
Que forma haverei de assumir
para salvar a Terra deste dilúvio?

Quando Bhima retornou com as flores de Draupadi, as chuvas principiaram a cair. Toda a Terra estava tranquila e pacificada. Chovia sem parar nas florestas de Kailasa, e os animais conversavam – o iaque e o veado, os macacos, os javalis e os ursos, os elefantes e os bois, os leões e os leopardos, os búfalos e os tigres; os sapos pulavam alegremente, os pardais e os cucos cantavam. Nuvens plúmbeas encobriam o céu, relâmpagos alumiados tomaram o lugar dos astros do dia e da noite, e enxurradas desciam dos montes para inundar as planícies e devolver a energia perdida, roubada das plantas pelo sol de verão.

Veio então o outono, com novas ervas e noites frescas. As estrelas e os planetas aproximavam-se da Terra à noite, e na claridade não se via bruma ou poeira. O ar era límpido como o novo colar de regatos e rios vestido pela montanha, e pássaros brancos voavam dia após dia a caminho dos lagos transbordantes do sul.

Matali surgiu dirigindo a carruagem de Indra pela atmosfera, e pousou Arjuna na relva, ao lado da árvore de Narayana. Como o Sol vestindo uma guirlanda de luz, Arjuna postou-se diante de Yudhishthira com o diadema celeste e todas as armas reluzentes dos céus! Yudhishthira envolveu Arjuna em seus braços.

Nas mãos de Draupadi, Arjuna despejou ornamentos dos céus e, ao caírem as joias, uma gema fulgurante como o Sol cintilou com inesperada intensidade e cegou-os. Quando recuperaram a visão, a carruagem celestial já havia partido.

Os Pandavas deixaram Kailasa e, descendo, foram abandonando atrás de si os alcantis e os penhascos, as cascatas e as cachoeiras, caminhando por veredas estreitas até as planícies. Quando a Montanha de Prata já se erguia às suas costas, Yudhishthira fitou-a a pensar: “Possamos nós retornar, Kailasa”. E o vento soprou, sussurrando-lhes: *“O Mundo é amplo! O Mundo é enorme!”*

E assim teve início o décimo segundo ano: os Pandavas retornaram ao reino de Dhritarashtra e fizeram seu lar na floresta Kamyaka, nas proximidades do lago Dwaitavana, entre os carvalhos em florescência e os marmeleiros dourados. Sakuni disse a Duryodhana:

"Estão aqui outra vez. O que poderia ser mais agradável do que vê-los vivendo como camponeses numa floresta cheia de desconfortos?"

Duryodhana disse a seu pai:

"Vou sair para contar nosso gado que pasta pelas campinas".

E deixou Hastinapura com Karna, Duhsasana e Sakuni, com oitenta carros de guerra e trinta elefantes. Perto do lago Dwaitavana, seus homens montaram tendas e, quando ele já descansara, ordenou:

"Construam bordéis às margens do lago para o nosso gozo".

Enquanto Duryodhana e Karna conversavam às gargalhadas, vários outros Kurus se dirigiram ao lago. Mas, ao se aproximarem, foram barrados por dois Gandharvas.

"Abram passagem!", gritaram os soldados. "O rei Kuru vem para cá!"

Mas os Gandharvas sorriram e responderam, calmamente:

"O lago está fechado por ordem do rei Gandharva, e é proibido entrar. Portanto, antes de morrerem aqui por nada, voltem e avisem Duryodhana disso".

Os soldados retornaram. Mas logo Duryodhana em pessoa e todos os seus guerreiros marchavam para o lago. E, no mesmo local, os Gandharvas, desarmados, disseram novamente: "Voltem!".

Do alto do lombo de seu elefante, Duryodhana encarou os dois Gandharvas e disse: "O filho de Dhritarashtra, o poderoso rei Duryodhana, irá para onde desejar. Saiam da frente!".

Os Gandharvas zombaram dele.

"Já tínhamos ouvido falar que você é realmente um tolo", disseram. "Somos, por acaso, seus servos? Depressa: partam imediatamente."

Duryodhana ordenou a seu elefante que avançasse, e os Gandharvas partiram voando pelo ar.

"Avante!", bradou Duryodhana. "Sigam-me. Nós os afugentamos." Seus homens aplaudiram e precipitaram-se para a frente.

Os Gandharvas voaram como meteoritos até Chitraratha, e com ele mantiveram palestra. O rei Gandharva afastou uma Apsara de seu colo e, com um sorriso, lentamente colocou uma flor atrás da orelha.

"*Ao ataque!*"

Multiplicando-se através da ilusão, dez Gandharvas investiram por todos os lados ao mesmo tempo sobre cada um dos homens de Duryodhana. Num só instante o medo e o pânico dispersaram os guerreiros, exceto Karna e Duryodhana. De sua carruagem, Karna repelia os Gandharvas com lâminas de luz no céu, e rodeou-se a si mesmo e a Duryodhana com ofuscante blindagem. Mas Chitraratha gerou sombras sobre essas muralhas lucíferas e, com um estrondo, fê-las desabar como pedras chatas sobre Karna. O elefante de Duryodhana barriu de pavor e disparou cegamente em direção ao lago. Karna permaneceu como que paralisado sob os destroços da sua carruagem.

Chitraratha atracou-se tão violentamente com Duryodhana que o príncipe Kuru pensou que a própria vida tivesse sido arrancada de si, e lançou-o numa rede de ferro presa ao céu. Depois dele, os outros Gandharvas lançaram na rede Sakuni e Duhsasana e todos os Kurus que conseguiram capturar. Mas deixaram Karna onde ele tombara, pois Chitraratha sabia que nenhuma rede dos Gandharvas seria capaz de retê-lo.

Alguns dos homens de Duryodhana escaparam e correram a buscar proteção com os Pandavas. Yudhishthira aquiesceu:

"Eu os protegerei, acalmem-se. Este é o resultado natural de mais uma trama de Duryodhana, mas não podemos permitir que os Gandharvas raptem os Kurus". E disse, dirigindo-se a Bhima e Arjuna: "Partam e libertem-nos".

Arjuna e Bhima encontraram os Gandharvas perto da rede, brindando à vitória com leite e mel. Arjuna convocou-os:

"Soltem seus prisioneiros, em nome do rei Yudhishthira".

"Oh, criança", retrucaram, "obedecemos somente a Indra. Ninguém mais há de mandar em nós."

"Não têm o direito de aprisionar homens", disse Bhima. "Pedimos pacificamente que libertem este reizinho de olhos esbugalhados que prenderam em sua rede como um peixe."

"Não! Não!", responderam eles. "Jamais!". E teriam continuado a gargalhar se do arco de Arjuna mil flechas não partissem zunindo contra eles.

Os Gandharvas enxamearam-se pelo ar. Arjuna construiu uma jaula de flechas em torno deles e, por tentarem escapulir voando pelo alto, preparou também um telhado de setas. Ficaram todos presos em seu interior, e muitos jaziam mortos no chão.

Arjuna ouviu então o som de uma corda de alaúde sendo tangida em pleno ar e, voltando-se, viu uma bola de fogo avançando rapidamente. Bhima prostrou-a com uma lança, e ela permaneceu caída, imóvel, silenciosamente queimando-se na relva. Arjuna manteve seu arco retesado, perscrutando o firmamento. Nada visível havia. Mas, subitamente, Chitraratha surgiu sentado no céu, segurando um alaúde.

Chitraratha inclinou a cabeça com a coroa de ouro de cinco pontas e sorriu.

"Aqui estou, seu caro amigo Chitraratha, e você luta contra mim!"

Arjuna baixou o arco.

"Por que construiu esta jaula em torno do meu povo?", inquiriu Chitraratha, com o semblante magoado.

"Deixe os Kurus partirem", disse Arjuna.

"Mas Duryodhana veio para escarnecê-lo. Por isso vim também."

"Que ele espreite ou não", disse Bhima, "ou que seja seu prisioneiro para sempre."

"Não", disse Arjuna. "Você me fará um favor libertando-o."

Chitraratha suspirou.

"Sou seu amigo. Assim farei. Mas ele *sempre* estará planejando algum mal contra você. Vi isso, e minha paciência chegou ao fim. Nada tenho a fazer aqui; vim apenas para combater Duryodhana."

"Ele não o esquecerá", disse Bhima.

A jaula de flechas começou a balançar ao vento. As setas inflamaram-se com o atrito e arderam até se tornarem cinzas. Os Gandharvas estavam livres. Chitraratha tangeu seu alaúde novamente e os Gandharvas mortos retornaram à vida. Viu-se então a rede de ferro ir descendo com suavidade. O semblante de Chitraratha se anuviou, e ele desapareceu num intenso clarão vermelho de luz.

Yudhishthira ajudou Duryodhana a safar-se da rede, e disse:

"O que mais podemos fazer por você?"

Mas Duryodhana se afastou, sem nada dizer, enquanto os outros todos agradeciam a Yudhishthira por havê-los salvado.

Duryodhana chegou ao seu acampamento ao anoitecer e, quando Karna voltou, já após a meia-noite, encontrou-o sentado em sua cama.

"Que belo encontro!", disse Karna. "Graças à boa fortuna, acaba de derrotar os Gandharvas, depois que minhas próprias armas se mostraram inadequadas. Ninguém senão você poderia tê-los repelido."

Duryodhana mostrou-se enfadado, cheio de asco.

"Fui humilhado e desonrado", disse ele. "Fui capturado. Puseram nos todos numa rede, e Yudhishthira nos salvou. Agora que me tornei um tributo aos Pandavas, permanecerei aqui para matar-me por inanição. Ao amanhecer, lidere os outros de volta à cidade, e que Duhsasana assuma o meu lugar com você. Minha vida nada mais vale para mim. Teria sido muito melhor ter morrido hoje."

"Não foi um combate justo", disse Karna. "Tenha compaixão. Os súditos de um rei devem sempre ajudá-lo; os Pandavas nada mais fizeram que o seu dever. O rei Gandharva é amigo de Arjuna e não faria mal aos Pandavas. Libertou-o por amizade. Ou tê-lo-á Arjuna derrotado em batalha?"

"Não, isso não aconteceu."

"Pois então, onde está a vergonha disso? Não se dissipe em desgosto como uma tigela cheia de água fora do fogo."

"Todos zombarão de mim", queixou-se Duryodhana; "por isso prefiro morrer."

"Então não passa de uma criança sem sabedoria. Seja agradável com os Pandavas, e devolva-lhes seu reino, em agradecimento. Assim voltará a ser feliz."

"Jamais mudarei de ideia, Karna."

"Então... é mesmo uma criança, e um tolo... e eu deverei morrer com você." Karna caminhou até a porta da tenda de Duryodhana e saiu pela noite.

Duryodhana, sozinho na tenda, foi lentamente dilacerando as vestes, até só restarem frangalhos. Espalhou ervas pela Terra e sentou-se sobre elas. Tocando a água de uma vasilha, decidiu morrer e fez voto solene de não mais ingerir alimento. Recolheu sua mente em si mesma e observou seus sentidos fecharem-se ao mundo. Seus olhos estavam voltados para baixo, abertos, mas ele nada via, nada ouvia e nada sentia. Seu eu sustinha os fios daquele corpo chamado Duryo-dhana, sustinha lealdade e pesar, vergonha e ambição, amor e energia e desejo e amizade, e tudo o mais – os cem mil fios brancos e negros entretecidos da vida –, e preparava-se para rompê-los e libertar-se.

Duryodhana, então, sentiu frio. Ele jamais estivera nas montanhas de neve, jamais conhecera tal gelidez em toda a sua vida. Retornou por um momento, apenas para verificar, mas em torno de seu corpo só havia o suave mormaço noturno da floresta Kamyaka. Voltou novamente para trás de seus olhos e ergueu-os para o alto.

Vislumbrou Kalee, negra e terrível diante de si, e da cintura da deusa pendiam serpentes de língua fendida vomitando veneno. Usava um colar de cabeças humanas das quais escorria sangue sobre os seios, e em dez braços segurava armas, fogo, pestilência e medo; seus olhos eram selvagens e seus cabelos, desgrenhados, e ela dançava ao som de berros de pavor.

Duryodhana sorriu.

"Nada tenho com você, por ora", disse ele, e voltou a baixar os olhos.

Kalee permaneceu imóvel e fitou-o diretamente na alma.

"Duryodhana, não morra!", exclamou. "Eu mesma fiz o seu corpo: a parte superior, de diamante indestrutível; a metade inferior, de flores da montanha. Tenha paciência, e não morra."

Duryodhana olhou para cima, dentro dos olhos selvagens da deusa.

"O fato de ter-me feito me torna seu servo?", perguntou.

"Você, que é tão difícil de vencer, ouça: guerreiros de grande coragem combaterão ao seu lado contra os Pandavas. Eu endurecerei seus corações. Aqueles que vivem pelas armas eu os destruirei. Matarei os guerreiros que matam. Aqueles que agora amam os Pandavas haverão de existir apenas para aniquilá-los; todos os Kurus estarão com você na batalha; Duryodhana, grande guerreiro, você jamais será derrotado por qualquer arma justa."

Duryodhana piscou os olhos e Kalee desapareceu. Ouviu seus homens conversando no acampamento e viu a luz do Sol da manhã entrando em sua tenda. Levantou-se e descerrou as cortinas. O ar fresco nunca estivera tão perfumado; a luz matinal incidia sobre seus pés em cores novas, imaculadas.

Karna estava sentado à entrada, com a face coberta de pó e manchada pelas lágrimas, os ornamentos espalhados por toda parte. Duryodhana ajoelhou-se a seu lado e disse:

"Esqueça tudo isso, agora. Venha comigo; vamos comer alguma coisa".

Duryodhana retornou a Hastinapura justamente a tempo para o casamento de sua irmã Duhsala com Jayadratha, o rei Sindhu. Retornando à sua terra com a esposa, Jayadratha parou no lago Dwaitavana e, enquanto os servos davam de beber aos cavalos e elefantes, partiu sozinho em sua carruagem pela floresta. Ao chegar a uma clareira, viu a casa dos Pandavas, e Draupadi à porta, com um braço estendido sobre o ramo de uma árvore.

Jayadratha, desceu de seu carro e aproximou-se.

"Quem é você, e o que faz sozinha aqui ao vento da floresta?", perguntou ele. "Eu sou Jayadratha."

Draupadi soltou a árvore e alisou as vestes.

"Eu sou Draupadi, e não costumo conversar com estranhos na porta de casa", disse ela. "Meus maridos partiram em caçada; se puder esperar, terão prazer em recebê-lo."

"Ah, Draupadi", disse Jayadratha, "quem não ouviu contar da sua beleza? E agora que a encontrei vejo que as lendas ficam aquém da verdade, pois acaba de aprisionar meu coração. Não deve mais permanecer oculta na floresta; deixe os seus maridos sem reino e venha agraciar meu palácio, onde poderá ser vista e admirada."

"Jayadratha, tome cuidado!", retrucou Draupadi com fúria. "Não seja tolo, e parta!"

"Vamos, venha passear comigo em minha carruagem. Só até o lago."

"Não. E suma-se daqui. Bastará um relance de seu rosto para os Pandavas saberem de tudo e trucidarem-no."

"E você, também, não poderá vir a padecer por falar assim comigo? Não temo os Pandavas, princesa."

Draupadi voltou-lhe as costas, mas Jayadratha agarrou-a e pulou com ela em sua carruagem. Os cavalos partiram a galope.

No âmago da floresta, os Pandavas viram animais em disparada fugindo do lago e ouviram os gritos de advertência dos pássaros avisando que muitos homens haviam entrado na mata. Abandonaram a caçada e voltaram para casa.

Perto da clareira, encontraram uma pequenina corça chorando à beira da trilha. Yudhishthira parou a carruagem e sentou-se a seu lado.

"Por que está triste?", perguntou. "Conte-me o que aconteceu."

A corcinha parou de chorar e enxugou as lágrimas do rosto.

"Ah, uma desgraça, Bharata: um chacal ousou penetrar na toca do leão."

"Não tema. Conte-me."

"Jayadratha raptou Draupadi. Vi-o levando-a embora. Eu a amo porque é bondosa; brinco com ela e a guardo às margens do riacho. E agora, todo o leite branco será derramado sobre cinzas."

Yudhishthira pôs seu longo braço em torno da corcinha.

"Nós a traremos de volta, com certeza. Quando foi que isso aconteceu?"

"Há pouco. Eles foram por *ali*." A corcinha levantou-se e sorriu. "Traga-a de volta, rei Yudhishthira. Eu sou tímida e tenho medo."

"Essas palavras ferem como dardos", disse Bhima. "Eis ali os galhos quebrados pela carruagem de Jayadratha!"

Quando os Pandavas se desvencilharam da floresta, puderam enxergar Jayadratha ao longe, na estrada que ia para o oeste. O rei Sindhu parou, ao vê-los, e disse a Draupadi:

"Cedo demais! Nem mesmo você vale a minha vida, e eu não lhe desejo mal. Sozinho nesta carruagem facilmente poderei deixá-los para trás".

Ajudou-a a descer.

"Adeus, princesa."

Draupadi suspirou.

"Depressa, fuja daqui, Jayadratha!"

Jayadratha golpeou de leve com as rédeas no dorso dos cavalos e sua carruagem partiu em disparada. Draupadi ficou examinando-o; voltou-se e ficou a observar os Pandavas vindo até ela. Num instante chegaram. Bhima e Arjuna passaram trovejando, sem parar, mas Yudhishthira e os gêmeos estancaram.

Sahadeva correu até ela e tomou-a nos braços.

"Você está bem?"

"Estou", respondeu Draupadi. "Bhima e Arjuna o alcançarão?"

"Sim, creio que sim! Nós a levaremos de volta para casa e ficaremos aguardando."

Draupadi olhou para Yudhishthira.

"Irá atrás deles para ver o que acontece?"

"Sim", respondeu. "Jayadratha deve morrer?"

"Ele... ele não me fez mal."

"Se o matarmos", ponderou Yudhishthira, "isso servirá de pretexto para Duryodhana. O rei Sindhu agora é seu irmão. Mais tarde haveremos de recuperar nosso reino. Com sua permissão, prefiro adiar a morte de Jayadratha."

Draupadi fitou o ocidente.

"Sim, deixe-a para depois."

Nakula e Sahadeva retornaram com Draupadi; Yudhishthira partiu velozmente atrás de Bhima e Arjuna, que estavam já bem adiante, perseguindo Jayadratha o mais rápido que podiam, lado a lado em suas carruagens. Mas constataram que ele se afastava com ligeireza.

"Logo será apenas uma nuvem de pó!", gritou Bhima. "E depois desaparecerá!"

Arjuna não respondeu, mas, de pé na carruagem balouçante, retesou seu arco com uma flecha e lançou-a contra Jayadratha. Ela partiu o eixo de seu carro, que tombou para um lado e atirou o rei Sindhu, rodopiando, sobre o leito da estrada.

Jayadratha ergueu-se prontamente, com a espada em riste. Bhima e Arjuna frearam seus cavalos ali perto, e Bhima disse:

"Escolha com qual de nós deseja lutar".

"Ágil em minhas mãos é a espada", desafiou ele.

"Qualquer um dos dois, ou ambos, ou os três."

Yudhishthira juntara-se aos irmãos. Palestraram em voz baixa por um momento, e Yudhishthira então chamou:

"Jayadratha!"

"Sim?"

"Pode partir para onde quiser. Não lhe faremos mal."

"Eu insisto em que lutem comigo!"

"Com a permissão de Draupadi, não lutarei. Mas seja paciente, a hora chegará."

"Perdoem-me, Pandavas. Desobedeci ao darma; não os desafiei antes por ela."

"Haveremos de deixá-lo... ir simplesmente embora?", indagou Bhima.

"Sim", disse Yudhishthira.

"Sempre lhe obedeci", declarou Bhima, "e... obedeço-lhe também agora! Ela não foi ferida?"

"Não", respondeu Yudhishthira. "Vamos embora."

Já escurecia quando Yudhishthira, Arjuna e Bhima voltaram à casa da floresta. Juntaram-se a Draupadi e aos gêmeos, que estavam sentados em torno de uma fogueira, e contaram tudo o que acontecera com Jayadratha. Algo então se mexeu na orla do fogo, e um velho, moreno e hirsuto, encaminhou-se sem ruído até eles e sentou-se.

"Bem-vindo, Vyasa", cumprimentou Yudhishthira. "Muitos anos se passaram. Aceita jantar conosco? Não comemos nada desde cedo."

Vyasa sorriu e Draupadi foi para a cozinha. Acendeu o fogão com a minúscula chama que ardia para os deuses domésticos. Então se deu conta de que não tinham comida.

Franziu a testa e pensou: "Ó Krishna! O que farei?". Krishna sorria, de pé, com as costas voltadas para a parede, Draupadi deu um salto e levou a mão ao peito.

"Ah! Que susto!"

"Princesa", disse Krishna, "você me tirou da cama, e eu estou com fome. Dê-me algo para comer."

"Essa é a questão. Não há nada."

"Seus maridos não puderam caçar alguma coisa?"

"Somente o rei Jayadratha."

Krishna procurou pela cozinha. "Absolutamente nada? Não acredito. Deixe-me dar uma olhada", e começou a esquadrinhar os potes e as panelas.

Draupadi ficou a observá-lo. "Por que se deita tão cedo?"

"Não sabe que tenho dezesseis mil esposas?"

"É verdade? Já ouvi falar nisso, mas nunca acreditei."

"Bem, por que haveria eu de negar? Mas veja...", Krishna pegou um grão de arroz e uma pequenina sobra de um legume, que haviam ficado presos na borda de um pote de ferro. "Agora, sente-se de frente para mim, feche os olhos e não se mexa. Isto é bastante difícil."

Krishna sentou-se no chão da cozinha, segurando o minúsculo pedaço de legume e o grão de arroz. Os sons noturnos da floresta cessaram; o fogo bruxuleou e apagou-se. Krishna pôs-se a recitar suavemente no silêncio.

"Agora ouça... o que eu também ouvi:

'O luar é o seu sorriso. Terra e céu são a sua ilusão.

No findar do Tempo, há de vir primeiro a seca, e depois os sete sóis que trazem o fogo e deixam a Terra mergulhada em morte e imersa em cinzas, envolta por nuvens coloridas em chamas.

Explodem então os relâmpagos e despencam as águas. Afogam-se o Sol e a Lua, a Terra e as estrelas. Eis que você engole os ventos e flutua, adormecido, sobre as águas escuras, repousando sobre Sesha, a serpente de mil cabeças, alva como as pérolas.

Você então acorda e, como vaga-lume a cintilar numa noite de chuva, lança-se pelas águas em busca da Terra. Mergulha, e a traz de volta, como outrora, e a coloca sobre Sesha, como outrora, e cria todas as coisas, como outrora.

E após o recomeço do Tempo, quando Sesha bocejar estremecendo a Terra, não irá você até ela e pedirá:

'Só por um pouco mais?'

Narayana – se falei bem, leve este alimento para todo o mundo'".

Krishna engoliu o pedaço de legume e o grão de arroz. Os fogos tremularam, de volta à vida, e Draupadi ouviu os Pandavas conversando lá fora com Vyasa.

"Princesa, abra os olhos. Está feito."

Draupadi fitou-o. "Eu tinha fome antes, mas agora..."

"Agora, em todo o mundo não há ninguém com fome", disse Krishna. "Todos estão cheios de comida até o pescoço." E tremeu. "Mas isso é muito difícil."

Krishna retornou à sua longínqua morada, e Draupadi saiu para juntar-se aos Pandavas. A noite estava fresca e tranquila, e na floresta a perdiz, que se alimenta do néctar dos raios de luar, fitou com olhos brilhantes a lua cheia, que nascia por entre as árvores.

"Não temos comida para o jantar", avisou Draupadi.

Os olhos de Arjuna lhe sorriram:

"Não se preocupe", disse ele. "Vyasa prometeu contar-nos uma história."

"Mas não estão com fome? Não sente fome, Vyasa?". Um sorriso meigo enrugou o rosto de Vyasa. "Não, não, princesa. Que tipo de história devo contar?"

"Uma de amor", pediu Draupadi.

Vyasa encarou-os à luz da fogueira.

"Pois contarei uma que fala da vitória do amor sobre a Morte."

Ouça:

Savitri, filha de Aswapati, o rei Madra, era jovem e lindíssima. Muitos homens vinham à corte de seu pai para desposá-la, mas ela a nenhum desejava, por serem todos desgraciosos, fúteis e vaidosos, inchados de orgulho e rígidos em sua oca presunção. Savitri disse, então, a seu pai:

"Eu mesma partirei em meu carro dourado de guerra, e não retornarei antes de encontrar meu marido".

E assim visitou cidades e vilas, mas os habitantes a temiam, de modo que decidiu entrar nas florestas em busca do seu companheiro. A carruagem foi abrindo caminho pela mata com violência; os pássaros saíam voando de medo, e quanto aos animais, alguns fincavam pé a observá-la, outros escondiam-se atrás das pedras, ou em tocas, ou cavavam buracos e enfiavam-se dentro da Terra, e outros, ainda, ocultavam-se nas árvores e fechavam os olhos.

Savitri chegou aos retiros dos brâmanes e xátrias que haviam trocado o mundo pela floresta, e certo tempo depois voltou para Aswapati e disse:

"*Eu o encontrei*".

"Quem?", perguntou o rei.

"Satyavan", respondeu Savitri. "Como o Tempo tirou a visão do rei Dyumatsena, tornando-o cego, um inimigo arrebatou-lhe o trono de Salwa, e ele foi viver na floresta com sua esposa e seu único filho, Satyavan."

"Fico feliz", disse o rei. "Começarei os preparativos; iremos juntos até ele."

Quando Savitri o deixou, Aswapati chamou seu ministro e perguntou:

"O que sabe de Satyavan?"

"Majestade", respondeu o ministro, "ele nasceu na cidade de seu pai, mas, ainda bebê, foi levado para a floresta, onde vive desde então. É leal e bondoso, belo como a Lua, e possui o vigor e a energia do Sol. É generoso, cheio de coragem e paciente como a Terra. Possui apenas um defeito, e nenhum outro: dentro de exatamente um ano Satyavan morrerá."

Aswapati contou a Savitri o que descobrira e lhe disse:

"Mude de ideia. Não se case para a infelicidade".

Savitri replicou:

"Duas vezes não escolherei. Seja sua vida curta ou longa, já tomei Satyavan por marido em meu coração".

Aswapati viu que o coração da filha não vacilara. "Será então como diz. Amanhã iremos ter com Dyumatsena na floresta."

A pé, o rei levou Savitri ao eremitério de Dyumatsena, onde se sentou sobre esteiras de capim ao lado do monarca cego, debaixo de uma árvore, e pediu-lhe que aceitasse Savitri como filha.

"Como ela irá suportar viver na floresta?", perguntou Dyumatsena.

"Tanto ela como eu sabemos que a alegria e o pranto seguem seu curso onde quer que estejamos", disse Aswapati. "Saúdo-o em amizade. Não me desconsidere; não destrua minhas esperanças."

"Seja bem-vindo", disse Dyumatsena. "Abençoados sejam ambos."

Os dois reis consumaram o matrimônio de Savitri e Satyavan, e Aswapati retornou à sua cidade. Repleto de amor e graças a um casamento feliz, o ano restante da vida de Satyavan transcorreu rapidamente, e Savitri foi contando os dias, até que só restava o derradeiro. Na véspera da morte, ela passou a noite a observar o marido, até de madrugada. Preparou-lhe uma refeição, mas ela mesma nada comeu, esperando a hora e o momento, e pensando: "Hoje é o dia".

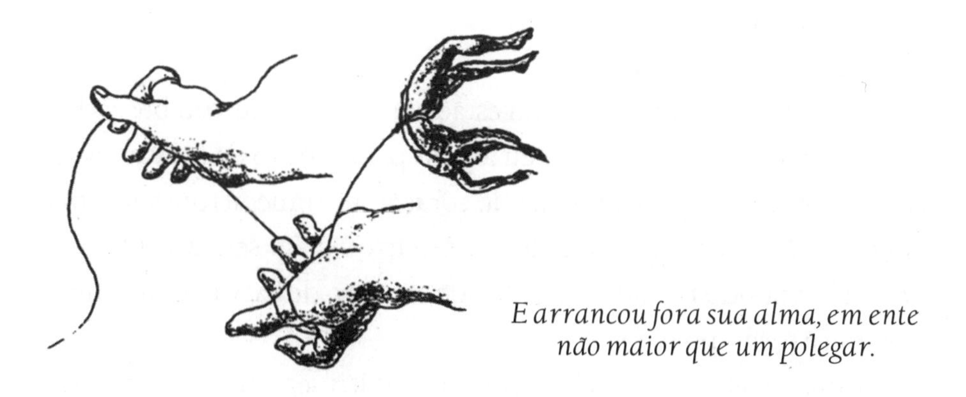

E arrancou fora sua alma, em ente não maior que um polegar.

Quando o sol estava a dois palmos de altura, Satyavan pôs o machado sobre os ombros e partiu com Savitri floresta adentro para recolherem lenha. Cheia de doçura, ela o seguiu, sorridente, observando as nuanças do seu espírito.

Logo encontraram uma árvore caída. Satyavan pôs-se a cortar os galhos, mas tinha calafrios e estava encharcado de suor. Quando parou para enxugar-se, sentiu a cabeça latejar; a luz incomodava e fazia arderem seus olhos. Largou o machado e deitou-se no colo de Savitri para descansar.

Ao fechar os olhos, sua face retorceu-se e empalideceu por um momento. Logo a cor lhe voltou e, com a cabeça sobre a coxa da esposa, ele adormeceu serenamente. Savitri correu os dedos por seus cabelos úmidos. Mas sentiu que alguém a observava, e ergueu os olhos.

Um homem alto e encorpado fitava Satyavan com olhos escuros e fixos. Sua pele era verde-escura, ele trajava vestes rubras, e tinha uma flor vermelha nos negros cabelos soltos. Estava de pé a não mais que a distância de um arco de Satyavan, segurando um pequeno laço de fibras douradas na mão esquerda e encarando firmemente o marido de Savitri, com um olhar de grande paciência e bondade.

Savitri depositou gentilmente a cabeça de Satyavan na Terra. O deus olhou para ela, mexendo a cabeça, mas jamais seus olhos escuros, e ela disse:

"Senhor Yama, eu sou Savitri".

Yama disse com brandura:

"Os dias da vida de Satyavan estão completos, e eu vim buscá-lo".

O Senhor da Morte estendeu a mão para o peito de Satyavan, do lado esquerdo, nas proximidades do coração, e arrancou fora sua alma, um ente não maior que um polegar. Amarrou-a em seu laço. Quando a alma havia sido tomada e agrilhoada, o corpo de Satyavan não mais respirou e tornou-se frio.

Yama se retirou para a floresta, mas Savitri seguiu-o, caminhando ao seu lado. Ele parou e disse:

"Volte e prepare o funeral".

"Ouvi dizer", respondeu Savitri, "que você foi o primeiro homem a morrer que encontrou o caminho da morada que não pode mais ser tomada."

"É verdade", disse Yama. "Agora volte. Não pode seguir-me além daqui. Está livre de qualquer elo com Satyavan, e de qualquer compromisso."

"Todos os que nascem devem um dia segui-lo. Permita-me apenas ir um pouco mais, como sua amiga."

Yama estancou e, voltando-se lentamente, olhou para Savitri.

"Tem razão. Você não tem medo de mim. Aceito-a como amiga, e aceite também em troca uma dádiva minha, o que eu lhe puder dar. Mas não posso devolver a vida a Satyavan."

"A amizade só se consuma após sete passos dados juntos", disse Savitri. "Que a cegueira de Dyumatsena o abandone."

"Já o abandonou. Agora volte, pois está cansada."

"Não, nem um pouco", disse Savitri. "Estou com Satyavan pela última vez. Dê-me permissão para caminhar com você mais um pouco."

"Eu a dou. Eu sempre tiro, e novamente tiro. É bom poder dar. Siga-me então, se quiser, e aceite outro presente meu, exceto aquele que não lhe pude dar da outra vez."

"Que Dyumatsena recupere o seu reino", pediu Savitri.

"Ele há de recuperá-lo", disse Yama. Prosseguiram ambos rumo ao sul, e os galhos e ramos pendentes se abriam para deixá-los passar, fechando-se em seguida. Chegaram a um riacho, e o Senhor da Morte deu de beber a Savitri da sua própria mão.

"Não é difícil dar", disse Yama. "Quando a vida é finda e tudo precisa ser entregue, dar não é difícil. Durante a vida existe dor, mas nenhuma na morte. O que é muito difícil é encontrar alguém digno de receber. Ninguém me escapa. Eu já vi a todos." Olhou para Savitri. "E, contudo... esta água não é mais límpida que seu coração. Você busca o que almeja, você escolhe e a questão se encerra; não deseja ser nenhuma outra pessoa. Há muito que não vejo isso. Faça-me outro pedido, tudo menos a vida de Satyavan."

"Que meu pai tenha uma centena de filhos."

"Ele os terá", disse Yama. "Mas peça-me algo mais, para si mesma, tudo menos a vida de Satyavan."

Savitri respondeu:

"Que eu também tenha cem filhos de meu marido".

Yama sentou-se na margem do rio, contemplando a água que fluía como uma serpente de prata.

"Sem pensar, você me respondeu. E falou a verdade. Como há de ter filhos de Satyavan se ele está morto? Mas você não pensou nisso."

"Não."

"Sei que não. Mas eis que não há mais vida nele; tudo está encerrado."

"Por isso nada pedi para mim mesma, eu que estou metade morta, e não mais anseio sequer pelo céu."

Yama suspirou. "Sou perenemente imparcial para com todos os homens, e eu, mais do que ninguém, sei o que são a verdade e a justiça. Sei que todo o passado e todo o futuro são mantidos coesos pela verdade. O perigo dela foge e se esquiva. Quanto vale sua vida sem Satyavan?"

"Nada, Senhor."

"Entrega-me metade de seus dias na Terra?"

"Sim, eles são seus", disse Savitri.

Novamente os olhos fixos e impassíveis de Yama pousaram em Savitri. Por fim, ele disse:

"Está feito. Tomei os seus dias e dei-os a seu marido como se fossem dele. Quer que eu lhe diga o número desses dias?"

"Não. Voltaremos agora?"

O Senhor da Morte ergueu seu laço, e nele nada havia.

"A alma de Satyavan descansa com você. Terá de levá-la de volta você mesma."

Yama levantou-se e prosseguiu só, para o Reino dos Mortos, com um laço que nada continha. Quando Savitri deu a volta para retornar, um raio fulminante atingiu uma árvore perto de sua casa.

Era noite quando Savitri chegou, e o cadáver de Satyavan permanecia gélido ao luar. Ela sentou-se ao seu lado, com a cabeça do marido no colo, e sentiu a pele aquecendo-se ao contato do seu próprio corpo.

Satyavan abriu os olhos para ela, como alguém retornando de longa viagem olha o seu lar quando o vê novamente. Sentou-se, então, e disse:

"Passei o dia inteiro dormindo. Tive um sonho, e nele eu ia sendo levado embora".

"Isso já passou", disse Savitri.

"Não foi um sonho?"

"É tarde. Eis que ali arde uma árvore para nos guiar de volta." Ajudou Satyavan a levantar-se e a equilibrar-se, pondo os braços do marido em torno de seus ombros, e os seus próprios braços em torno da cintura dele. "Eu levarei o machado", disse ela, "e conversaremos quando estivermos em casa."

No eremitério, Dyumatsena alimentava o fogo com lenha e contava a sua mulher histórias de reis de tempos passados. Voltou-se para Savitri e Satyavan quando chegaram, e disse:

"Há estrelas em seus cabelos para meus novos olhos, e o ouro reluz do fogo que brilha em sua pele. Hoje eu recuperei a visão".

Sentaram-se, e Savitri disse:

"Yama veio para buscar o seu filho, mas partiu sem ele. Em sua bondade, devolveu-lhe a visão, e em breve o seu reino, e também dará filhos a Aswapati e a nós. Fique, e eu prepararei a ceia".

Mas Dyumatsena pôs as mãos nos ombros da nora, e não permitiu que ela se levantasse, mas trouxe-lhe ele mesmo a comida. Ao terminarem, chegou um mensageiro de Salwa, e Dyumatsena disse:

"Se não for segredo, diga-nos por que veio".

"Não há segredo a guardar", disse o homem. "Venho da parte do ministro do rei, que manda avisar: 'Majestade, com faca nova eu tomei a vida do rei ilegítimo, e os amigos dele abandonaram a cidade e não ousam olhar para mim. Guardo-lhe o reino com estas mesmas mãos. Aja agora como julgar melhor'."

"Esta é minha história, princesa", encerrou Vyasa. "Savitri transformou a desgraça em alegria. Siga-lhe o exemplo em relação a seus maridos, pois, embora estejam desterrados no exílio, não perderão o ânimo e a esperança tendo-a para amar."

VIRATA

Kausika, o brâmane, que agora arde no Inferno,
ansiava pela Virtude,
e em toda a sua vida jamais disse uma mentira,
nem por brincadeira.
Certa vez, vendo a vítima indefesa
passar correndo por ele e se esconder,
Kausika, sentado onde os rios se encontram,
respondeu aos bandidos: "Por ali!"
Portanto, sejam como o cisne,
que bebe do leite e da água, misturados,
mas escolhe apenas o que ele quer,
e relega o outro.

Majestade, um mês após a visita de Vyasa, os Pandavas, ao caçar na floresta, encontraram um magnífico veado observando-os por entre as árvores. Aproximaram-se sorrateiramente e, quando já estavam bem perto, cada um lançou uma flecha zunindo contra o animal. Mas não o atingiram; o veado fugiu saltitando e logo depois estacava novamente, para observá-los à distância. Os Pandavas o seguiram, sendo levados cada vez mais floresta adentro, até que finalmente ele desapareceu sem deixar vestígios.

Cansados e com sede, os Pandavas pararam para descansar sob uma árvore. Nakula comentou:

"Deveríamos tê-lo atingido; chances não nos faltaram".

"Mas não o fizemos", disse Yudhishthira. "Suba nesta árvore e veja se há água nas redondezas."

Lá do alto Nakula avistou árvores aquáteis crescendo não muito longe e pôde ouvir o canto de garças. Yudhishthira enviou-o então para buscar água em sua aljava vazia.

Mas Nakula não retornou. Yudhishthira enviou Sahadeva atrás do irmão, com flechas e um arco, e esperou longo tempo por ele. Mas Sahadeva também não retornou.

Arjuna preparou-se para seguir as pegadas de ambos. E Yudhishthira ponderou:

"Nada pode deter Arjuna". Mas Arjuna não retornou.

Yudhishthira disse, então, a Bhima:

"Vá, e eu o seguirei após cem batidas do meu coração. Se encontrar algo, seja o que for, dê-me um grito de alarma".

Quando Yudhishthira se pôs a segui-lo, Bhima já estava fora de vista, movendo-se sem ruído pela floresta. Yudhishthira rastejava cautelosamente, com o arco já retesado por uma flecha; mas não ouviu aviso de perigo, nem pressentiu qualquer ameaça. A floresta terminava numa lagoa cristalina, onde Yudhishthira se viu a céu aberto. E não pôde acreditar no que viu.

Como arco-íris tombados, seus quatro irmãos jaziam imóveis nas margens do lago. Inclinou-se sobre eles. Estavam mortos, sem um ferimento, sem um sinal de vida.

Pareciam os Deuses Guardiões dos quatro cantos do mundo destruídos ao findar dos Tempos. Yudhishthira sentou-se na beira da água e murmurou:

"Arjuna, você está morto, seu arco Gandiva, abandonado a seu lado, suas flechas, jogadas na areia. E minhas esperanças estão mortas com você, Bhima... tudo agora é estéril e sem sentido. Como morreram, sem outra marca no chão que não as suas? Quem poderia ter feito isso? Cada um de vocês era poderoso como uma cachoeira trovejante, e a cor de suas faces ainda não sumiu de todo. Mas está feito... antes, porém, beberei..."

"Não faça isso!"

Yudhishthira ergueu os olhos, mas não havia ninguém. Novamente, porém, a voz invisível falou.

"Este é meu lago. Eu sou um grou e me alimento de pequeninos peixes. E matei seus irmãos porque não conseguiram responder às minhas perguntas."

"Quem é você para agir assim?", indagou Yudhishthira. "Uma mera ave não seria capaz disso."

"Eu sou o que sou", sentenciou a voz. "Que a boa fortuna o acompanhe! Seus irmãos beberam do meu lago sem me responderem, e estão mortos. Primeiro surgiu Nakula com uma aljava vazia. Eu o avisei: 'Responda antes às minhas perguntas, depois tome quanta água quiser'. Mas ele bebeu mesmo assim, e pereceu."

"Veio então Sahadeva, que teve o mesmo fim: sua precipitação e temeridade custaram-lhe a vida. Quando falei com Arjuna, ele me desafiou, exigindo que eu me revelasse. Disparou flechas em todas as direções. Indaguei a ele por que se esforçava tanto por nada, se bastaria que me respondesse para poder beber a água. Mas ele me desprezou, julgando-me pequeno e indefeso; bebeu, e pereceu."

"Bhima chegou e falei com ele. Sei que me ouviu, mas não se dignou a erguer os olhos e, como pensou que teria de lutar contra mim, matou primeiro sua sede, e depois a si mesmo."

"Agora você está aqui, e eu lhe faço a mesma advertência: 'Responda antes às minhas perguntas, depois beba o quanto quiser'."

Yudhishthira imaginou-se vítima de um encantamento, mas ouviu os veados e os ursos entre as árvores, pássaros cantando e os pés de cana e de junco balançando ao vento, e soube que não havia conjuro algum.

"Pergunte."

"Quem é então o amigo dado pelos deuses?", disse a voz invisível.

"É a esposa esse amigo, e um amparo seguro", respondeu Yudhishthira.

"O que pesa mais que a Terra?"

"Uma mãe."

"O que está além dos céus?"

"Um pai."

"O que é mais célere que o vento?"

"A mente é mais célere que o vento."

"O que é mais numeroso que as folhas de grama numa campina?"

"Nossos pensamentos são muito mais numerosos."

"O que não se move após nascer para o mundo?"

"Um ovo não se move."

"O que não tem coração?"

"A pedra."

"Qual é o arrimo do homem?"

"As nuvens."

"Quem é o amigo dos doentes?"

"O médico."

"E o amigo do moribundo?"

"Este amigo é a caridade."

"A quem todas as formas de vida recebem como hóspede?"

"O fogo."

"O que é o universo inteiro?"

"Nada senão ar rarefeito e espaço vazio."

"O que viaja sozinho eternamente?"

"O Sol."

"O que renasce após o seu nascimento?"

"A Lua."

"Qual a melhor dentre todas as coisas que são louvadas?"

"A habilidade."

"Qual o bem mais valioso?"

"O conhecimento."

"O que não se considera antes que parta?"

"A saúde."

"Qual a maior felicidade?"

"O contentamento."

"O que enriquece aquele que a lança fora?"

"A cobiça."

"E o que é a cobiça?"

"Um veneno."

"O que encobre todo o mundo?"

"A escuridão."

"O que impede uma coisa de se descobrir?"

"Também a escuridão."

"Que inimigo jamais é vencido?"

"É a ira."

"O que é a honestidade?"

"É olhar e ver todas as criaturas vivas como a você mesmo, partilhando com elas o seu próprio anseio de viver e o seu medo da morte."

"Como a paz pode ser falsa?"

"Quando é tirania."

"Que doença é incurável?"

"Um falso amigo."

"Por que se abandonam os amigos?"

"Por avareza."

"O que é a inveja?"

"Desgosto do coração."

"E o que é o desgosto?"

"É a ignorância."

"O que causa o desejo de bens e propriedades?"

"Nada senão os próprios bens e propriedades."

"Quem está no Inferno, ainda que viva na Terra?"

"O homem rico que nem se deleita nem sabe dar aos outros."

"O que os homens chamam de boa fortuna?"

"É o resultado do que fizeram honestamente."

"Quem é desonesto?"

"O impiedoso."

"O que é hipocrisia?"

"A determinação de valores religiosos para os outros é hipocrisia."

"Bondade, proveito e desejo são hostis entre si. Como podem ser harmonizados?"

"Quando uma esposa é boa, todos os três são um."

"Quem é verdadeiramente feliz?"

"Um homem sem dívidas."

"Qual a maior maravilha de todas?"

"Todos os dias a Morte toma vidas incontáveis e, no entanto, aqueles que vivem pensam: 'A Morte não virá hoje a mim de modo algum'."

"Qual é a coisa mais rara?"

"Saber quando parar."

"Qual é a verdadeira riqueza?"

"Amor e bondade são melhores que o ouro; a honra é mais valiosa que salas repletas de joias. Não sei o que pensa sobre tudo isso."

"Você responde bem", disse a voz invisível. "Eu sou o seu pai, Dharma. Vim testar os seus méritos, e constato que são verdadeiros. E restauro a vida a seus irmãos."

Yudhishthira umedeceu sua túnica externa com água, torcendo-a sobre os irmãos para que voltassem à vida. E disse-lhes:

"Por não obedecerem a Dharma, ele transformou a água em veneno, e vocês permaneceram mortos até que eu respondesse a ele".

Arjuna ergueu seu arco e suas flechas esparramadas.

"Sinto-me melhor do que antes de morrer. Quando chegarmos a nossas carruagens, matarei um veado para cada um de nós."

"Um veado bastará", disse Sahadeva.

"Por que um apenas?"

"Porque amanhã à meia-noite tem início o décimo terceiro ano."

No dia seguinte, havendo ocultado suas carruagens por meio da arte da ilusão, os cinco Pandavas e Draupadi escapuliram facilmente da floresta Kamyaka por entre os espiões de Duryodhana, atravessaram o rio Yamuna sem ser vistos e entraram no país de Matsya, governado pelo idoso rei Virata. Na estrada perto da capital de Matsya havia um cemitério repleto de cadáveres carbonizados, e lá crescia uma gigantesca árvore Sami, do tipo cujos galhos e ramos são transformados em lenha.

Yudhishthira disse:

"Nossos arcos e espadas precisam ser escondidos, ou seremos descobertos. Ninguém se aproxima desta árvore senão para queimar os mortos, e ela não será derrubada, pois é a mãe sagrada do fogo".

Nakula pegou todos os arcos, espadas e flechas, embrulhou-os em couro e levou-os, para cima da árvore, escondendo-os onde a chuva não os molharia e ninguém poderia descobri-los espiando de baixo. Quando desceu, encontrou pastores que se aproximavam levando suas ovelhas para a cidade. Nesse ínterim, Arjuna e Bhima haviam escolhido um cadáver e haviam-no amarrado num galho.

Yudhishthira disse aos pastores:

"Somos caçadores das montanhas, e esta é nossa mãe, que faleceu aos cento e oitenta anos de idade. Estamos pendurando-a aqui, como é o costume dos nossos ancestrais".

Os homens de Matsya desejaram-lhes paz e seguiram, apressados.

Os Pandavas continuaram caminhando em direção à cidade; ao pôr do sol, prepararam seu acampamento num prado à beira da estrada e conversaram sobre como viveriam disfarçados em Matsya.

De manhã, Yudhishthira dirigiu-se à corte de Virata. Virata o viu parado à porta do palácio e disse a um de seus homens:

"Há lá fora um homem claro, muito alto e magro, de rosto largo e nariz curvo, segurando algo envolto em um pano azul. Traga-o aqui".

O Pandava veio, e o rei perguntou-lhe:

"Quem é você? Nunca o vi antes em Matsya".

"Eu sou Kanka, o brâmane", respondeu Yudhishthira. "Depois de muitos anos vagando em busca do conhecimento, e tendo aprendido na floresta a ciência dos dados, eu agora desejo viver em Matsya."

"E o que fará aqui?"

"Se me abrigar, Majestade, eu lhe ensinarei o jogo de dados, e também como movimentar no tabuleiro as peças de marfim de quatro cores." Yudhishthira desatou seu pano azul e mostrou a Virata seus dados de ouro, incrustados com pequenas turquesas redondas. "Com estes ou com outros, de uma só cor ou vermelho sobre preto, posso ensinar-lhe a jogar de modo que jamais perderá. Mas, se eu permanecer com você, que fique dito que não me envolverei em qualquer disputa que surgir por causa dos dados."

"Kanka, seja bem-vindo", exclamou Virata. "Será como pediu, e eu responderei por você, a quem todas as minhas portas estão abertas. Se alguém vitimado pela desgraça ou necessitando trabalho vier procurá-lo, venha direto a mim, a qualquer hora, e por sua palavra eu receberei o desventurado."

Naquela tarde Kanka e Virata jogavam dados, quando o rei olhou pela janela e viu passar um homem alto e desajeitado, vestido de preto. Era claro, seus olhos eram grandes e negros como os de um touro, tinha três rugas no pescoço grosso, os ombros largos e os braços longos e graciosos. Caminhava como um elefante, altivo e sensível, trazia o cabelo envolto em panos e carregava uma grande cuia de bronze.

"Veja", observou Virata, "ali caminha outro forasteiro."

"Encontrei-o na estrada", disse Kanka. "Seu nome é Vallabha. Era o cozinheiro do rei Yudhishthira, e já preparou muitas refeições para mim."

"E sua competência?"

"Maior do que a que há em seu palácio, Majestade."

"Chame-o aqui, e deixe-me conversar com ele."

Bhima entrou, e disse a Virata:

"Servi a Yudhishthira, mas agora ele está desaparecido e encontro-me sem serviço. Cheguei a Matsya vindo do reino dos Kurus".

"Você, Vallabha", disse Virata, "foi servo de um rei infeliz, e está desempregado não por culpa sua. Se ao menos o seu senhor tivesse meu amigo Kanka a seu lado, jamais teria perdido Indraprastha no jogo de dados. Diga-me, para onde foi o rei Pandava?"

Vallabha parecia triste e desesperançado. "Ninguém sabe, Majestade. Mas creio que ele e seus irmãos acabaram morrendo de vergonha. O exílio lhes foi um fardo pesado e, embora eu lhes tenha preparado meus melhores pratos, nada comiam e acabaram definhando lentamente de dor e pesar. Não só seus corpos mas também suas mentes se debilitaram, e um dia, havendo penetrado nas profundezas da floresta junto com Draupadi, não mais retornaram. Nem mesmo ela conseguiu alegrá-los. Tigres ou ursos talvez os tenham devorado, pois careciam de forças. Esperei muitos dias. Mas então acabou-se a comida e, como não sou caçador, precisei deixar a floresta e sair vagando."

"Quando o espírito deseja abandonar o corpo, não fica nele por muito tempo", disse Virata. "Duryodhana não teve coragem de matá-los por si próprio e, contudo, foi bem-sucedido no fim. Bem, vá agora à minha cozinha e prepare-nos o jantar; se for tão bom quanto Kanka afirma, eu o considerarei acima de todos os meus cozinheiros."

Ao anoitecer, vestida como uma criada, Draupadi dirigiu-se ao portão destinado às mulheres do palácio de Virata. Ela mantinha seus belos cabelos negros, macios como o resvalar de uma brisa, presos com uma fita de seda numa solitária trança que lhe caía por sobre os ombros. Usava um lenço na cabeça e trajava uma peça única de seda fina rota e imunda. Uma empregada surgiu então do palácio para acender os lampiões do átrio e, a pedido de Draupadi, abriu-lhe o portão e levou-a a Sudeshna, a rainha de Virata.

"Majestade, procuro trabalho e desejo pôr-me a seu serviço", disse Draupadi à rainha.

Sudeshna surpreendeu-se com a beleza de Draupadi, mas pensou: "Ela deve ser realmente uma criada, pois nenhuma outra mulher macularia sua reputação submetendo-se a esse tipo de serviço". E perguntou:

"Quem é você?"

"Majestade", respondeu Draupadi, "Satyabhama, a esposa de Krishna, chamava-me de Malini, aquela que tece guirlandas, mas na verdade não tenho outro nome senão Sairindhri, aquela que serve. Sou uma sairindhri, muito hábil em pentear cabelos, preparar perfumes e entrelaçar guirlandas de flores de jasmim e gengibre, de pétalas de lótus e de lírio azul. Deixei Dwaravati para conhecer o mundo, com a permissão de Satyabhama. Vim para muito longe. Permita-me trabalhar servindo-a, e assim merecer belas roupas e boas comidas."

"Não posso acreditar que você seja uma sairindhri", disse Sudeshna. "Sua cútis azul-escura destaca seus olhos negros como o engaste de uma joia preciosa. Seus cílios são longos e recurvados, e sua voz é doce como o amor. Poderia ser amante dos servos que desejasse, bastando um olhar, ou a rainha de todos os reinos da Terra. Você é uma deusa, enviada para me provar. Será Lakshmi? Qual deusa é você?"

"Deusa eu não sou", sorriu Sairindhri, "apenas uma criada sem trabalho."

"O rei vem ter comigo frequentemente", disse Sudeshna, "mas jamais esteve com você. Você irá incendiar-nos com a sua beleza. Ainda que nada faça, todas as mulheres a invejarão e nenhum homem será capaz de resistir-lhe."

"Rainha, seu próprio nome significa beleza, e seu semblante e sua figura não o desmentem. Ninguém mais precisa ver-me, Majestade. Além disso, possuo cinco maridos Gandharvas, os filhos de Chitraratha, que velam por mim. Não anseio por homem algum de Matsya."

"Mas por que servir a outros, então?"

"Majestade, aqueles Gandharvas hão de me aguardar eternamente. Mas quando eu for para os céus não poderei mais retornar. E eles se enfastiam com as mulheres celestes. Deixe-me servi-la. Mas não lavarei os pés de ninguém e não comerei sobras de comida."

"Está bem", concordou Sudeshna. "Servirá apenas a mim, para me tornar mais linda."

O rei Virata, prazerosamente empanturrado, sorria de satisfação, após a ceia, quando Kanka veio juntar-se a ele.

"Vallabha é agora meu cozinheiro pessoal", disse o rei. "Depois de uma refeição como esta, estou pronto para tudo."

"Venha aqui fora comigo por um momento, então", disse Kanka. "Majestade, por haver declarado perante todos que sou seu procurador, creio que muitos que hesitavam em abordá-lo vêm agora a mim. Há um vaqueiro lá fora predizendo que esta noite a lua argêntea será engolida."

"Para sempre?", indagou o rei ansiosamente.

"Não. Rahu, o demônio, irá tragar o Senhor do Lótus, mas, como Rahu não possui corpo, mas apenas cabeça..."

"Ah! É claro, eu me lembro", disse o rei. "A Lua despontará do seu pescoço... eu sei. Sou bem instruído. Estudei todas as ciências naturais quando menino. Quando Rahu roubou um gole de amrita, o Sol e a Lua o denunciaram a Narayana, que lhe decepou a cabeça com o disco antes que ele pudesse engolir a amrita. Mas aquela cabeça é imortal, e em qualquer oportunidade que lhe surge... mas quem lhe contou isso?"

"Tantripala, um forasteiro como eu, vaqueiro de nascimento e desempregado."

Virata pediu uma lâmpada. Kanka levou-o aos currais atrás do palácio. Lá, um homem barbado vestido com pele de veado saudou-os, e disse, na língua dos vaqueiros:

"Majestade, eu sou Tantripala. Conheço instantaneamente o passado e o futuro de todo gado que vejo. Quando cuido deles, não há um animal que caia doente, e eles se multiplicam em minhas mãos. E tenho como habilidade menor saber ler as estrelas".

Virata esticou o pescoço e esquadrinhou o céu.

"E então? Consegue enxergar Rahu?"

"Não", respondeu Sahadeva. "O Rei dos Meteoros é tenebroso como a fuligem e não pode ser visto. Mas fiz cálculos com números e por eles acredito que Rahu sobrepujará a Lua esta noite. E se minha previsão se realizar, minha perícia será comprovada e eu talvez possa encontrar trabalho aqui, Majestade."

"Como astrônomo?"

"Não", disse Tantripala. "Esta é uma demonstração para chamar-lhe a atenção. Sou mais hábil em cuidar do gado."

Enquanto falava, a Lua foi sendo ofuscada. Virata voltou-se para encarar o infinito dos céus. A Lua tornou-se um espectro de si mesma, depois uma estilha de luz a crescer e, por fim, lua cheia novamente.

Virata mostrou-se aliviado.

"Ah, o Rei das Estrelas é livre!"

"Este homem fala a verdade", disse Kanka. "Eu o contrataria."

"Não quer ser meu astrônomo?", insistiu Virata.

Tantripala sorriu. "Espere até ver o seu gado se multiplicar. Ficará mais rico do que nunca. Cada vaca dará mais leite, e as que são bravias se acalmarão."

"Pode conversar com elas?"

"Majestade, elas nada dizem de interessante. Mas alguém que as compreenda deve permanecer ao seu lado para incutir as ideias corretas em suas mentes, de modo que possam saber quando estão felizes."

"Eu o contrato", concluiu Virata. "Cuide de minhas cem mil cabeças, e Kanka lhe dará um quarto no castelo."

No decorrer daquela noite, Arjuna permaneceu sentado nas campinas debaixo das estrelas, reunindo suas forças profundamente dentro de si. Quando a Lua desapareceu, ele disse:

A Lua tornou-se um espectro de si mesma.

"Convoco agora a maldição de Urvasi: que a minha virilidade desapareça por um ano".

Quando a Lua pairava a oeste, pouco acima do horizonte, ele disse:

"Que meus cabelos se tornem longos como minha sombra".

E quando nasceu o Sol, disse:

"Que ornamentos dourados aumentem a minha graça".

Grossos braceletes de ouro cobriam as cicatrizes brancas deixadas pelas cordas do arco em ambos os braços, e os longos cabelos escorriam até os joelhos, realçados por brincos e adornos, quando Arjuna apareceu na corte de Virata na manhã seguinte.

O rei mandou chamá-lo e perguntou:

"Quem é você? Veste-se como mulher, mas não foi como mulher que nasceu".

"Eu sou Vrihannala", respondeu Arjuna, "um filho ou uma filha, sem pai e sem mãe."

"Como isso pôde acontecer com alguém como você?"

"Majestade, que proveito poderá tirar ouvindo uma história que só há de me causar dor ao contá-la? Mas sou hábil em cantar e dançar e em tocar o alaúde. Tudo isso posso ensinar a sua filha Uttarah, para que tenha talentos a enriquecer sua beleza."

Quando Virata ouviu a música celestial que Vrihannala aprendera com Chitraratha, ordenou a seus criados que confirmassem se não era mais homem e o levassem aos aposentos das mulheres no palácio. Lá, nos apartamentos internos, Vrihannala começou a ensinar música e dança à princesa e, com um disfarce indevassável, ficou morando com as mulheres.

Ainda outro estranho abordou Virata quando o rei saiu para inspecionar seus cavalos. O homem era escuro e belo, de peito largo e braços rijos como o ferro. Seus olhos claros eram queimados pelo vento; os cabelos, alvejados quase até o branco pelo Sol.

Nakula disse:

"Jaya, Raja Virata. Eu sou Granthika, um cavaleiro de Sindh. Deixe seus cavalos a meus cuidados, e eles jamais mancarão. Serão mais ligeiros, viverão mais tempo, nunca mais haverão de tropeçar ou de ferir com os dentes. Eu os alimentarei cuidadosamente e prepararei chapas de ferro para suas patas".

"Já trabalhou para o rei Sindhu, Jayadratha?", indagou Virata.

"Ele quase me consultou certa vez", respondeu Granthika, "mas dois de meus irmãos resolveram o problema para ele, fazendo exatamente o que eu mesmo faria. Mas Sindh é uma terra erma e deserta; não há de me contratar, Majestade?"

"Sim, sim, você é bem-vindo", disse Virata.

E, dessa maneira, os Pandavas e Draupadi viveram incógnitos em Matsya por quase um ano, tão escondidos como se estivessem novamente no útero de sua mãe. Yudhishthira e Nakula partilhavam com os outros o ouro que ganhavam com os dados e as corridas de cavalos; Bhima e Sahadeva partilhavam a comida da cozinha real e o leite e a manteiga das vacas; e Arjuna vendia roupas velhas dos aposentos internos, dividindo o que recebia com Draupadi e seus irmãos.

Ora, durante esse décimo terceiro ano, Bharata, Indra, nos céus, decidiu tomar a armadura e os brincos de Karna. Mas Surya, o Senhor Sol, descobriu sua intenção, e avisou Karna, que dormia em Champa, num sonho.

O Olho do Mundo Todo disse a seu filho:

"Para salvar Arjuna, Indra virá a você disfarçado de brâmane para lhe tomar a armadura e os adereços que são seus desde o nascimento. Com estes, você nunca há de ser derrotado. Não os abandone jamais, pois assim estaria encurtando sua vida. Recuse-se a atendê-lo quando ele vier, e faça com que leve outra coisa no lugar, pois ele não pode insistir em tomar de você uma parte do seu próprio corpo".

Mas, em seu sonho, Karna respondeu:

"Se ele vier, eu lhe darei o que pedir. Tudo o que me é pedido eu dou, em nome da honra. E este gesto, em si, estende a vida neste mundo e a prepara para o próximo. Não hei de salvar minha vida usando de mesquinharia, pois a honra me alimenta como uma mãe, e como a uma mãe eu a protegerei, mesmo ofertando meu corpo no sacrifício da batalha".

O Senhor Sol disse:

"Não faça nada que lhe seja danoso. A honra ama, acima de tudo, tomar vidas; contudo, quando estiver morto, você dará a ela tanta importância quanto à guirlanda de flores em torno do pescoço do seu cadáver a arder na pira. Se quiser derrotar Arjuna, guarde as minhas palavras".

"Senhor do Dia", disse Karna, "a quem quero mais do que a mim mesmo, posso enfrentar Arjuna com ou sem armadura. Você veio e disse-me estas coisas, pensando: 'Karna não conhece outro deus nos céus'. E por isso não renderei minha armadura a Indra sem receber algo em troca. Quanto ao resto, peço que me perdoe."

"Você busca também a fama", disse Surya, "e a alcançará", e esvaiu-se do sonho de Karna.

No dia seguinte, sentado de manhã ao ar livre, Karna contou todo o seu sonho ao Sol, e Surya exclamou, sorrindo: "Assim é!".

Ao meio-dia surgiu um velho e bondoso brâmane. Suas roupas, embora muito gastas, eram imaculadas; seus cabelos brancos, elegantemente penteados; seus olhos, límpidos e cristalinos. Olhou para Karna e disse: "Rei Anga, dê-me".

"Bem-vindo seja", disse Karna, ajoelhando-se ao Sol. "Cidades e todo o seu gado, um colar de ouro, lindas virgens, o que quer receber?"

"Majestade, dê tais coisas a quem as pede", respondeu o brâmane. "Mas, para mim, arranque a armadura e os brincos, Maharaja."

"Leve, em vez disso, mansões senhoriais e muitos prados e campos."

"Não quero nada disso."

"Não posso dar-lhe o que me pede", disse Karna.

"Leve, em vez disso, o reino todo da Terra inteira."

"Não."

"Não quer mais nada?"

"Nada."

Karna riu:

"Eu deveria estar recebendo dádivas de Indra, e não dando-as a ele! Não tem vergonha, Senhor, de fingir-se de pobre e mendigar as coisas?"

O Senhor do Trovão sorriu.

"Faço isso para aumentar sua fama!"

"Dê-me, ao menos, algo seu em troca; do contrário, pode voltar como veio."

"Não há nada que o Sol não possa ser", disse Indra.

"Diga-me o que gostaria de ter."

"Senhor dos Deuses, dizem que possui uma lança infalível que jamais deixa sua mão sem matar aquele a quem é atirada. É verdade? Essa lança é realmente assim?"

"É verdade, cada palavra, assim como as disse."

"Arrancarei fora minha armadura por essa lança. Indra pensou na arma e ela surgiu em sua mão. Era maior que um homem, provida de asas que fulguravam, e mais afiada que as palavras."

"Quando lanço esta arma", disse Indra, "ela retorna às minhas mãos manchada com o sangue do inimigo. Mas, se a atirar quando sua vida não correr grande perigo, ela haverá de se voltar contra você."

E assim, com a espada, Karna arrancou fora sua armadura e seus brincos e entregou-os, gotejando sangue, ao Senhor dos Deuses, em troca da Lança de Indra. No corpo de Karna nenhuma cicatriz resultou desses ferimentos.

A INVASÃO

Que o forte,
Há sempre um mais forte.

Quando os Pandavas haviam permanecido já quase um ano em Matsya, o general de Virata, Kichaka, dirigiu-se um dia aos aposentos internos para visitar sua irmã Sudeshna. Viu lá Sairindhri e, ao contemplá-la, ele a desejou.

Kichaka insistiu junto à rainha:

"Ela não deve permanecer como criada. Deixe-a ficar comigo".

"Primeiro terá de conquistá-la", replicou Sudeshna. "Só a deixarei partir se ela assim quiser. Vá, no entanto, para sua casa e eu a enviarei, inventando algum pretexto."

Kichaka foi para casa, onde preparou uma fina refeição para dois. No palácio, Sudeshna entregou a Sairindhri uma garrafa de bom vinho antigo e lhe disse:

"Leve isto a Kichaka".

"Majestade, envie outra", pediu Sairindhri.

"Ele não lhe fará mal", disse a rainha. Temendo chamar a atenção para si se recusasse, Sairindhri obedeceu.

Encontrou Kichaka sentado em seu leito, com um irresistível banquete diante de si numa mesa baixa. Ele era belo, de constituição forte, vestia as mais finas sedas e usava brincos e braceletes de ouro. Tinha os cabelos negros e a tez cor de oliva, e, acariciando o bigode e sorrindo feliz para Sairindhri, ergueu-se quando ela entrou em seus aposentos.

"Amada mulher", saudou ele com voz cativante, "fique e viva comigo como minha esposa. Não continue sendo uma criada. Aqui encontrará a felicidade que merece, e sua beleza não se desperdiçará. Dispensarei todas as minhas outras esposas. Partilharei com você minhas riquezas. Farei tudo o que quiser, se me conceder o privilégio do seu amor."

"Que a boa fortuna o acompanhe sempre", retrucou Sairindhri, "mas eu não mereço esta honra, e já sou casada com cinco Gandharvas."

"Não, Sairindhri", disse Kichaka. "Eu não acredito em Gandharvas. Eu próprio sou o verdadeiro senhor de Matsya. Virata está velho e depende de mim para proteger o reino. Em todo o mundo você não poderia escolher melhor homem para marido."

"Kichaka, você é como uma criança querendo alcançar a Lua. Não anseie por aquilo que não pode vir a ter."

"Sente-se, ao menos, e aceite dividir a bebida comigo", convidou Kichaka. "Tenho túnicas prontas para você vestir e os mais belos ornamentos."

"Não. Receba este vinho, pois devo partir."

Kichaka prendeu Sairindhri pelo braço. "A rainha possui muitas criadas. Certamente você pode passar o dia aqui comigo."

Sairindhri libertou-se com um safanão e escapuliu, sendo perseguida por Kichaka. Ela correu até o palácio e, em prantos, atirou-se aos pés de Virata. Kichaka seguiu-a e agarrou-a pelos cabelos, sorrindo para o rei e para Kanka, o brâmane, que o encarava com seus estreitos e penetrantes olhos cor de cobre.

"O que se passa?", perguntou Virata.

"Uma corcinha tímida, Majestade", disse Kichaka, "mas que vale ser perseguida."

"Não!", disse o rei. "Deixe-a ir." E a Sairindhri: "Quem é você, que busca minha proteção?".

"Sou Sairindhri, criada da rainha", disse ela. "Não permita a este homem tanta intimidade com aqueles que trabalham no palácio, Majestade. Eu já sou casada. Meus maridos certamente o matarão por isso. São Gandharvas celestes, tremendamente ciumentos, e é assombroso que este homem ainda esteja vivo."

"Sem saber o que ocorreu", disse Virata, "como posso dizer algo?"

"Ele tentou forçar-me a ficar em sua casa."

"É verdade, Kichaka?"

"É verdade. O que eu quero, eu tomo!"

Virata perguntou a Sairindhri:

"Bela jovem, foi dada a ele pela rainha?"

"Não, ela pediu-me apenas que lhe entregasse uma garrafa de vinho."

"Então, volte a ela, pois vejo que cumpriu suas ordens. Kichaka, poderemos conversar sobre isso mais tarde, mas você não poderá arrebatá-la."

"Sim, Majestade", disse Kichaka. "Sudeshna não há de recusar-se a entregá-la a mim!" E deixou o palácio, sorrindo, satisfeito.

Sairindhri observou:

"Se meus maridos revidarem com algum mal, isso causará prejuízos ao reino".

Kanka, o brâmane, fitou-a. "Seus maridos nada fizeram. Creio que nada farão a Kichaka se ele a deixar em paz. Portanto, não interrompa nosso jogo de dados jogando-se no chão e lamentando-se como uma atriz."

"Você não correrá perigo", assegurou Virata. "Não posso repreender Kichaka na sua presença, mas resolverei a questão a sós com ele. Diga à rainha que eu ordeno que ela a mantenha a seu lado. Não podemos arriscar-nos perante os Gandharvas, pois a leniência dos entes celestiais é a nossa boa fortuna. Não pense mais nisso."

"Meus maridos são extremamente bondosos", disse Sairindhri, e foi ter com a rainha. Mas, ao atravessar o palácio, Kichaka surgiu abruptamente de uma porta e arrastou-a para uma sala desocupada.

"Sairindhri, que a nossa união se consume!"

Ela baixou os olhos e sussurrou:

"Fui vencida. Seu interesse por mim acaba de subjugar-me. Mas devemos encontrar um lugar secreto. No jardim do palácio há um salão de danças usado por Vrihannala. Encontre-me lá à meia-noite, quando o salão estiver vazio e deserto".

Kichaka ficou eufórico com sua conquista. Inclinou para trás a cabeça de Sairindhri e fitou seus olhos. "Há de conhecer enfim um homem digno de você. Eu a encontrarei lá." Draupadi sorriu docemente e, voltando-se, partiu.

Quando Sairindhri retornou, a rainha reparou que seus olhos estavam rubros de ira e perguntou:

"O que aconteceu? Ele lhe fez algum mal?"

"Ele tentou."

"Então não há mesmo vergonha em Kichaka. Se quiser, mandarei assassiná-lo. Depositei nele a minha confiança de que se comportaria com respeito."

"Mas Virata o protege."

Sudeshna riu. "Isso nada vale. Basta uma palavra minha, e..."

"Não será necessário", disse Sairindhri. "Outros o matarão. Agora vou banhar-me!"

Bhima descansava em seu quarto ao lado da cozinha. Assim que viu o rosto de Draupadi, fechou a porta e perguntou:

"O que houve?"

Ela o abraçou fortemente. "Ó Bhima, ainda está vivo? Os outros estão mortos... Não os conheço... são servos de Duryodhana... e eu estou desprotegida. Não se perca de mim!" E pôs-se a chorar baixinho, escondendo a face no peito de Bhima, que ficou a acariciá-la com as mãos macias. E ele próprio chorou por um instante, permanecendo abraçado a Draupadi até que ela se acalmasse e enxugando suas lágrimas.

"Agora, diga-me o que houve", pediu ele.

"Kichaka não me deixa em paz. E eu sou apenas Sairindhri."

"Onde?", indagou Bhima com voz incisiva.

"À meia-noite, no salão de danças."

"Não vá, Draupadi." Três rugas marcantes sulcaram a testa de Bhima. Fumaça escapou de seus olhos, e os cílios se eriçaram. Passou a língua pelos cantos da boca e disse: "Não se confunda com os disfarces, Draupadi. Sahadeva sabe o que é verdadeiro. Nakula tudo descobre através da amizade. Yudhishthira é firme e resoluto, e Arjuna é generoso. Mas eu... eu sou o Vento, de além dos confins do mundo!".

Havia uma cama num dos cantos do salão de danças, e nela Bhima estava deitado e coberto quando Kichaka entrou na escuridão da meia-noite. O general de Virata surgiu belo e elegante, carregando uma lâmpada e caminhando para o leito como uma mariposa voa para a chama.

"Já lhe preparei um apartamento e designei criados para a servirem", disse Kichaka, depositando a lâmpada sobre uma mesa. "E agora que me aceitou, saiba que todas as mulheres disseram que não há no mundo outro homem tão belo quanto eu."

Bharata, Bhima fervia de ódio e fúria, mas ao ouvir isso não pôde deixar de rir. Pulou para fora da cama e curvou-se com dignidade diante de Kichaka, dizendo:

"É bom saber que você é tão grande regalo para as mulheres! E que doces palavras tem para si próprio! Não haverá, Kichaka, outro no mundo igual a você".

"Então, ela correu para o cozinheiro!", Kichaka sacou a espada.

O semblante de Bhima tornou-se hediondo. Kichaka avançou sobre ele com a espada. Bhima esquivou-se, mas Kichaka chutou-o enquanto ainda estava desequilibrado, e o Pandava caiu de joelhos, arfando, sem fôlego. Kichaka mirou cuidadosamente a espada para decapitá-lo, e a lâmina cortou velozmente o ar.

Uma ventania negra e feroz atingiu então todo o edifício e o fez balançar como uma folha. A espada fincou-se no chão, e Bhima aproveitou para se pôr em pé. Esmagou Kichaka em seus braços, esfacelando seus ossos, que estalavam como o som do bambu crepitando no fogo. Rugindo feito um tigre, Bhima amassou o inimigo numa bola disforme de carne e pulou pela janela, enquanto os guardas de Virata corriam para cima portando tochas.

Eram os compatriotas de Kichaka, que ficaram a observar seu general, atônitos, perguntando-se: "Onde estão seus braços e pernas? Onde está o seu pescoço? Certamente, nada humano poderia ter feito isso!".

Os Kichakas concluíram que os maridos Gandharvas de Sairindhri é que haviam aniquilado o general e, de manhã, quando levaram o corpo para ser queimado, alguns deles capturaram Sairindhri e a arrastaram para ser lançada na pira ardente.

Forçaram-na, aos empurrões, a encabeçar a procissão e, no cemitério, designaram um deles para vigiá-la enquanto erguiam a pira. Ele segurava Draupadi com uma das mãos e uma clava com a outra.

Suavemente, uma moeda de ouro caiu aos pés do guarda, como que vinda dos céus. Ele largou Draupadi para apanhá-la e levou um violentíssimo pontapé que o arremessou para dentro da pira semierguida. Nisso, uma voz murmurou nos ouvidos de Draupadi: "*Não olhe!*".

Vaishravana, o Senhor dos Tesouros, pairava no ar acima de Draupadi; seu semblante era uma máscara abominável de terror, e chamas hilariantes eram expelidas de sua boca. Seus estrondos eram como os de um vulcão, o rosto se contorcia de ira, os olhos faiscavam e todos os braços agitavam-se assustadoramente. Quando os Kichakas recuperaram um pouco do juízo, partiram correndo em direção à cidade. O Senhor dos Tesouros atirou-lhes ainda algumas árvores e torrou o cadáver de Kichaka até transformá-lo em cinzas.

Tornou-se então invisível e, carregando Draupadi gentilmente nos braços, voou através das paredes do palácio de Virata até o seu quarto. Lá ele a deixou e foi embora, voando.

Virata estava ao portão do seu palácio quando os Kichakas chegaram, esbaforidos. Aproximaram-se todos, gritando:

"Sairindhri é realmente protegida pelos Gandharvas. Majestade, ela é bela demais. Se permanecer aqui, todos nós correremos perigo".

"Quietos!", berrou o rei. "Vocês tiveram a ousadia de raptá-la para queimá-la! Vocês foram longe demais! Tenho muita paciência, e estou velho, *mas não sou nenhuma criada!* Desapareçam da minha frente antes que a ira caia sobre mim!"

Sudeshna encontrou Sairindhri em seu quarto e chorou por vê-la a salvo. Foram juntas até a sala onde Vrihannala dava aulas de dança. Ao se depararem com Sairindhri, todas as mulheres correram até ela, exclamando: "Está salva, querida. Ei-la de volta a nós".

"Sairindhri, de que perigos você acaba de escapar?", perguntou Vrihannala.

"Abençoado Vrihannala", respondeu Draupadi, "com seus braceletes de conchas, você que sempre viveu aqui tão alegremente: o que lhe importa o destino de Sairindhri?"

Vrihannala sorriu e jogou seus longos cabelos para trás.

"Ora, tenho vivido aqui com você e, naturalmente, sinto afeição por você. Mas ninguém tem como desvendar o coração alheio; assim, você não pode vir a conhecer o meu."

Em Hastinapura, o último dos espiões de Duryodhana retornou e prestou contas:

"Sumiram sem deixar vestígios. Ou morreram anônimos, ou fugiram de medo. Além disso, Kichaka, do reino Matsya, está morto, e o velho rei Virata encontra-se sem general".

Quando ouviu isso, Duryodhana tirou os Pandavas da cabeça e enviou uma mensagem a seu amigo Susarman, o rei Trigarta, dizendo: "*Tomemos de assalto o castelo de Virata enquanto ele está desamparado*".

O Rei dos Três Castelos reuniu seus homens das montanhas nórdicas e marchou para Hastinapura. Duryodhana lhe disse:

"Vá primeiro e atraia Virata para fora da sua cidade. Depois retorne aqui e dividiremos o castelo entre nós".

Susarman partiu então para Matsya e, no dia seguinte, Duryodhana e os Kurus o seguiram pela mesma rota.

Quando os Trigartas cruzaram os rios gêmeos e entraram em Matsya capturando algumas cabeças do gado de Virata, os vaqueiros rapidamente avisaram o rei. Virata, Kanka, o brâmane, Vallabha, o cozinheiro, o vaqueiro Tantripala e Granthika partiram da cidade de Matsya em carros de guerra, em perseguição a Susarman. Atrás vinham os elefantes, como montanhas moventes; e depois os cavaleiros, como trovões.

Ao anoitecer puderam ver as fogueiras do acampamento dos Trigartas. Mas no dia seguinte, chegando ao local onde os fogos haviam ardido, só encontraram, abandonado, o gado roubado e, à distância, descortinaram o exército de Susarman, dividido em centenas e centenas de unidades, impossíveis de serem vencidas.

Naquele mesmo dia Duryodhana e os Kurus tomaram todo o gado restante de Matsya. Novamente o alarma chegou à cidade, mas todos os guerreiros haviam partido com Virata; no palácio, restara apenas seu filho, Uttara, governando o reino na ausência do pai.

O jovem príncipe disse:

"Eu os expulsaria, mas não restou um só auriga em Matsya!"

Arjuna ouviu-o e pediu a Draupadi:

"Diga ao príncipe que Vrihannala, certa ocasião, há muito tempo, foi um auriga e que hoje dirigirá para ele a sua quadriga".

Draupadi disse a Uttara:

"Venha comigo aos aposentos das mulheres. Uma vez, quando a floresta Khandava se incendiou, Vrihannala segurou as rédeas da carruagem de Arjuna".

Uttara começou a vestir seu arnês. "Peça à minha irmã", disse ele, "que traga Vrihannala até aqui imediatamente!"

Uttarah correu a Vrihannala da pele morena como o relâmpago vai ao encontro de uma nuvem de trovões. Vestindo apenas seu pesado colar de ouro e um cintel de pérolas em torno dos quadris, pendendo da delgada cintura, brilhando de excitação, ela abriu-lhe os braços perfumados com sândalo.

"Meu irmão. Estão roubando nosso gado! Venha!"

Ela o levou à carruagem de Uttara, ornada com estandartes de lesões; então Arjuna disse ao príncipe:

"Se houver canto ou dança, saberei o que fazer, mas eu..."

"Se sabe cantar ou dançar ou qualquer outra coisa", disse Uttara, "não importa; basta que segure as rédeas e me leve aos Kurus!"

E enquanto todas as mulheres do palácio observavam, zombando e dando risadas, Arjuna tentou colocar sua armadura como se fosse um vestido. Parecia não saber onde se encaixava cada peça, e o próprio Uttara foi obrigado a amarrar sua cota. Por fim, estavam ambos na quadriga, armados com incontáveis flechas e um sem-número de arcos trazidos pela princesa. Uttara disse à sua irmã:

"Não tema. Os Kurus jamais teriam vindo se soubessem que estaríamos aqui para combatê-los!"

Uttarah e suas damas gritaram para Vrihannala:

"Procure ter coragem. E traga de volta para nossas bonecas tecidos arrancados dos finíssimos trajes de guerra dos Kurus".

A carruagem partiu velozmente da cidade. Logo Uttara divisou os invasores; viu Karna e Bhishma, Duryodhana e Kripa, Drona e Aswatthaman, e todos os pelos do seu corpo se eriçaram de medo.

"Pare, Vrihannala!"

"Acalme-se", retrucou Vrihannala. "Ainda não chegamos nem perto deles. Príncipe, ouvi o senhor dizer: 'Leve-me àqueles Kurus'. Devemos, portanto, prosseguir até lá."

"Deixe que sigam em paz. Que o povo escarneça de mim. Isso não é motivo para enfrentá-los!". Uttara atirou fora seu arco e pulou da quadriga, partindo em correria, de volta à cidade. Vrihannala correu atrás dele, com os longos cabelos ondeando ao vento, as vestes femininas esvoaçando por sob a armadura.

Agarrou Uttara e arrastou-o de volta à carruagem.

"Vrihannala, doce Vrihannala de esbelta cintura, solte-me", implorou o príncipe. "Uma longa vida é o melhor de tudo. Não tenho ninguém comigo. Não posso enfrentar aqueles guerreiros altos como árvores."

Arjuna riu e instalou Uttara na boleia.

"Pois então dirija a quadriga para mim. Voltemos à cidade, à árvore do cemitério."

"Ah! Que a cidade pereça num deserto! Não há necessidade de uma batalha."

"Acalme-se. Leve a carruagem até a árvore Sami." Lá chegando, Arjuna ordenou: "Suba e traga o pacote embrulhado em pele de veado".

"Mas há um corpo dependurado!", exclamou Uttara.

"É aos vivos que se deve temer, não aos mortos."

Uttara galgou a árvore e trouxe o pacote, cortando-o para abri-lo. Dentro havia cinco arcos e cinco espadas que brilhavam como o despontar dos planetas, e cinco búzios transcendentais, e a coroa de raios e relâmpagos, e flechas.

"A quem pertencem, Vrihannala?"

"Aquele arco comprido", disse Arjuna, "com uma centena de adornos dourados em relevo, sem nódulos e indeformável, é Gandiva, o arco de Arjuna. Este com elefantes dourados é de Bhima. O arco, ornado com sessenta escaravelhos de ouro, pertence a Yudhishthira. Aquele com três sóis é de Nakula, e este último, cravado de diamantes e gemas preciosas, pertence a Sahadeva."

"Mas os Pandavas..."

"Por favor, fique quieto. Vejamos, as mil flechas em duas aljavas são de Arjuna, e esta é sua espada, que ostenta uma rã no cabo. As setas de ferro pertencem a Bhima, e a espada na bainha de pele de tigre com guizos também é dele. O carcás com cinco tigres gravados e a espada azul-escura em bainha de pele de cabra são de Nakula. As flechas de Sahadeva são todas multicoloridas, e estas grossas, de ponta tríplice, pertencem a Yudhishthira. A cimitarra encurvada é de Sahadeva, e o padre flexível de reluzente aço Nishada também pertence a Yudhishthira."

"Mas..."

"Cale-se. Será por acaso o único a não saber que os Pandavas devem passar um ano ocultos numa cidade? Eu sou Arjuna. Kanka, o brâmane, é Yudhishthira, Vallabha é Bhima, Tantripala é Sahadeva, Granthika é Nakula, e Sairindhri é Draupadi."

"Ah! Bem-vindo seja, Arjuna! Mas como veio a perder sua condição de homem?"

"Eu me disfarcei deste modo, mas agora isso está terminado." Arjuna retirou seus braceletes e vestiu suas luvas de arqueiro feitas de pele de lagarto. Prendeu os cabelos, colocou sua espada e seu diadema e arrumou seu arco e suas flechas na quadriga. Tomou seu búzio transcendental e disse:

"Guarde o resto de volta na árvore, e partamos".

Enquanto Uttara galgava a árvore Sami, Arjuna sentou-se de frente para o oriente e pôs-se a meditar sobre todas as suas armas celestiais, e a magia e os encantamentos que delas emanam. As armas surgiram e uniram suas mãos às de Arjuna, afirmando:

"Aqui estamos, Bharata, para servi-lo".

E ele respondeu, em silêncio:

"Habitem em minha memória".

Uttara prostrou-se à sua frente.

"Ordene-me. Em qual parte das Kauravas devemos penetrar?"

Arjuna fez sinal para que subisse na quadriga e soprou a concha Devadatta. Os cavalos puseram-se de joelhos. Uttara caiu sentado na boleia com um solavanco. Agni, o Senhor do Fogo, ouviu o som do búzio, e do céu atirou o estandarte de Arjuna, o pendão com Hanuman, o chefe dos macacos. O mastro despencou dentro do seu encaixe, e a bandeira não exibia apenas a figura de Hanuman, mas o próprio Hanuman, soltando guinchos e berros pavorosos, capazes de inverter o fluxo do sangue nos corpos. Até mesmo o leão do pendão de Uttara começou a rugir e a abanar a cauda.

"Agora aperte os pés contra o piso do carro, e não seja medroso como uma pessoa comum!", bradou Arjuna. E pulou para dentro da quadriga. "Segure-se firme, que vou soprar Devadatta novamente!"

Levou a concha aos lábios e soprou. Ouviu-se um segundo clangor e os pássaros tombaram aturdidos de todas as árvores.

Uttara riu. "Considerando quem o senhor é, como posso afirmar que se trata de algo maravilhoso?". Disse algo silenciosamente para os quatro cavalos, e eles souberam então que tinham um mestre auriga a comandá-los. A carruagem partiu com grande estrondo. Arjuna retesou agilmente seu arco, puxando-o e soltando-o, e a corda vibrou no ar.

Duryodhana, montado em seu elefante, aproximou-se da carruagem de Bhishma.

"Não pode ser outro que não Arjuna", disse. "Nós o descobrimos, e ele terá de retornar à floresta por mais doze anos!"

Bhishma sorriu.

"Duryodhana, prepare-se, e saiba optar entre guerra e paz, pois o décimo terceiro ano se completou quando ouviu o clangor de Devadatta e o tanger do arco Gandiva."

Drona chegou em sua quadriga.

"Vejam lá, um chacal ataca nosso exército e escapa sem ser atingido. Estrelas vertem do céu, embora seja dia, e vacas mugem tristemente sob um sol que vai empalidecendo. Nossas fogueiras se apagam, nossas armas não brilham, nossas flores murcham, e grossa poeira tolda o ar."

"Não devolverei o reino dos Pandavas", afirmou Duryodhana.

"Tome então a metade do exército", disse Bhishma, "e parta para Hastinapura com o gado. Nós combateremos Arjuna com o restante."

Drona afastou sua quadriga e ficou observando Arjuna. Do arco de Gandiva duas flechas vieram cair junto aos seus pés. Duas outras zuniram por sua cabeça, e as penas roçaram suas orelhas.

Drona retesou o arco.

"Arjuna me saúda, e sussurra aos meus ouvidos. Quem haverá de vencer hoje?"

Arjuna disse:

"Ouça e não se esqueça. À frente está Karna, com uma bandeira branca ostentando um elefante. Atrás, como sempre, Duryodhana, sobre um elefante; seu lábaro dourado ostenta também a figura de um elefante. Kripa vai à frente, vestido de pele de tigre; sua quadriga é puxada por cavalos escarlates; seu pendão é azul, e exibe um altar de ouro. E lá está Drona, com uma bandeira dourada na qual se veem a cuia de um eremita e um arco. Ao seu lado está Aswatthaman, cujo estandarte é negro e mostra a cauda de um leão. Lá está Bhishma, de lábaro azul com uma palmeira e cinco estrelas, todas prateadas, vestindo um capacete branco e uma armadura de prata, com um pálio alvo como a neve. Circunde agora o exército e leve-me a Duryodhana".

Uttara manobrou a carruagem por labirintos e círculos estonteantes, de modo que ninguém conseguiu atingi-los. Interceptou o gado e mandou-o de volta a Matsya numa debandada, com grande estardalhaço e sonoros mugidos. Arjuna gritou:

"Fuja, Duryodhana, e seja ligeiro!"

Duryodhana retrocedeu, e Arjuna e Uttara ficaram cercados. Mas ninguém conseguia atingi-los. Continuaram todos tentando até seus olhos se enevoarem, mas nem um só cogitou de repelir os mantras de Arjuna.

Assim, enquanto milhares de flechas caíam ao redor de ambos, Arjuna lançou uma seta para o céu e invocou a arma do sono. Todos os Kurus adormeceram, exceto Bhishma. Arjuna e Uttara mantiveram-se afastados dele e foram passando por entre os outros, cortando pedaços das vestes brancas de Drona e de Kripa, dos trajes fulvos de Karna e das túnicas azuis de Duryodhana e de Aswatthaman.

Bhishma lançou algumas flechas em sua direção, mas eram débeis e não os alcançaram. Uttara dirigiu a quadriga de volta a Matsya; Duryodhana despertou a tempo de vê-los indo embora.

"Bhishma, não os deixe partir!", gritou ele. "Onde está meu arco?"

"Caído no chão", disse Bhishma, "como seria de esperar quando se dorme no meio de uma batalha."

Duryodhana esfregou os olhos e rangeu os dentes.

"Ele jamais me ludibriará dessa maneira outra vez. Teria repelido o encantamento, se eu ao menos o houvesse concebido!"

Uttara dirigiu alucinadamente até o átrio do palácio, onde Uttarah e suas damas correram ao seu encontro. Mas quando a princesa viu que era seu irmão que dirigia e que havia um implacável e sinistro guerreiro desconhecido no carro, com uma bandeira fumegante a vibrar, sustou a respiração e estancou, pasmada.

Arjuna pulou para fora e curvou-se diante dela.

"Aqui estão, conforme prometi, finas roupas para todas vocês."

Uttarah fitou o irmão, e seus olhos lhe perguntavam: "Quem é este homem?".

Uttara inclinou-se e sussurrou ao seu ouvido. Ela enrubesceu, olhando furtivamente para Arjuna. "E pensar que foi com você que aprendi a dançar...", disse ela, e correu para o interior do palácio.

Arjuna sorriu para o príncipe. "Leve os cavalos para a estrebaria. Finque a flâmula no chão. Guarde minhas armas e, sem que ninguém nos veja, leve-me a uma sala particular. Traga então sua irmã e o rei e meus irmãos, quando voltarem."

Quando Virata retornou naquela tarde e soube da vitória sobre Duryodhana, mandou decorar Matsya com flores e bandeiras e enviou um arauto num elefante a proclamar o evento onde as quatro estradas se cruzam. Uttara conversou com os Pandavas, um a um, e levou-os a Arjuna. Sua irmã encontrou Draupadi e, junto com o rei, também a levou a Arjuna.

Virata fitou os Pandavas:

"Abençoados sejam, rei Yudhishthira, e Bhima, e Arjuna, e Nakula, e Sahadeva! A bênção a você, Draupadi! Como é bom poder pronunciar os seus nomes!". O idoso rei abraçou-os a todos, cheirando suas barbas e repetindo sem cessar: "Eis a boa fortuna. Estiveram aqui todo o tempo, a salvo, em meu reino".

Virata sentou-se, então, e disse:

"Aceitem esta terra como sua. E que Arjuna aceite Uttarah como esposa".

Yudhishthira tomou a palavra:

"Não queremos Matsya, Majestade. Mas que Arjuna responda pela outra oferenda".

"Não hesite", insistiu Virata. "Aceite-a, Arjuna."

"Está bem."

"Ótimo", disse o rei. Uttarah deixou de prender a respiração e deu a mão a Arjuna.

Arjuna e Virata enviaram convites de casamento a todos os seus amigos. Drupada veio, e Dhrishtadyumna, e seu irmão Sikhandin. Krishna veio de Dwaravati, com seus parentes Satyaki e Kritavarman, e trouxe da floresta Kamyaka as carruagens que os Pandavas haviam escondido. Seu irmão Balarama e sua irmã Subhadra também compareceram; e Sudeshna, a rainha de Matsya; e a mais bela de todas, Draupadi, a nascida do fogo.

Vinho e veação, histórias e músicas, o brilho de joias e de lindos olhos! Virata entregou sua filha, e com ela setecentos mil cavalos, duzentos elefantes e um milhão de jarros de ouro rubro. Ofertou presentes a todos, derramou manteiga em todos os fogos, alimentou toda a sua cidade por uma semana.

Carruagens, leitos, comidas, bebidas, terras, mulheres - tudo foi dado e dado de novo, muitas e muitas vezes, em Matsya, naqueles dias.

"Vacas, cavalos, túnicas, adereços, ouro e prata", disse o rei. "De graça e com os melhores votos de felicidades!"

E, após os banquetes e os mágicos e os dançarinos e os desfiles e os acrobatas e os discursos, houve sinos para Draupadi dançar, e a flauta de Krishna, e um tambor duplo para Arjuna. O rei Virata, sonolento em seu trono, acompanhava com a cabeça a música mais maravilhosa de todo o mundo.

NÃO CONTE

Há muito tempo atrás, Indra cantou para Kuru:

"Mesmo que só o pó de Kurukshetra,
Arrebatado pelo vento,
Tenha tocado um guerreiro,
A morte o trará ao meu céu".

Majestade, após o casamento, Sanjaya, o auriga, veio de Hastinapura e disse:

"Yudhishthira, a vida passa e é instável. O tempo é um oceano sem fim, e onde achar uma ilha? Que os Pandavas prefiram a paz! Mesmo possuindo o mundo inteiro, jamais se libertariam do prazer e da dor".

"Bem-vindo seja, Sanjaya", respondeu Yudhishthira. "Em nossa juventude Dhritarashtra nos ofertou um reino. Que ele agora devolva a minha Indraprastha, ou que faça nossas cinco outras cidades. Que os Kurus tenham alegria e que todos nós possamos reunir-nos como amigos outra vez."

"Direi isso a ele", informou Sanjaya, e dirigiu-se à outra sala do palácio de Virata para ver Arjuna e Krishna. Os dois bebiam vinho num divã dourado quando ele entrou. Arjuna abriu-lhe espaço para que se sentasse a seu lado. Mas Sanjaya apenas tocou o móvel com a mão, e sentou-se no chão, aos pés de ambos.

Krishna passou-lhe um cálice de vinho e sorriu, mas havia lágrimas em seus olhos.

"Triste é para mim, Sanjaya, que as vidas dos Kurus estejam quase chegando ao fim."

Kripa, Karna, Vidura, Bhishma e Duryodhana aguardavam junto com o monarca cego, na assembleia dos Kurus, quando Sanjaya retornou a Hastinapura. Tomando a palavra, ele disse:

"Dhritarashtra, eu sou Sanjaya. Yudhishthira espera, espreitando-lhe o semblante para saber o que pretende fazer, Majestade".

"Nós somos uma floresta", disse Vidura, "e eles são os leões por causa dos quais homem algum ousa derrubar as árvores. O seu lar é conosco."

"Devemos devolver-lhes Indraprastha", afirmou Dhritarashtra.

"Não!", bradou Duryodhana. "Eu não lhes daria a terra que eles podem tomar na ponta da espada. Desafio-os a porem os pés em meu reino novamente."

Karna disse a Duryodhana:

"Sem ajuda alguma, posso derrubá-los eu próprio, se nos atacarem, nós que só desejamos a paz. Mas tudo o que são capazes de fazer é conversar conosco até a morte".

"Karna", disse Bhishma, "a Lança de Indra de nada lhe adiantará contra alguém protegido por Narayana."

Karna virou-se para encarar Bhishma.

"Você deve ter noventa anos, mas não possui a inteligência de um bebê. Viveu a vida inteira como uma mulher. Lutará ou não por Duryodhana?"

"Lutarei", respondeu Bhishma. "Eu o defenderei. Mas há verdade onde Krishna está, e há vitória onde está a verdade."

Os olhos de Karna fulguraram de raiva.

"Sem dúvida! Sem dúvida que Krishna é mesmo assim! Mas já ouvi o bastante: abandono minhas armas e não voltarei a tocar nelas enquanto Bhishma pegar em armas. Duryodhana, quando ele se aquietar, eu vencerei em seu nome."

Karna e Duryodhana deixaram o recinto. Dhritarashtra comentou:

"Não participarei disso. Kripa, haverá também de auxiliar o meu filho?"

"Dentre todas as coisas", disse Kripa, "a guerra é a mais errada e a mais pecaminosa. Serei leal a ele."

E então Sanjaya se viu a sós com o rei. Dhritarashtra perguntou-lhe:

"O que acontecerá, Sanjaya?"

"Majestade, acabo de me encontrar com Krishna. Oculto por ilusões, ele vive como homem, e ninguém o conhece. É como um trabalhador no campo: passamos por ele, e o vemos; mas dele nos esquecemos. Mas Krishna é a alma de todas as criaturas. Ainda que os olhos estejam abertos, nada enxergarão sem ele."

"Sanjaya, como sabe tudo isso e os outros não conseguem ver?"

"Abençoado seja, Majestade. Não tenho consideração pela ilusão. Façamos uma trégua às palavras ardilosas, Bharata. Falarei a verdade:

"Arjuna e Krishna têm todas as vidas nas mãos.
Eles sabem como os pássaros voam pelo céu,
E o rumo dos ventos que sopram para longe.
Nada para eles é pequeno,
E nada, grande.

"Assim eu ouvi. Krishna deseja agora tomar de volta para si as vidas de seus filhos, e não há modo algum de impedi-lo."

Quando o rei ficou a sós, Karna prostrou-se a seus pés no palácio interno e disse:

"Eu sou Karna. Não discuta essa guerra vindoura com Vidura ou Kripa, pois eles o convencerão a refrear Duryodhana. E se assim o fizer, ele certamente morrerá, e eu, após ele".

Dhritarashtra disse:

"Contaram-me que, às vezes, uma semente que é plantada como sempre, e tratada como sempre, e regada como sempre pelas chuvas não germina e nada cresce da Terra. Depois de havermos feito tudo o que nos é possível, o que mais poderá guiar os resultados senão o Destino? É a Fatalidade que nos reserva riqueza ou miséria, é por meio dela que encontramos a vitória ou a derrota. Se a riqueza porventura veio até nós, devemos guardá-la bem, para que não seja roubada nem se perca de pouco em pouco. Prostro-me perante os deuses que enevoaram sua mente".

Arjuna, vindo de Matsya, e Duryodhana, vindo de Hastinapura, chegaram no mesmo dia a Dwaravati para falar com Krishna. Duryodhana foi o primeiro e, ao encontrar Krishna dormindo, sentou-se à cabeceira da cama para esperar. Logo entrou Arjuna, permanecendo junto aos pés de Krishna.

Krishna despertou e disse:

"Por que vieram?"

"Haverá uma guerra", disse Duryodhana. "Peço que fique do meu lado."

"Não empunharei armas para lado algum. Mas, Arjuna e Duryodhana, podem optar entre terem a mim desarmado ou a dez mil guerreiros Yadavas que souberam dessa batalha e me perguntam de que lado devem lutar. Escolha, então, Arjuna."

"Mas eu cheguei aqui primeiro", reclamou Duryodhana.

"Quando acordei, vi antes Arjuna. Vamos, Bharata, diga o que prefere e eu lhe darei. Diga depressa!"

"Você", disse Arjuna.

"Ah!", Duryodhana sorriu. "Poderei então ficar com o exército!"

"Salve, Duryodhana! Ele é seu."

"Eu lhe agradeço, Krishna", disse Duryodhana. "Obtive o que queria."

Duryodhana partiu. Krishna levantou-se e sentou-se no leito.

"Por que escolheu a mim, Arjuna?"

"Para dirigir minha carruagem. Irá a Hastinapura como nosso emissário? Tentará obter a paz?"

"Farei isso tudo."

"Mas Duryodhana ainda o teme. Poderá tentar destruí-lo. Como um veado selvagem no meio de uma cidade, um mentiroso desconfia de todos, imaginando-os iguais a si."

"Irei com Satyaki e Kritavarman, e o encontrarei novamente em Matsya."

Naquela época do ano, após as chuvas, na estação do orvalho e do sereno, quando a luz do Sol é branda e o ar, límpido, Krishna partiu para Hastinapura. Ao chegar, dirigiu-se à casa de Vidura, enquanto moças, nas ruas, atiravam flores a seus pés, e mulheres, debruçadas em janelas de pedra esculpida e no alto dos telhados e em sacadas, o observavam.

Vidura deu as boas-vindas a Krishna, a Satyaki e a Kritavarman, e Kunti lhes trouxe água e alimento.

"De que vale eu lhe dizer do prazer que sinto em vê-lo", disse Vidura, "se a sua vinda de nada servirá? Permaneça aqui comigo, mas não busque o perigo insistindo em falar com Duryodhana. Se deseja realizar algo de útil, vá, em vez disso, para onde o largo Ganges flui em bravias correntezas e tome um punhado de areia das margens a fim de criar uma passagem que os homens possam atravessar, pois hoje enfrentam grandes dificuldades."

"Você", disse Arjuna.

"É como se meus filhos estivessem mortos", lamentou Kunti. "Nasceram do meu sangue e da semente dos deuses e, no entanto, agora vivem dependentes de outros. Não é para isso que a esposa de um rei traz filhos ao mundo! O que diz Draupadi? Ela não permitiria que uma débil moralidade interferisse num reino."

Krishna ergueu-se e olhou para Vidura.

"Devo ir ao palácio. Está na hora."

Só, Krishna entrou na corte de Dhritarashtra e apresentou-se:

"Eu sou Krishna. Enviou-me o rei Yudhishthira em busca da paz".

"Fale com meu filho", disse Dhritarashtra. "Nada tenho a ver com isso."

Duryodhana o recebeu.

"Bem-vindo seja. Aceite como presente meu um palácio para morar, e muitas vacas."

"Não", respondeu Krishna.

"Não temos rixa com você", disse Duryodhana. "Por que recusar nossas dádivas? O que tem contra nós? Carecemos acaso de virtude, a seus olhos?"

"Príncipe, nada tenho a fazer aqui senão conversar com você. Sou apenas um mensageiro."

Karna riu.

"Que palavras foram postas em sua boca, então, mensageiro?"

Como uma safira engastada em ouro, Krishna, em sua túnica amarela, pôs-se de pé diante de Karna e disse:

"Minhas sandálias sobre sua cabeça, Karna. Embora você seja feito de palha, devo prostrar-me em sua presença".

"Creio que é melhor dizer rapidamente o que tem a dizer", interveio Duryodhana.

Krishna voltou-se para ele.

"Contente-se com metade do reino, como outrora. Não endureça seu coração contra os Pandavas. Eles cumpriram as condições impostas pelo lance de dados, e são seus irmãos. A paz não é difícil; depende apenas de você e de mim. Eles não lhe serão uma ameaça e saiba que de nenhuma outra maneira conseguirá amigos iguais. Hastinapura se tornará mais segura. Seu próprio reino será fortalecido. Devolva a eles a cidade que lhes pertence e há de ser muito mais rico do que tentando manter toda Kurujangala para si."

"Enquanto viver, nada lhes darei", declarou Duryodhana. "Quando eu era criança, Dhritarashtra ofertou metade do meu reino. Ele não será dado novamente! A mim seria preferível não viver na mesma Terra que eles. Diga-lhes que me deixem sossegado e que não pretendam ter direito algum sobre terras que são minhas."

"Mas considere..."

"Krishna, qual a necessidade de tantas palavras? Nunca ouviu o Dharma Kshatriya? 'Ereto e sobranceiro, jamais se curve; pois somente aí está a virilidade. Prefira partir-se ao meio a dobrar-se!.'"

Duryodhana e Karna retiraram-se, e Dhritarashtra disse:

"Krishna, quem sabe se voltaremos a nos encontrar? Permaneça como meu hóspede por alguns dias".

"Bharata, não posso", respondeu ele.

"Sanjaya me contou... mas quem pode conhecer o futuro? Homem algum jamais derrotou Duryodhana."

"Um pote de argila não se quebra duas vezes. Você tem o poder de estabelecer a paz, mas não a vontade. Assim, estou impotente. Adeus, Dhritarashtra."

Krishna voltou-se para sair, quando Satyaki entrou e sussurrou ao seu ouvido:

"Diga ao rei", pediu Krishna.

"Dhritarashtra, eu sou Satyaki, da família de Krishna. Desvendo o coração dos homens observando as mudanças na expressão de seus rostos. Quando Krishna deixar esta sala, Duryodhana e seu irmão pretendem tomá-lo como prisioneiro."

"Já está além de mim", disse Dhritarashtra. "Desconheço se minha proteção terá validade ou não."

"Não se preocupe, senhor", disse Satyaki. "Ele está suficientemente protegido. Mas deveria guardar a seu filho, senhor."

Duryodhana entrou na sala junto com Duhsasana. Satyaki apontou-os com a mão esquerda.

"Ei-los: cachorrinhos latindo para o leão adormecido."

"Silêncio, Yadava", disse Duryodhana. "Tal insolência perante um rei é mais que perigosa."

"Pois estou surpreso", sorriu Satyaki. "Sabia que você era meio estúpido e ignorante, mas jamais imaginei que fosse um rei. Ora, eu..."

"Satyaki", interveio Krishna, olhando para baixo.

"Sim, Krishna."

"Espere do lado de fora, com Kritavarman e a carruagem."

Satyaki sacudiu os ombros largos e musculosos, e saiu.

"Não façam mal ao mensageiro de um rei", disse Dhritarashtra. "Krishna não pode sucumbir a vocês. Ele é o vento que vocês buscam aprisionar numa rede."

Duryodhana relutou, mas Duhsasana sacou a espada.

"Pai, não precisamos de sua permissão", disse ele.

"Krishna ouviu tantas vezes dizerem que é alguém especial, que agora ele próprio acredita nisso. Mas desta vez ultrapassou em muito a sua posição. Ele não é nenhum guerreiro, apenas um palerma provinciano que cresceu no meio das vacas e de pastorinhas impudicas."

"Duhsasana, grande é a sua coragem", disse Krishna.

"Ao ver-me aqui sozinho e desarmado, mostra-se ansioso por falar-me sobre pudor."

"Em nome do rei, eu o prendo!", berrou Duhsasana. "Siga-nos, ou será trucidado!"

De súbito, Krishna fitou bem os olhos de Duhsasana. Seus olhos negros estavam cheios de felicidade, e ele disse:

"Desde o momento em que você teria desonrado Draupadi até agora... este é todo o seu tempo de vida". Duhsasana enxergou tarde demais a chakra mortífera girando velozmente nas mãos de Krishna, de haste dura como o trovão, de borda afiada como a navalha reluzente. O rugido de guerra do leão ainda estava em sua garganta, ele ainda não havia dado o primeiro passo em direção a Krishna, quando o disco já retornava ao seu tirante de ferro, e a cabeça de Duhsasana rolava pelo chão, indo parar entre os pés de Duryodhana.

Do corpo de Duhsasana, liberto pela morte, surgiu um fluxo brilhante de energia que se arqueou e penetrou pelo ponto central do peito de Krishna. O disco desapareceu de sua mão morena e, enquanto Duryodhana permanecia atônito e sem fala, Krishna deixou o palácio dos Kurus. Do lado de fora encontrou seus companheiros; de braços dados com Satyaki e Kritavarman, caminhou até a carruagem sem relancear para qualquer um dos lados.

Krishna fez um sinal para Karna quando passaram pela sua casa, dizendo: "Venha", e Karna pulou com lepidez para dentro da carruagem em movimento.

Enquanto Satyaki saía devagar de Hastinapura, Karna disse delicadamente, com uma voz branda e suave:

"Um jaz como árvore tombada, senhor Narayana, mas eles não sabem. Mesmo agora, não sabem nada. Somente Sanjava; mas pode uma colher provar o gosto da sopa?"

"Karna", disse Krishna, "quem odeia os Pandavas odeia a mim, pois temos apenas um coração entre nós. Eles são seus irmãos. Kunti é sua mãe."

"E há muito fui abandonado por ela, Krishna. Adhiratha é meu pai, e sua esposa é minha mãe. Por amor a mim, seus seios se encheram de leite no dia em que me encontrou às margens do rio."

"Você é o irmão mais velho. Os Pandavas lhe obedeceriam."

"Yudhishthira me daria seu reino amado?"

"Sim."

"E eu o entregaria a Duryodhana. Sem mim, Duryodhana não provocaria esta guerra. Ele me fez rei. Ninguém sabe nada de mim, exceto que fui um bebê abandonado que logrou de alguma maneira não se afogar. Nem minha esposa sabe mais que isso."

"Se Yudhishthira soubesse quem você é", disse Krishna, "ele não lutaria contra você."

"Senhor Narayana, não lhe conte. Bhishma pôs em movimento a Roda do Dharma – e ela vem rolando sobre as terras há anos e anos. O Dharma Kshatriya! Duryodhana engoliu um anzol farpado com a isca da riqueza de Yudhishthira. A Roda já deu quase uma volta completa. Que o Portal dos Reis se abra para o outro mundo. *Senhor, amarre os nós do destino.*"

Krishna permaneceu em silêncio por um momento. E então disse:

"Com Arjuna você seria..."

"Não. Serei perpetuamente seu inimigo. Como pode o Sol alumiar-se com um jardim de virtudes? Arjuna e eu somos guerreiros natos. Acolhemos a batalha como os outros homens acolhem suas esposas no leito. Não permita que os xátrias pereçam miseravelmente de doenças infames ou de velhice. Que prestem juramento a seu rei, e seu rei a eles, como sempre fizemos! Quando haverá um dia ou uma noite em que a morte não possa vir? Ou alguém que tenha se tornado imortal por não lutar?"

"Não responderei. Agora há água e frutas doces em toda parte, e o calor chegou ao fim. Avise Duryodhana: na planície de Kurukshetra, dentro de sete dias."

Karna disse apressadamente:

"Se sobrevivermos, eu o procurarei. Do contrário, eu o encontrarei nos céus. Não creio que voltemos a nos encontrar como amigos na Terra". E pulou da carruagem, permanecendo de pé em meio à poeira iluminada pelo Sol, com a cabeça recurvada e os olhos cerrados. Logo estava pronto para caminhar de volta a Hastinapura, só.

Sanjaya retorna

É melhor inflamar-se, ainda que apenas por
um momento, do que arder eternamente de desejo.

Seis dias depois, de madrugada, enquanto os guerreiros nas suas cidades de tendas, em Kurukshetra, despertavam ao som de música, Vyasa entrou em Hastinapura e encontrou Dhritarashtra acordado em seu palácio, junto com Sanjaya.

"Dhritarashtra, sou Vyasa. Venho da planície dos Kurus."

"E o que viu por lá?"

"Duas grandes cidades feitas de tendas de seda, uma diante da outra, na grande planície vazia: habitações multicoloridas para os reis, soldados e animais, e para as mulheres, os músicos, artífices e médicos. Ontem as tendas exalavam vapores ao ar da manhã, as bandeiras desfraldavam-se ao vento, e as armaduras e armas, espalhadas por toda parte, brilhavam ao Sol como fogo branco."

"O que mais?"

"De trás das finíssimas tendas, corvos negros grasnaram para mim: 'Vá!'. Torres pálidas de bruma, com altas muralhas e fossos profundos, erguiam-se do rio em contínua mutação perto do acampamento de Duryodhana. Por toda a planície as árvores estão repletas de gaviões e abutres vomitando sangue, todos ostentando um único e lúgubre olho, com uma só asa preta e uma só pata vermelha. E embora o Sol esteja brilhante, um círculo negro o rodeia, e vem sendo atingido por meteoros. À noite, os oito pontos do horizonte se inflamam, e todas as estrelas são hostis."

"O que mais?"

"O oceano não cessa de subir, e todos os rios inverteram o curso. As vacas estão parindo asnos e, ao serem ordenhadas, só dão sangue. Nos templos, as estátuas dos deuses às vezes gargalham e, outras, estremecem. Crianças lutam pelas ruas com clavas de madeira. Os fogos sagrados azularam-se e inclinaram-se sinistramente para a esquerda, enquanto os canalhas e os assassinos da cidade riem, cantam e dançam. As safras das quatro estações já maduraram sobre a Terra, e há cem frutos em cada pé. As árvores sagradas adoradas nas vilas e cidades jazem tombadas, atingidas por raios ou derrubadas por ventanias. Estandartes de guerra fumegam, e tochas acesas já não mais espantam as trevas e a melancolia da noite. Fora de Hastinapura os poços secaram, rugindo como touros, mas na cidade eles transbordam e inundam as ruas. Todos os cavalos lamentam e choram, e suas lágrimas correm com espantosa rapidez. Quando entrei aqui, meu olho esquerdo piscou por si mesmo, maquinalmente. Os Himalaias estão explodindo e desmoronando. Isso é medo, e o mal sobrepondo-se ao mal... Você não fará nada?"

"Meu conhecimento da vida e da morte é igual ao seu", disse Dhritarashtra. "Mas no que concerne a meus próprios interesses, estou privado de juízo e sensatez. Veja-me como um homem comum, a quem os filhos não obedecem. Não podemos determinar o nosso futuro; nada somos senão marionetes de madeira, movidos por cordões. E agora é tarde demais."

"Não se amargure então com o que há de acontecer a todos os que habitam aquelas belíssimas tendas. Serão... tão somente as transformações inevitáveis do Tempo, e nada mais."

"Saberei disso muito em breve", disse o rei. "Pai, aqueles que possuem dezenas de milhares vivem, e aqueles que têm pouco mais que nada, também."

"Concederei visão celestial a Sanjaya", disse Vyasa.

"Se ele for a Kurukshetra, nada de mau lhe acontecerá, e haverá de saber tudo o que acontece, de dia ou de noite, às ocultas ou às claras, mesmo aquilo que for apenas pensado no âmago da mente."

"Vá, então, Sanjaya", disse Dhritarashtra. "Permaneça em nosso acampamento, e volte quando tudo houver terminado. Relate-me, então, o que aconteceu."

"Devo partir agora, Bharata", disse Sanjaya.

Ele e Vyasa deixaram o rei e caminharam pelas galerias do palácio. Passaram pela porta da sala do trono, oca e ricamente ornada, onde o grande gongo de bronze que anunciava os visitantes do rei ecoava sozinho.

Os dois pararam.

"Volto para minha casa na floresta", disse Vyasa; "tornaremos a nos encontrar."

Vyasa pegou o pesado martelo forrado que estava preso à parede e suspendeu-o com as mãos escuras. Com toda a força, com o vigor com que o lenhador abate uma árvore, ele golpeou o gongo. O bronze reluzente vibrou com a batida, mas não se ouviu som algum, nem um murmúrio, e do gongo jorrou um fino chuvisco de cinzas pretas sobre o piso de pedra polida.

Enquanto caía a fuligem, Sanjaya pensou: "As palavras de Vyasa sempre são verdadeiras"; e a derradeira ilusão deixou seus olhos tranquilos.

Naquela noite, véspera de lua cheia, Bhishma disse a Duryodhana, na sua tenda em Kurukshetra:

"Todo o arroz e todo o trigo, todas as terras e as mulheres e as riquezas desta Terra são insuficientes para satisfazer uma só pessoa. E seguir o Dharma Kshatriya é seguir uma regra que faz jus aos carniceiros".

"Avô...", respondeu Duryodhana, "comande meus exércitos amanhã."

"Se eu o fizer, Karna não lutará ao seu lado."

"Comande meus exércitos. Lidere-nos, como só você é capaz."

"Eu o farei", disse Bhishma. "Farei o melhor que puder por você, que é tão difícil de conquistar. Mas não matarei nenhuma mulher, nem quem se pareça com mulher, nem quem nasceu mulher. Assim, se Sikhandin, o príncipe Panchala, irmão de Dhrishtadyumna, vier contra mim, eu nem olharei para ele."

"Por que isso?", perguntou Duryodhana.

"Bharata", disse Bhishma, "ouça, narrada por mim, a história de Sikhandin."

Ouça:

Quando raptei as três filhas de Banaras para Vichitravirya, Amba disse a minha mãe, Satyavati: "Eu pertenço a Salwa", e nós a enviamos àquele rei, que ela teria escolhido em sua swayamvara. Mas Salwa recusou-a, afirmando: "Nada quero ter com o rapto de Bhishma". E, embora Amba nunca houvesse desejado outro marido, ele lhe disse: "Vá! Parta!". Preterida, em prantos e com o coração despedaçado, ela partiu sozinha para sua casa, nas florestas emaranhadas do ocidente.

Exausta e faminta, após vários dias, Amba encontrou o retiro do eremita Akritavrana, que lhe deu leite e alimento e lhe preparou um lugar para descansar. Mas ela comeu apenas um pouco, e logo escondeu o rosto nas mãos e pôs-se a chorar.

"Fale comigo", pediu Akritavrana. Por muito tempo ela nada conseguiu dizer, enquanto o eremita permanecia sentado ao seu lado e pensava: "O que ela me irá narrar?".

Finalmente, ela conseguiu falar, e Akritavrana consolou-a:

"Você caiu neste oceano de desgraça por causa de Bhishma, ele é o culpado. Mas perdoe o que se passou. Juntos construiremos uma nova vida para você".

Amba voltou-se para o eremita com olhos furiosos, e gritou:

"Não! Eu odeio Bhishma! Quero que ele morra e jamais o perdoarei. O que podem fazer um eremita e uma mulher contra Bhishma? Não tenho onde ficar, nem para onde ir. Estou desamparada em todos os mundos, e por isso eu gostaria de destruir esses três mundos!"

"Destrua, em vez disso, sua ira", disse Akritavrana. "Posso enviar uma mensagem a Salwa, e ele obedecerá."

"Ó santo homem, minha raiva há de me consumir em fogo se eu ocultá-la dentro de mim. Sou agora uma nômade com o coração vazio. Não pode ajudar-me, de alguma maneira?"

Akritavrana suspirou.

"Sim, posso. Tome este arco e esta faca. Entre mais profundamente um dia na floresta, e com a faca prepare uma flecha de planta aquática."

"E então?"

"Você saberá, quando houver feito a flecha."

Levando consigo coalhada, frutas e carne seca, Amba deixou Akritavrana. No dia seguinte, parou em uma pequena campina. À beira de um rio cortou e entalhou um caniço bem reto. Debaixo de uma árvore encontrou penas; com uma pedra lascou outra pedra para servir de ponta, e com finas tiras de capim amarrou a haste. Sentada na grama, deu o último nó e aparou as extremidades com os dentes.

Vestido com pele negra de veado, com uma serpente verde pendurada ao peito, um homem branco de grande estatura, com um crescente de prata nos cabelos encaracolados, observava-a. Tinha quatro braços, e seu pescoço era azul. A floresta permanecia silenciosa. Amba ergueu os olhos e sorriu.

Shiva não sorriu, mas estendeu-lhe uma pequena peça de seda estampada.

"Se optar pela vingança, amarre isto em torno da flecha e lance--a de encontro ao Sol. Quando encontrar esta seta novamente, você se lembrará."

A flecha zuniu, e Amba tombou morta na grama aos pés de Shiva, o Destruidor. O instante final de sua vida foi o vento da própria queda em seus ouvidos, e os cem mil pequeninos sinos badalando e badalando... o som que ninguém pode ouvir e continuar vivendo.

Em Panchala, muito antes de acender o fogo que lhe daria Draupadi, o rei Drupada pediu um filho a Shiva, e num sonho Shiva o atendeu:

"Sua rainha carrega agora o seu filho dentro de si".

Drupada depositou fé nessas palavras, e pensou: "Não sucederá de outra maneira. O que estiver predestinado deve acontecer". Mas quando a criança nasceu, era uma menina, Sikhandini, agraciada com tanta beleza que parecia ter sido feita de grânulos de encanto recolhidos de tudo o que há de lindo no mundo. Todavia, recordando-se de seu sonho, Drupada contou a todos que lhe nascera um varão, e em tudo tratava sua filha como um menino. Ninguém sabia quem ela era, exceto Drupada e sua rainha.

Quando chegou a ocasião, Drupada escolheu a filha de Hiranyavarman, rei dos Dasarnas, como esposa para a princesa Sikhandini. Casaram-se em Kampilya e receberam aposentos no palácio de Drupada. Mas a princesa Dasarna não tardou a descobrir que seu marido era uma mulher, como ela própria, e contou aos criados que a haviam acompanhado. Estes enviaram mensagens cheias de irritação a Hiranyavarman.

Hiranyavarman primeiro entristeceu-se, depois irou-se e, por fim, ficou selvagemente furioso. Marchou com seu exército contra

Kampilya e mandou um mensageiro dizer a Drupada: "Idiota! Você me humilhou e me enganou. Agora vou matá-lo, e destruir toda a sua cidade. Você não perde por esperar!".

E Drupada retrucou: "Eu o matarei; tenha calma".

Sikhandini ficou desesperada por haver sido a causa de uma guerra contra seu pai, e quando o exército Dasarna se aproximava de Kampilya, deixou a cidade, certa noite, e entrou vagando pelas matas. Enquanto andava sem rumo de um lado para outro, Sthuni, o Yaksha, sentado numa árvore, viu-a passar embaixo e chamou-a:

"Espere. Diga-me por que está aqui, e eu lhe darei o que quiser".

Sikhandini olhou para cima e disse:

"Não pode realizar o meu desejo".

"Posso", retrucou Sthuni. "Eu lhe darei até mesmo o que não pode ser dado, pois aqueles que dão talvez um dia tenham de pedir."

"Yaksha, faça com que eu me torne homem."

"Ora, não há nada mais fácil. Mas prometa-me voltar aqui depois de haver salvado seu pai, para retomar o seu sexo. Agora permutarei o seu e o meu."

De bom grado, Sikhandini deu sua palavra de voltar para Yakshini, e retornou a Kampilya. Drupada disse a Hiranyavarman:

"Meu filho é um homem. Acredite na verdade, ou envie alguém para testemunhar".

Hiranyavarman estava perto das muralhas externas de Kampilya com seu exército, e logo enviou várias jovens de grande beleza que confirmaram ser Sikhandin realmente um homem. O monarca ficou extraordinariamente satisfeito com as boas notícias e, deixando seus homens acampados pacificamente pelos prados, passou alguns dias como hóspede de Drupada, repreendendo de leve sua filha e ofertando presentes generosos a Sikhandin.

Quando partiu, Sikhandin voltou à floresta e encontrou Sthuni na mesma árvore. Mas ela estava desconsolada, e contou ao príncipe o que acontecera:

"Enquanto você esteve fora, o Senhor dos Tesouros e Manibhadra passaram por aqui para se assegurar de que tudo ia bem. Ao descobrir o que eu havia feito, Vaishravana bradou: 'Parem a carruagem!'. E intimou-me a comparecer diante dele. Quando pôs os olhos em mim, disse: 'Uma vez que, por algum motivo, você entregou sua virilidade à filha de Drupada, eu o amaldiçoo a permanecer eternamente nesse estado em que se encontra. Ó pior de todos os Yakshas, você fez o que jamais foi feito por ninguém; um ato contra a natureza, anormal, imbecil, ilícito e desleal como esse merece todos os castigos que eu puder conceber para que ninguém mais torne a repeti-lo'".

"Fiquei orgulhoso de ouvir aquilo, mas lancei-me à sua mercê. O Senhor das Riquezas tem escassa compaixão, mas disse que eu recuperarei meu verdadeiro sexo quando você morrer, Sikhandin. Até então, devo permanecer mulher e você, homem, embora não consiga compreender o que há de maldição nisso. Não posso trocar de volta os nossos sexos." Sthuni riu. "Ele disse que eu era uma infeliz miserável de alma maligna... mas realizei seu desejo, Sikhandin, ou não?"

"Realizou", confirmou Sikhandin, curvando-se com as palmas das mãos unidas diante da Yakshini. "Você é toda bondade, caridade e amizade para mim. Estou contente de ser homem. Obrigado."

"Não há de quê", disse Sthuni. "E estou sendo sincera. Não diga nada a ninguém. Gozarei a minha vida de uma maneira diferente, para variar, até voltar a ser um intrépido e temível Yaksha. Adeus, príncipe."

"Adeus", respondeu Sikhandin, e pôs-se de volta à cidade. Mas errou o caminho, na floresta, e acabou chegando a um templo abandonado, já coberto de árvores e folhagens, semiescondido na mata, rodeado pelas ruínas de um muro de pedra. Onde uma vez estivera o portão, fincado em um dos umbrais de madeira, havia uma flecha, empardecida pelo tempo, feita de um caniço e envolta num pano desbotado de muitas cores.

"Ele se lembra de tudo o que houve entre nós", disse Bhishma, "mas para mim ele ainda é a mesma Sikhandini que era quando nasceu."

"Nós a manteremos afastada de você", assegurou Duryodhana. "Ele não é alguém a ser temido."

Sanjaya permaneceu em Kurukshetra por cinco dias e cinco noites e, após a aurora do sexto dia, voltou a Hastinapura, rápido como o pensamento, célere como o desejo, e correu para Dhritarashtra. O rei estava numa sala escura, sem janelas, sentado numa cama. Sanjaya trouxe uma lamparina e disse:

"Eu sou Sanjaya. Está tudo acabado. Eis-me de volta, Majestade".

"Sente-se", convidou Dhritarashtra, "e conte tudo para mim. Não falei com ninguém desde que você partiu, e nada ouvi."

"Não há como contar tudo", disse Sanjaya. "Faltam-me o ânimo e a coragem, e minhas palavras soam estranhas e distantes, muito distantes."

Ouça:

Quando os dois exércitos se defrontaram, na primeira manhã, o do seu filho era muito maior e as suas tropas tomaram a iniciativa nos campos de Kurukshetra. Lá estavam Duryodhana e seus noventa e oito irmãos, e o seu filho Yuyutsu, e Bhishma a chefiá-los todos, e Kripa e Drona, e Jayadratha, Aswatthaman, Sakuni, Susarman e Salya, o rei dos Madras, e Kritavarman, que lutou por seu filho, embora seja da família de Krishna.

Eu abri caminho por entre a multidão de mercadores, prostitutas e espiões que haviam saído de ambos os acampamentos e permaneciam desarmados na orla da planície; ouvimos os tambores que pendiam da carruagem de Yudhishthira e vimos as tropas dos Pandavas se aproximarem das nossas. Como nós, cada rei tinha um exército, e vi Dhrishtadyumna chefiando-os, junto com os Pandavas e Drupada; e vi Krishna dirigindo a quadriga de Arjuna, e também Satyaki, Sikhandin, Virata e seu filho Uttara.

Um grande clamor elevou-se de ambos os lados quando o exército de Yudhishthira apareceu, de frente para o Sol da manhã, todos os escudos e os arneses metálicos a reluzir, e os de bambu, espinhos e couro cintilando foscamente, e os estandartes de guerra revoando, sobranceiros. Vieram as tropas como um rio inundando a planície, os elefantes como nuvens escuras em turbilhão, e alinharam-se diante dos guerreiros de Duryodhana.

Bhima era o centro da sua ala, e diretamente à sua frente estava Bhishma, todo vestido de branco em sua quadriga de prata. Bhishma levou sua trombeta de concha aos lábios e soprou o toque de batalha; de ambos os lados os guerreiros juntaram-se a ele, soando seus búzios e suas cornetas de bronze, seus tambores, gongos e címbalos. Mas justamente quando os dois exércitos estavam prestes a se defrontar, Arjuna inclinou-se em sua quadriga e disse a Krishna:

"Dirija minha quadriga para fora das fileiras e pare em algum lugar, no centro, entre os exércitos".

Krishna manobrou então o carro de guerra multicolorido como o arco-íris, ornado com uma centena de sinos de prata e puxado por cavalos brancos, e levou seu arqueiro, que jamais será igualado sobre a Terra, ao centro do campo de batalha. Lá permaneceu Arjuna, a céu aberto entre duas muralhas de guerreiros, olhando demoradamente para o exército de Duryodhana.

Então Arjuna atirou seu arco contra a quadriga e, recostando-se no mastro do estandarte, encarou os Kauravas.

"Ei-los", disse, "Bhishma, Kripa e Drona, todos prontos a lutar contra mim. As flechas despontam para fora de minha aljava, ansiosas por voar, e meu longo arco Gandiva como que boceja, intocado. Mas meu coração não é de aço, nem foi forjado dessa forma. Que felicidade há de vir se eu os matar por causa de um reino? Eles vieram aqui sem hesitação... mas isso não é digno de nós, Krishna. Nós sabemos o que é melhor, e deveríamos agir como é melhor."

Krishna voltou-se na boleia e disse:

"Você é meu amigo querido, Arjuna. Se quiser, partiremos daqui sem olhar para trás uma única vez. Mas então, se não se render, Yudhishthira morrerá. Karna matará Bhima, matará Nakula, matará Sahadeva, matará Yudhishthira, matará todos os homens do exército. Você não pode impedir esta guerra". E então Krishna entoou um cântico: "Ó meu amado, por que ceder, por que haveria de render-se?". Era o *Cântico do Senhor*.

Arjuna retomou seu arco:

"Leve-me de volta, Narayana, e eu lutarei".

Krishna retornou, mas ao passarem por Yudhishthira, viram-no atirar fora sua armadura, que se espatifou de encontro à Terra. E então, sem armas ou arneses, Yudhishthira pulou para fora de sua carruagem e dirigiu-se ao exército Kuru, onde todos lhe abriram caminho sem um único ruído. Yudhishthira foi marchando através da floresta de lanças e flechas até a carruagem de Bhishma e, curvando-se perante o avô, pediu:

"Conceda-nos a sua permissão para combatê-lo".

"Eu a concedo", disse Bhishma.

"E como haveremos de derrotá-lo?", perguntou Yudhishthira. "Isso é possível?"

"Bharata", replicou Bhishma, "foi bom de sua parte perguntar-me. Não houvera você vindo até mim, e eu o teria amaldiçoado. A morte não pode arrebatar-me sem permissão. E confesso não vislumbrar homem que possa sequer aproximar-se de mim em combate."

Yudhishthira curvou a cabeça e caminhou por entre os Kurus perplexos até a quadriga dourada de Drona.

"Mestre", disse ele, "conceda-nos sua permissão para combatê-lo."

"Eu a concedo", disse Drona.

"Diga-me, como poderemos vencê-lo na batalha?"

"Yudhishthira", respondeu Drona, "enquanto eu brandir qualquer arma em minha mão, ninguém poderá derrotar-me."

Yudhishthira dirigiu-se, então, a Kripa e exclamou:

"Eu o saúdo, Kripa, e peço sua licença para batalharmos e guerrearmos contra você".

"Ela é sua", disse Kripa.

"Ah! Miséria!", clamou Yudhishthira. "Eu peço...". Mas não conseguiu pronunciar as palavras.

E Kripa respondeu:

"Compreendo. Eu não posso ser morto".

Yudhishthira curvou-se e uniu as mãos para Kripa. Caminhou de volta por entre os Kurus até que se viu face a face com todos eles, e bradou:

"Aceitaremos como amigo quem quer que venha conosco agora".

Houve movimentação entre as tropas Kauravas, e o seu filho Yuyutsu, nascido de uma criada, caminhou lentamente em direção a Yudhishthira. Os Kurus abriram-lhe caminho, e ele passou para as fileiras atrás de Bhima e Dhrishtadyumna.

Yudhishthira vestiu novamente sua armadura dourada. Ao dar os últimos laços e retomar o seu arco, os búzios transcendentais, brancos como o leite, começaram a soar, e já os bardos e menestréis, sentados ao longo de Kurukshetra, compunham seus versos e canções da grande guerra dos Bharatas.

ÁRVORES DE OURO

A Terra esparge-se inteira de armas que
brilham e está rubra de sangue. Assemelha-se a
uma negra dançarina vestida de carmim, caída,
tonta de vinho, com seus sinos dourados e seus adereços
de prata todos desarranjados...

Mas é uma ilusão. É tudo drama num palco.
Quem morreu aqui?
Quem cometeu assassinato?

O Dharma Kshatriya é cruel, Dhritarashtra, pois num piscar de olhos houve o irremediável e caótico confronto entre os dois exércitos. Enquanto eu receosamente observava tudo sob a proteção de Vyasa, as loucuras e a devassidão da guerra brotavam todas ao meu redor: nuvens de pó que obscureciam o Sol, o barulho tremendo das carruagens chocando-se e da madeira estilhaçando-se, os gritos dos elefantes e dos cavalos, ossos e metais espatifando-se, os gritos e brados dos guerreiros anunciando seus nomes e famílias, orientando-se por uniformes, estandartes, senhas e sinais.

Lá estava Bhishma, de vestes e armadura brancas, anunciando os nomes dos que havia matado, seu arco branco torcido numa circunferência, ardendo como fogo sem fumaça. Não consegui encará-lo, e quando desviei o olhar para os Pandavas, vi homens sendo arrastados para a boca enorme e sorridente da Morte.

Majestade, assim como os olhos são atraídos para o belo, as setas de Bhishma partiam zunindo, atraídas por seus alvos. Os elefantes dos Pandavas estacaram e depois fugiram, suas carruagens não puderam prosseguir, seus cavaleiros desertaram, e o pendão azul com a palmeira e as cinco estrelas de prata penetrou no exército de Yudhishthira e deixou-o coberto de flechas e sangue, como uma árvore de rubra inflorescência com galhos pontiagudos e flores escarlates.

Yudhishthira tudo acompanhava, e correu até Arjuna.

"Veja lá Bhishma! Por ignorância minha ele é meu inimigo. Agora voltarei para a floresta, pondo um fim a esta guerra, pois a vida é valiosa."

"Não", objetou Arjuna. "Não admire Bhishma como se você fosse um fraco. Detenha seus homens e aguarde."

Arjuna partiu em direção a Bhishma, com Virata a seu lado a proteger-lhe as rodas. O exército de Yudhishthira passou por eles em fuga, não havendo dois homens que corressem para o mesmo lado. Logo as duas carruagens ultrapassaram Drona e Kripa, e a quadriga de Arjuna, multicolorida como o arco-íris, avançou sobre nós como o voo de pássaros reluzentes, ou ainda como uma efêmera cidade Ghandarva feita de nuvens coloridas no firmamento.

Em um instante divisei as duas quadrigas que se aproximavam de Bhishma, e logo desapareciam sob uma saraivada de flechas. Bhishma os vira e, embora Arjuna tivesse conseguido proteger-se, o rei Matsya ali pereceu. O auriga de Virata deu a volta e abandonou o campo de batalha.

Krishna gritou para Arjuna: "Não tema! Atire nele!".

Mas Arjuna, olhando-o de soslaio, disse:

"Quando eu era menino, costumava subir ao colo de Bhishma, sujando suas roupas; quando eu o chamava de pai, ele me corrigia dizendo que não era meu pai, e sim meu avô. E ele era todo amor para brincar com aquele garoto de tez escura e cabelos crespos".

Krishna pulou para fora da carruagem, com o disco Sudarshana a girar freneticamente em sua mão, e avançou para Bhishma.

Arjuna prendeu a respiração e mordeu os lábios. Saltou por sobre os gradis da carruagem e atracou-se com Krishna por trás. Ambos caíram duramente na Terra, enquanto Bhishma os observava sorrindo, reclinado em seu arco.

"Ah, venham", disse ele, "venham a mim. Adorável Krishna, saúdo e reverencio quem é digno de mim. Se me matar, saiba que estará me trazendo a maior felicidade."

Os dois, tombados no chão, olharam para cima. Krishna voltou-se e vociferou para Arjuna:

"Solte-me!"

"Não." O rosto de Arjuna era todo inocência. "Seja pacífico, ou jamais o soltarei."

"Está bem. Não lutarei."

"A chakra."

"Está bem!". O disco desapareceu. Arjuna deixou-o levantar-se, e Krishna subiu de novo à carruagem, com os olhos fulgurantes sob os cílios cobertos de pó.

O sol se pôs. Os guerreiros recolheram-se às suas tendas para a noite, deixando Kurukshetra coberta de lanças, flechas e bandeiras, de chicotes, arcos e arneses, de machados reluzentes e archotes carbonizados, de vaso de argila, que haviam estado repletos de serpentes de veneno letal, espatifados. E, conforme os Pandavas caminhavam ao crepúsculo para suas tendas, a cada piscar de olhos viam diante de si a figura orgulhosa de Bhishma: alva, alva, alva, em sua quadriga prateada.

Naquela noite os guerreiros descansaram com música e mulheres, nada conversando sobre a batalha, olvidando a guerra, de modo que voltou a ser agradável olhar para eles. As ruas do nosso acampamento estavam iluminadas por lampiões dourados que queimavam óleos aromáticos, e foi por essas ruas que Duryodhana passou a cavalo, belo com a vitória. Seus amigos o saudavam em muitas línguas, e ele os cumprimentava como um rei. Naquele momento seu filho não ostentava raiva, nem impaciência, malícia, medo ou paixão pela discussão, nem anseio de ganhar – e eu vislumbrei a vitória marchando a seu lado. Não foi ilusão, mas pensei: "Por quanto tempo ela há de permanecer?".

Duryodhana parou na tenda de Bhishma. Entrou e, curvando-se diante de seu avô, disse:

"Nosso exército é um mar sem litoral, invencível, encrespado de ondas numa tremenda tempestade. Não poupe os Pandavas por bondade".

"Silêncio, Duryodhana", respondeu Bhishma. "O homem pode ser escravo das riquezas, mas as riquezas não são escravas de homem algum. Assim eu luto por você. Mas jamais matarei um inocente, ou quem estiver desarmado, ou aurigas, mulheres, ou aqueles que fogem ou se rendem, ou que estão lutando com outros."

"Perdoe-me, avô, não pretendia ser cruel. Sei que venceremos. O próprio ar da noite está fresco e cintilante. Porém, acabo de saber que quando se está no limiar da morte se descobre, enfim, que todas as árvores são feitas de ouro."

Na segunda manhã, Bhishma novamente dispersou os Pandavas, enquanto nossos homens riam e aplaudiam, e não pude acreditar em meus próprios olhos quando vi o estandarte do macaco Hanuman, que se mantivera firme em meio às tropas que debandavam, como a rocha de uma corredeira no meio de um rio, também bater em retirada. Mas, enquanto o exército Pandava fugia alucinadamente pela planície ou mergulhava em desespero no rio Ganga, Krishna parava perto de uma flâmula prateada com a figura de um lótus azul que eu não havia notado anteriormente, e Sikhandin saltou de sua quadriga para a de Arjuna. Os dois partiram, então, contra Bhishma.

Dos arcos de Sikhandin e Arjuna partiam, sibilando, flechas embebidas em óleo rumo a Bhishma, que se recusava até a olhar para eles. Como o frio cortante do inverno, aquelas flechas o perfuravam às centenas e centenas, até que não restou uma só parte do seu corpo que ainda pudesse ser atingida. E, quando os deuses cruzavam os braços, Bhishma caiu de cabeça da sua carruagem, tão coberto de setas que seu corpo não chegou a tocar na Terra.

Krishna estacou a quadriga. Arjuna e Sikhandin baixaram seus arcos. Por toda Kurukshetra cessaram os combates e, dos dedos entrelaçados dos deuses, caiu uma suave e silente chuva de flores. Guerreiros de ambos os lados se reuniram em torno de Bhishma, juntos como nos tempos de outrora.

Então Bhishma disse:

"Eu estou vivo. Tragam almofadas, pois minha cabeça está pesada e pende".

Muitos reis trouxeram finíssimas almofadas cobertas de raras e exóticas sedas, mas Bhishma recusou-as, dizendo:

"Arjuna, dê-me um travesseiro apropriado para minha cabeça".

Arjuna sacou três flechas de sua aljava e fincou as pontas na Terra, de maneira que as suas extremidades com penas segurassem a cabeça de Bhishma. Arjuna ajoelhou-se e sussurrou:

"Está feito".

"Estas setas que queimam não são de Sikhandin", disse Bhishma. "Tragam-me água." Novamente vários reis trouxeram água antes que Arjuna pudesse se levantar, mas de novo Bhishma recusou, dizendo:

"Repousarei aqui ainda por mais um pouco sobre estas flechas."

"Não estou mais no mundo dos homens, e esta água não é para mim. Arjuna, dê-me água para beber".

"Eu lhe darei." Naquele silêncio, Arjuna tomou seu arco Gandiva e caminhou em torno de Bhishma uma vez. Firmou uma flecha na corda do arco e lançou-a certeiramente, sibilando, para dentro da Terra. De lá, onde foi atingida, jorrou água das profundezas. Entregou uma taça a Arjuna, e foi nela que ele deu água para Bhishma beber.

Duryodhana ajoelhou-se ao lado de Bhishma e disse:

"Os médicos já chegaram, avô".

"Agradeça-lhes por terem vindo", respondeu Bhishma, "e peça-lhes que se retirem. Não morrerei antes do solstício do inverno. Repousarei aqui ainda por mais um pouco sobre estas flechas. Eis que você as viu, Duryodhana. As obras... as obras de Arjuna estão além daquilo que se pode conhecer!"

O filho de Ganga, filho do belo rio que flui para o oceano, tombou silente e cerrou as pálpebras. Por entre as lágrimas de meus próprios olhos vi os bravos Kurus e os bravos Pandavas irem para suas tendas, enquanto homens de ambos os exércitos cavavam uma trincheira larga e extensa em torno de Bhishma, enviando guardas para protegê-lo e desfraldando seu estandarte a fim de marcar o local onde se encontrava.

Ao anoitecer Karna aproximou-se de Bhishma e, na alvoroçada escuridão, sob a bandeira de guerra, disse-lhe:

"Eu sou Karna, a quem você fitou com ira quando esteve diante de seus olhos".

Bhishma o viu.

"Não o odeio, Bharata. Mas você desejou a guerra quando eu buscava a paz. Por isso proferi palavras ásperas. Mas a Roda não parará de girar. Todavia, ouça o que já ouviu de mim: viva em paz com seus irmãos. Você é o melhor guerreiro do mundo: faça com que a guerra finde com o meu fim. Mais do que ninguém, você possui a coragem e a bondade para fazer isso por mim."

"Eu lutarei", respondeu Karna, "mesmo contra eles. Vim aqui para que me desse sua permissão, e seu perdão por minha crueldade com você, nascida da ira."

"Concedo-lhe ambos", disse Bhishma. "E eu fracassei novamente. Você, que pensa ser um guerreiro tão bom quanto eu... eu lhe digo, você é muito melhor."

Depois que Karna partiu, Krishna foi caminhando sem ser visto até o lado de Bhishma e, num sonho, soltou as correntes de esperança que prendem a vida: "Eu sou o Senhor: Isso eu tenho; Isso eu obterei; Este eu matei; Aquele eu matarei amanhã; Eu sou rico, e nobre, e feliz; Quem é semelhante a mim?" – de modo que toda dor e sofrimento esvaeceram e cessaram, e também toda sede e toda fome, e Bhishma adormeceu em paz, sobre as pontas das mil flechas.

Karna cingiu a espada. Foi na tenda de Duryodhana, mais tarde, naquela noite, que seu filho perguntou a ele:

"Quem chefiará os Kurus?"

"Que seja Drona", respondeu Karna. Duryodhana foi, então, até Drona e tornou-o comandante do exército, derramando água do Ganges sobre seus cabelos prateados e atando uma tira de prata em torno do seu pulso.

"O que devo fazer por você?", perguntou Drona.

"Capture Yudhishthira vivo", disse Duryodhana. "Sem ele, seu exército não terá ânimo para nos resistir, nem impetuosidade para vingar sua morte. Pode fazê-lo?"

"Somente se Arjuna não estiver ao seu lado, Bharata."

"Karna fará isso."

"Não", advertiu Drona. "Se Karna desafiar Arjuna, os exércitos haverão de parar para acompanhar a disputa. Preciso do emaranhamento de toda uma batalha para ser bem-sucedido. Mas sei de um modo."

Drona procurou Susarman, o Rei dos Três Castelos, que concordou em liderar os Trigartas contra Arjuna, na manhã seguinte. Diante do fogo sagrado, eles prestaram o juramento de derrotar Arjuna, ou morrer. Por sobre os arneses vestiram túnicas de ervas amarradas com cordas de arcos. Cada um deles enrolou, então, três bolinhos de farinha de arroz e todos seguiram Susarman, que representaria o seu próprio funeral, até o rio.

A lua nova já se havia posto quando Susarman acendeu uma pira às margens do Ganges. Naquele bruxuleio de luzes e sombras, cada guerreiro lançou um bolinho de arroz no fogo, para que suas almas tivessem o que comer quando morressem; atiraram outros três no rio, para que se apaziguasse a Lua, que concede aos mortos seus corpos celestiais; e deram os outros três às suas esposas, para que suas famílias não perecessem na Terra.

Os Trigartas, então, não mais retornaram para onde estavam os outros, pois sua palavra ainda não se cumprira. Dormiram ao relento, longe das tendas de Duryodhana. A luz das estrelas iluminou Susarman, adormecido no dorso do seu elefante, com a cabeça entre as saliências da cabeça do animal, como se dormisse entre os fartos seios de sua rainha.

Na terceira manhã o sol nasceu refulgente como o sorriso de uma mulher, brilhando como um leão dourado ao deixar sua toca nas montanhas, expulsando as trevas como uma manada de elefantes negros. E é verdade que a Morte espera a sua hora, pois todos aqueles guerreiros não pereceram juntos, no mesmo momento, durante a batalha que se seguiu, em meio aos brados que enchiam o ar: "Agarrar!", "Aqui!", "Cortar!", "Atacar!", "Aguardar!", "Ali!", "Olhar!", "Onde?".

O desafio dos Trigartas chegou até Arjuna, e Dhrishtadyumna lhe disse:

"Vá ao encontro deles, que meus espiões descobriram todos os seus planos. Jamais, enquanto eu comandar para ele seu exército, Yudhishthira será capturado por Drona".

Os dois exércitos se enfrentaram como dois oceanos encapelados. Arjuna lançava flechas contra os Trigartas, que enxameavam em torno de seu carro, bloqueando-lhe a passagem. Quando viu seus homens caindo às dezenas e centenas, Susarman, do topo de seu elefante, lembrou-se de um encantamento. Trevas desceram sobre Arjuna e Krishna, trevas repletas de vozes ríspidas e severas a repreendê-los, e feras famintas avançaram sobre ambos – tigres e leões, leopardos e lobos, falcões de bicos férreos e cobras de línguas ardentes.

Uma alta montanha surgiu no céu, cheia de árvores e desfiladeiros, uma montanha de cujas nascentes e fontes jorraram chuvas de lanças e arpões, e saraivadas de sangue, ossos e fogo, e tudo parcialmente encoberto por nuvens azul-marinho e arco-íris. E, através disso tudo, Arjuna via às vezes Susarman lacerado e mutilado; outras vezes o via de cem lados ao mesmo tempo; ora visível, ora invisível; às vezes pequeno, a elevar-se até o céu e mergulhando Terra adentro para voltar a ressurgir em outra parte; e novamente o via em seu elefante, avançando contra a quadriga para destroçá-la.

Mas é tolice combater Arjuna pela ilusão. Uma flecha portando o mantra Naja partiu do seu arco Gandiva e penetrou na Terra. Milhares de serpentes apareceram e de tal maneira prenderam os Trigartas, que eles não se podiam mexer. Cobriram o elefante de Susarman como trepadeiras num muro de pedra, deixando o monarca imobilizado no dorso do animal.

Outra flecha conduzindo um mantra zuniu pela atmosfera; os Trigartas bocejaram de sono mágico e, assim, suas memórias exalaram-se pela boca, e as Najas desapareceram. Susarman olhou ao redor com surpresa e estupefação. Desceu do elefante e caiu aos pés de Krishna, clamando:

"Senhor, o que é esta guerra? Abençoe-me, e eu voltarei para o meu lar".

"Drona está se aproximando demais!", gritou Dhrishtadyumna. "Precisamos escapar! Alguém precisa furar as falanges Kauravas, mas quem possui tal habilidade?"

Uttara, o príncipe de olhos azuis, respondeu:

"Posso passar com meu carro, mas não saberei esgueirar-me para cá novamente".

"Nós todos o seguiremos", disse Dhrishtadyumna. "Drona talvez espere o nosso recuo, mas não a nossa investida."

Uttara tomou as rédeas das mãos de seu auriga e, por caminhos sinuosos e confusos, dirigiu a quadriga até ultrapassar Drona. Penetrou em nossa formação, mas foi então tragado e se perdeu. Jayadratha atacou-o por trás, e deixou de haver passagem aberta por entre o nosso exército. Os Pandavas não viam maneira de avançar, viam diante de si somente o javali argênteo da bandeira de Jayadratha. Uttara ficou só, e foi morto por Salya e Sakuni, que lutaram lado a lado contra ele.

Arjuna e Krishna retornavam de seu combate com os Trigartas quando perceberam os Dhartarashtras gritando e aplaudindo, e ouviram Yuyutsu excruciando-os: "Por haver assassinado uma criança, não se rejubilem!". Seu filho Yuyutsu abandonou, irado, as armas e retirou-se para sua tenda.

Arjuna perguntou a Yudhishthira:

"Onde está Uttara?"

"Com que olhos poderei encará-lo, Arjuna?", exclamou Yudhishthira. "Uttara penetrou sozinho o exército de Duryodhana, e lá sucumbiu. Nós deveríamos segui-lo, mas fomos barrados por Jayadratha; ele impediu que Bhima, Satyaki, Dhrishtadyumna e eu mesmo passássemos."

Ninguém, exceto Krishna e Yudhishthira, pôde suportar olhar para Arjuna. Com a face banhada de lágrimas, Arjuna nos encarava como um demente febril, tremendo e ofegando desesperadamente. Apertava seus próprios braços e gritava:

"Suas armas e seus arneses não passam de enfeites!"

Mas a culpa é minha, pois, sabendo-os todos fracos, assim mesmo me afastei.

"Bharata", disse Krishna, "as lágrimas queimam os mortos como fogo líquido. Não chore."

"Mas ele deve ter pensado: 'Arjuna certamente me salvará', sussurrou o maior dos arqueiros a Krishna. E, tendo dito tais palavras a si mesmo, apontou seu arco contra Jayadratha. Quando sua quadriga começou a avançar em nossa direção, ele nem sequer vacilou: dirigiu-se contra nós como se não houvesse ninguém pela frente."

"Ouçam", disse Krishna, "quando nos aproximarmos dele, façam o que eu ordenar e nada mais, ou as suas vidas estarão perdidas."

"Ora, vejam: Drona retrocedeu e está indo reunir-se a Jayadratha. Ele nos viu quando voltávamos, e sabe o que pretendemos."

Drona enviou Jayadratha para a retaguarda das tropas, mas, antes que pudesse mandar mais alguém com ele, Arjuna bradou:

"Mestre, permita-me entrar hoje para seu exército".

"Lute antes comigo", respondeu Drona.

Arjuna lançou-lhe algumas flechas e dirigiu-se rapidamente para o flanco, atrás de Drona.

"Para onde vai?", perguntou-lhe Drona. "Não costuma lutar até que seu adversário seja derrotado?"

"Drona é meu mestre", disse Arjuna, "não meu inimigo; além disso, não existe quem possa sobrepujá-lo."

Do seu trono de ouro fixado sobre um elefante da cor do lótus, todo coberto com uma malha de aço, Duryodhana perguntou a Drona:

"Por que permitiu que ele passasse?"

"Agora que ele se foi", disse Drona, "poderei capturar Yudhishthira. Você poderá interceptar Arjuna. Nossos homens o deixarão passar, enquanto retardam Arjuna. Suba em minha carruagem por um instante."

Drona amarrou a armadura de seu filho com nós secretos.

"Ei-lo atado com fios Gandharvas; com estas fibras haverá de repelir todas as armas que o atacarem", explicou Drona.

Quando Arjuna surgiu na retaguarda de suas tropas, encontrou Duryodhana a esperá-lo. "O rei está morto", bradaram os Kurus, mas

Duryodhana riu-se deles e acertou Arjuna no ombro com uma seta. O Pandava largou seu arco e caiu debilmente de joelhos.

Arjuna esforçou-se para se pôr em pé, e Krishna disse:

"Lá está ele, montado naquele elefante como numa montanha em chamas, sob o pálio branco com correntes douradas".

"Bem-vindo seja, Krishna", saudou Duryodhana, cobrindo com flechas vorazes a quadriga com as cores do arco-íris.

Todas as flechas de Arjuna erraram o alvo, e Duryodhana escarneceu-o:

"Bharata, são essas as suas famosas flechas?"

"O que há de errado?", indagou Krishna.

"Nós Gandharvas!", exclamou Arjuna. "Mas ele se descuidou! Pare!". Antes que Duryodhana pudesse lançar outra flecha, Arjuna partiu-lhe o arco e derrubou o pálio real sobre sua cabeça. De dentro dos panos asfixiantes, Duryodhana gritou para seu elefante: "Ao ataque!". Mas o animal recusou-se a obedecer-lhe, como a esposa de um homem pobre a seu marido. Quando Duryodhana pôde enxergar novamente, Arjuna e Krishna já se aproximavam de Jayadratha.

"Cuidado, agora", advertiu Krishna. "Logo que Jayadratha nasceu, seu pai, Vriddhakshatra, soube que o filho seria um dia decapitado em campo de batalha, e rogou uma praga ao assassino. Assim, quem fizer a cabeça de Jayadratha rolar sem vida na Terra terá a sua própria cabeça instantaneamente despedaçada. Vriddhakshatra mora perto daqui, na floresta, para onde se retirou em sua velhice."

"Compreendo." Lançando uma seta afiada como uma navalha, Arjuna decepou a cabeça de Jayadratha e, com outras flechas, mandou--a voando até cair suavemente nas matas ao redor de Kurukshetra, no colo de Vriddhakshatra, que estava sentado na Terra, do lado de fora de sua choupana na floresta, orando. Vriddhakshatra havia recolhido a sua mente do mundo, e nada percebeu. Após alguns instantes, retornou de sua meditação e levantou-se sem olhar para baixo uma só vez. Quando a cabeça de Jayadratha caiu de seu colo no chão, a de Vriddhakshatra explodiu em cem mil pedaços.

Sibilando como uma naja negra em sua carruagem dourada, Drona manteve os olhos em Yudhishthira como um gavião observa um pardal no céu. Seus olhos estavam rubros como o cobre; as flechas, aladas com penas e ouro, ostentavam o seu nome gravado. Com o canto dos olhos viu Drupada mirando contra ele e imediatamente lançou um dardo fatal de ouro e lápis-lazúli contra o rei Panchala. Drupada tombou, e foi como se um penhasco de pedra se estilhaçasse e desmoronasse vitimado pelo raio fuzilante do olhar de Drona.

Mas Drona havia desviado o olhar. Sob o estandarte vermelho, Dhrishtadyumna avançou sobre ele como sua própria morte; pulou da carruagem para o dorso dos cavalos de Drona, segurando sempre seu escudo sombrio, ornado com uma centena de luas de prata, e um sabre curvo, azul como o firmamento.

Vi um leão argênteo de olhos azuis que se aproximava, a bandeira de Bhima, e ouvi-o gritar: "*Aswatthaman foi morto!*".

As setas curtas para lutar de perto, conhecidas somente por Drona, caíram-lhe das mãos. Encanecido de dor e desespero, Drona liberou as armas celestiais que estavam a seu serviço e sentou-se, desconsolado, na carruagem, numa esteira de relva, sem portar arma alguma. O céu reluziu em toda parte com luz uniforme, e o Sol como que se perdeu. Quando olhei para trás, vi Dhrishtadyumna coberto de sangue, segurando a cabeça de Drona em sua mão esquerda.

"Não nos abandonem sem receber uma dádiva", gritou Dhrishtadyumna, e, com um berro pavoroso, atirou a cabeça no meio dos Kurus, que debandaram, aterrorizados. Seus soldados gritavam uns para os outros: "*Esperem, não fujam!*". Mas nenhum dos que proferiram essas palavras permaneceu em Kurukshetra.

Arjuna retornou e perguntou a Bhima:

"Aswatthaman foi morto?"

"Há um elefante com esse nome", respondeu Bhima. "Eu o matei."

"Por que Dhrishtadyumna o atingiu enquanto ele estava desarmado?"

"Sim", respondeu Dhrishtadyumna, "eu matei seu amigo Drona! Sim, pensando na verdade nós contamos a ele uma mentira!"

"Não posso conceber quem irá protegê-lo de Aswatthaman", retrucou Arjuna. Este e Krishna partiram sozinhos. Meneando sem parar a cabeça, enxugando as lágrimas do rosto, Arjuna voltou-se para Dhrishtadyumna e, embora nada dissesse, pensou consigo mesmo: "*Vergonha para você, que desconhece o que é ser guerreiro*".

Assim Drona foi morto, Dhritarashtra. Assim morreu ele, de pele morena e coberto de flechas; oitenta e cinco anos de idade, com os cabelos brancos caindo sobre os ombros; atingido mortalmente por uma mentira quando estava desarmado; morto em sua quadriga enquanto Bhima abraçava Dhrishtadyumna.

Aswatthaman perguntou a Duryodhana o que acontecera. Seu filho não conseguiu falar; pálido e trêmulo, fez um sinal para Kripa: "*Bendito seja; conte a ele*".

"Nossos homens fogem de onde Drona morreu", disse Kripa.

"Como foi isso?", perguntou Aswatthaman em pranto. De seus olhos caíam lágrimas de fogo, como gotas de breu pingando de uma tocha. "Como pôde alguém fazer isso?"

"Ele havia baixado as armas", disse Duryodhana. "Gritaram-lhe que você estava morto. Sem ele, somos agora como um céu sem estrelas; uma mulher sem um homem; um rio sem água. Nossos homens não cessarão de correr até alcançar seus lares, por mais distantes que estejam."

"Um homem deseja apenas que seu filho o supere", ponderou Aswatthaman. "Por isso Drona ensinou somente a mim o uso da arma que homem algum pode usar duas vezes e ainda viver." Aswatthaman olhou para as tropas Pandavas ao longe. "O peso daqueles homens sobrecarrega a Terra. Eu hei de aliviá-la."

Levou uma flecha ao arco.

"Você é o silêncio entre coisas secretas;
Em você, todo este mundo é enfiado,
como um colar de pérolas.
- Agora vá!"

Tocando primeiro as mãos em um pouco de água, Aswatthaman lançou uma mortífera seta de ouro incendiando-se pelo céu.

Sobre o exército Pandava caíram dez mil flechas com bocas de fogo e dez mil dardos em chamas; cem mil espadas, clavas e machados; um milhão de rodas afiadas como navalhas que giravam alucinadamente, e pesadas bolas de ferro que rugiam ao despencar.

"A arma de Narayana!". Krishna puxou Arjuna para fora da carruagem. "A todos, diga a todos que não corram; joguem-se na Terra, depressa! Nada de armas!". Krishna e Arjuna correram em direções opostas, por todas as falanges Pandavas, derrubando espadas e arcos, arrancando os homens de seus cavalos, carros e elefantes, até que todos estavam na Terra, desarmados, dizendo-lhes: "Não pensem em guerra. Mesmo que apenas lutem contra isso em suas mentes, morrerão".

Bhima não queria abandonar sua quadriga. E transformou-se numa labareda enquanto todas as armas caíam somente sobre ele. Mas Satyaki derrubou-o com uma vara comprida.

Por toda a planície de Kurukshetra os Pandavas estavam desarmados, com o coração em paz e o rosto voltado para longe de nós. Era a hora entre o dia e a noite quando a arma de Aswatthaman fracassou, quando o pálido sol vermelho recolheu o esplendor de nossas armaduras e brilhantes escudos, e ocultou toda a luz do seu próprio fogo até que a Terra e o céu tivessem a mesma cor.

Aswatthaman baixou o arco e caminhou lentamente noite adentro. Ele dizia:

"*Ah, será tudo mentira?*"

O LAGO ENCANTADO

Kalee, você ama a guerra; você é branca e
seus olhos têm a cor da fumaça; você é negra e
seus olhos são muitos; seus olhos são amarelos;
seus olhos são ouro. Você vive
escondida em lugares tenebrosos, e em
troca da vitória eu me curvarei diante de você
como um filho seu.

O homem que ousa conversar com a deusa
de madrugada não pode ter inimigos;
serpentes e todos os animais que possuem
garras e dentes, ele não os teme, como não teme
os reis. Se estiver preso, será libertado.
Vitória e riquezas lhe estão asseguradas.
Ele certamente superará todas as dificuldades.
Com saúde e vigor, viverá por uma
centena de anos.

Majestade, naquela noite, quando a lua nova pairava baixa no céu, com seu bordo vivo e radiante como o arco de Kama, quando os Pandavas arrancavam nossas flechas de seus corpos e banhavam-se, quando seus médicos lhes davam remédios e recitavam mantras sobre seus ferimentos, Karna entrou na tenda de Arjuna, e Krishna disse:

"É pecado não matar aqueles que merecem!"

"Nenhuma sentinela veio com você?", perguntou Arjuna.

"Por que veio aqui vestido com sua armadura e armado com sua espada?", disse Krishna.

"Vocês esquecem que eu os conheço", respondeu Karna. "Tudo conhecendo, por que ainda tentam ludibriar-me?". Tocou o punho de sua espada e disse a Arjuna: "*Se não tiver medo, encontre-me amanhã na planície de Kurukshetra, e lute comigo*".

E Arjuna, tocando a sua própria espada, retrucou:

"*Nobre guerreiro seja paciente: terei prazer em matá-lo*".

Sentados como deuses em leitos de pele de tigre incrustados de pedras preciosas, os Kurus estavam reunidos na tenda de Duryodhana quando Karna voltou e disse:

"Esta noite escura é como um século, é como a noite mortal do mundo. No campo de batalha, os cadáveres decapitados mantêm-se eretos sobre os tocos que restaram de seus corpos, tateando às cegas em busca de seus assassinos".

Aswatthaman disse a seu filho:

"Bharata, você viu minha arma falhar. Jamais poderemos vencer. A guerra é uma desonra, Duryodhana. Permita-me conversar com Arjuna. Reparta Kurujangala com eles".

Não consigo enxergar o fim das nossas misérias e desgraças, como alguém a se afogar não consegue enxergar a orla do oceano.

"Meus noventa e oito irmãos, com suas bandeiras rubras de seda e suas túnicas vermelhas, foram mortos hoje por Bhima, por flechas de ferro polidas em rocha", disse Duryodhana. "Vasto era meu exército... no princípio. Para onde foram todos? E como nos sobreveio esta batalha? Onde estão os Kurus agora? Aswatthaman: *Quem?*"

"Que seja Karna, então!", exclamou o filho de Drona.

"A Bhishma mataram com um engodo de Drona, com uma mentira", disse Karna. "Por isso os filhos de Kunti estão todos vivos, ao passo que os Pandavas macularam-se para sempre, como a Lua. Mas tenham em mim o seu refúgio! Que cesse a febre em seus corações: amanhã enfrentarei finalmente Arjuna e, se eu viver, matá-los-ei a todos."

Todos os nossos corações se voltaram para Karna; Duryodhana imaginou Arjuna já sem vida, e sentiu-se como que renascendo após a morte. Apenas eu sabia que Karna pensava consigo mesmo: "Já estou morto; Arjuna será apenas o meio".

Água perfumada com mantras, ervas e flores foi derramada sobre Karna de transbordantes vasos de ouro e jarros de barro, de presas de elefantes e de chifres de touros, para empossá-lo como nosso general. Vieram brâmanes e disseram-lhe: "Eles não podem olhar para suas flechas voláteis, assim como as corujas não podem olhar para o Sol. Aniquile os Pandavas, Krishna e todos os seus seguidores". E, com vistas à vitória, seu filho ofertou a Karna ouro, um colar de prata com um ornamento para o peito e dez mil vacas.

Belo e claro, com seus cabelos crespos amaciados, umedecidos e escurecidos pela água sagrada, Karna disse:

"Duryodhana, darei pelo senhor o meu sopro de vida e o meu corpo, tão difíceis de dar. Que eu possa ver seu reino como uma flor liberta de espinhos. Quem senão eu tem alguma chance de salvá-lo? Não temo o combate, pois vislumbrei como o mundo é impermanente e sofre contínuas transformações. Contudo, agora, com Drona morto e Bhishma à morte, quem pode ainda acreditar que o Sol voltará a raiar? Estamos abandonados. Esta é a hora de prantearmos todos vocês, os Kurus e a Terra".

"Meu amigo, estes inimigos eu escolhi", disse Duryodhana. "Não lhes guarde afeto no coração, como Drona, que em troca só provou a sua traição."

"Não foi assim, Majestade", retrucou Karna. "Ele deu o melhor de si ao lutar pelo senhor, e jamais houve falta alguma nele."

"Mas ele permitiu que Arjuna penetrasse em nosso exército; e não capturou Yudhishthira."

"O que há de espantoso nisso? Vendo como o destino nos derrota em todos os nossos empreendimentos, quantos não morreram e nos deixaram? Onde está nossa juventude, quando podíamos realizar tudo o que desejávamos? Onde está a primavera deste ano, agora que já se aproxima o inverno? É verdade, eu creio, que o Tempo permanece em vigília enquanto o mundo paira adormecido, absorto em seus próprios fins."

"Assim é", disse Duryodhana. "Há aqueles que os deuses amam, que têm sempre a certeza do sucesso e da felicidade. Não possuem mais inteligência que o resto de nós, em nada são melhores, mas sempre vencem, enquanto os outros fracassam. A boa fortuna os segue ao caminharem e também ao correrem, e permanece ao seu lado como sua própria sombra enquanto dormem."

Seu filho manteve-se em silêncio por algum tempo. E então, instigado pela Morte, preso na teia do passado, disse:

"Mas assim não nasceram. Nossa sina e nosso destino podem mudar a qualquer momento. Por que deve haver restrições sobre quem quer que seja? Por que não se há de ser livre para fazer o que se quer? Digam-me agora: o que é necessário a nós, e o que é ainda mais necessário?"

Quando a Aurora imortal havia permeado as vastidões, as profundezas e as altitudes com seu brilho, na quarta manhã, vi o céu sobre Kurukshetra tão apinhado com os deuses que haviam vindo para nos observar que suas carruagens celestiais atravancavam-se umas às outras. Com suas mãos marcadas pelas rodas do trovão, Karna retesou o arco Vijaya, que só ele conseguia vergar. Atou guirlandas de flores de ferro negro e sem vida em sua quadriga e fez do rei Salya o seu auriga, para contrabalançar Krishna, e encheu uma segunda carruagem de longas flechas com penas de abutre, para contrabalançar as aljavas infalíveis de Arjuna.

Os braços de Karna estavam rubros de pasta de sândalo; campânulas azuis e douradas pendiam de seus ombros. Montou em sua quadriga carregando o dardo alado de Indra, guardado à parte, em meio a serragem de sândalo, numa comprida arca de ouro, o dardo fatal que Karna adorara durante um ano com velas, contas e alimentos consagrados, flores e incenso, e que há muito reservava para a morte de Arjuna. Suas álulas refulgiam como o sol; tê-lo nas mãos era doce como a infância relembrada; enfrentá-lo, amargo como o Tempo.

Olhamos para ele como para uma Árvore dos Desejos. Karna aterrorizou até a mim, mas difícil foi conter-me de gritar: "*Não vá!*", enquanto o seguíamos pelo campo de batalha em silêncio, sem música, caminhando por entre os mortos que jaziam na Terra como resquícios de fogo, parecendo ainda viver. Então Karna parou, com sessenta milhões de flechas de ferro, aço, madeira e prata, com pontas aguçadas, farpadas ou fendidas, ou moldadas como o dente do bezerro, ou a orelha do javali, ou um crescente, ou a cabeça de uma serpente ou de um sapo.

Karna inclinou-se e disse a Salya:

"Quem há de vencer? E quem há de abraçar a Terra pela qual morreu, não mais desejando-a? Nem a ventania das tempestades pode mover as montanhas; e mesmo as ondas do mar morrem na praia. Avance um pouco mais e espere por ele".

Perto de sua tenda, Arjuna colocou flores em sua armadura e sorveu profundamente de um cálice de vinho até que seus olhos reluzissem como o diadema em arco de sua testa. Tocou num espelho brônzeo, que lhe devolveu em dobro as forças, e prendeu ao corpo os braceletes da boa fortuna, as joias perfeitas e as ervas revigorantes seladas em cápsulas douradas, mantidas juntas por correntes de prata.

Arjuna montou em sua quadriga, e Krishna dirigiu os cavalos branco-prateados de arreios perlados em direção a Karna. A um sinal de Dhrishtadyumna eles pararam, longe de nós, e todos juntos ficamos a observar, ao lado dos ascetas da floresta, que se sentavam no limiar da mata e da planície, debaixo de todos os deuses do céu.

Karna bateu com força em sua axila, e Arjuna retribuiu-lhe a saudação. O céu enublou-se, ocultando Arjuna com névoas e brumas; nuvens relampejantes, mais altas que montanhas, pairavam sobre todos; trovões rolavam pelo firmamento. A chuva e o orvalho do Senhor Indra caíam suavemente. O arco-íris de Indra resplandecia sobre Arjuna, e as carregadas nuvens negras pareciam rir quando bandos de garças brancas voavam através delas. Arjuna retesou seu arco e sussurrou para Krishna: "Ainda caminharemos juntos, você e eu?". E Krishna respondeu: "Ah, cale-se!".

E então Surya incendiou enfurecidamente as nuvens, banhando Karna na luz do Sol que fulgia em sua armadura e em seus brincos, dançando como fagulhas de fogo colorido e raios incandescentes de ouro líquido. Arjuna gritou-lhe:

"Se sou um conviva digno, conceda-me a hospitalidade da batalha".

"Sinto-me honrado", bradou Karna. "Jamais haveria de expulsá-lo!"

Os cavalos de Arjuna ainda marchavam devagar, quando, subitamente, a carruagem de Karna avançou em disparada contra ele pela planície, fazendo estremecer a Terra sob suas rodas. E sobre aquele hóspede benquisto Karna lançou simultaneamente um milhão de flechas, para perfurar-lhe a armadura, como a caridade de um anfitrião perfeito que oferece toda a sua casa ao viandante. A própria Morte teria sentido a dor daquelas setas.

Arjuna dançava em sua quadriga como Shiva dança coberto de sangue, à noite, na boca do desfiladeiro onde se queimam cadáveres. Bateu palmas e fez-se a escuridão, mas ainda podíamos distinguir o reluzir da corda do seu arco enquanto ele a esticava até a orelha. E pensei: "Eis que agora as setas são como os dados, e o arco Gandiva é como o seu receptáculo. Quem mais poderá perdoar o que Arjuna perdoa? E de quem será a ira mais insuportável?".

Do céu caíram enormes matacões sobre Karna, mas ele esmagou e estilhaçou esses blocos de pedra com suas flechas, e triturou-os em grânulos brilhantes e candentes de areia que chuviscaram no céu noturno. Cercou Arjuna com chamas crepitantes e, por meio dessa arma, as túnicas dos guerreiros Pandavas se inflamaram, embora estivessem distantes, e a Terra toda foi causticada e enegrecida. Estavam prestes a fugir correndo quando Arjuna rapidamente proferiu um mantra e o fogo desapareceu, deixando-os submersos em água gelada até os ombros.

Do arco de Karna um abrasador vento do deserto fustigou a planície, secando a água. O Sol voltou a brilhar; o vento sumiu em remoinhos; não havia sinal algum do fogo, nenhuma areia caída, e estávamos todos novamente como havíamos estado no início.

As flechas brancas de Arjuna, com as álulas de plumas de pavão a arder, perfuraram Karna, como serpentes de pele nova e cabeças arredondadas penetrando na Terra. Mesmo com uma seta fincada na testa, Karna cortou a corda do arco Gandiva com um estalo que fez doer meus ouvidos. E por alguns momentos os dois guerreiros, em perfeito equilíbrio, encheram de morte o céu com flechas longas, flechas grossas, flechas curtas, enquanto os deuses às vezes exclamavam: "*Excelente, Karna!*", e outras vezes: "*Excelente, Arjuna!*". De tarde, exaustos, os dois pararam para descansar sob a sombra de suas flechas entrelaçadas no céu, encarando-se mutuamente, enquanto as Apsaras celestes os abanavam com folhas tenras de palmeira e borrifavam sobre seus corpos refrescante água de sândalo.

Em seguida, Arjuna deu novo início ao combate. Antes que Karna pudesse replicar, o Tempo disse a ele, imperceptivelmente: "*A Terra está devorando suas rodas!*". A carruagem de Karna tombou para a esquerda, e a roda daquele lado travou. Quando o filho de Surya desceu da quadriga e começou a puxar o cubo do eixo apoiando os pés no chão, a Terra que lhe tragara a roda elevou-se quatro dedos, e com ela as suas sete ilhas e suas montanhas e águas e florestas; mas a roda não se soltou.

Karna percebeu então que Arjuna fazia pontaria contra ele. Chorou de raiva, e disse:

"Estou a pé e desarmado. Agora espere, Arjuna; não seja covarde". Arjuna, contudo, não pretendia esperar, e Karna ponderou: "Agora minha vida corre perigo". Abandonando sua luta contra a Terra, pulou para dentro da quadriga e abriu a comprida arca.

Karna sacudiu o pó do dardo Naikartana; trovões ribombaram novamente no céu límpido e cristalino; as criaturas, todas que puderam, fugiram aterrorizadas. Eu também corri, mas, mesmo assim, vi a lança pontiaguda, polida e com sinetes dourados na mão de Karna, inspirada com ira e fúria, capaz de destruir tudo o que viesse pela frente. E, antes que Arjuna pudesse pensar, Karna lançou o dardo, gritando: "*Arjuna, você está morto!*".

Aquele choque fez ruir estrondosamente a treliça de flechas. A lança de Indra cuspia chamas de suas álulas; havia fogo vivo envolvendo-lhe a ponta; e sua velocidade aumentava sem parar, rasgando o ar com estrondo, apontada diretamente para o peito de Arjuna.

Krishna fincou violentamente o pé no chão, de tal modo que a quadriga de Arjuna afundou na Terra e os cavalos tombaram. A aterradora lança despedaçou o diadema de raios que havia na cabeça do maior dos arqueiros e, em chamas, voou para uma constelação estrelada no firmamento. A coroa de Arjuna, guardiã e fragrância de seu dono, jazia partida na Terra.

Encharcados de sangue, os longos cabelos de Arjuna caíam-lhe sobre o rosto e as costas. Labaredas ardiam de todos os poros do seu corpo. "*Ah, que isso o mate!*", exclamou ele em prantos, lançando de seu arco Gandiva uma flecha indomável como um Rakshasa à noite, uma seta de ponta chata em crescente, afiada como uma navalha e larga como duas mãos espalmadas.

No instante em que Karna tombava com a cabeça decepada, tombavam nossas esperanças e nosso orgulho, nossa fama e nossa felicidade, e também nossos corações. A cabeça de Karna relutava em abandonar o corpo, como o dono de um tesouro reluta em deixar toda a sua riqueza, mas Arjuna era o vitorioso. Karna jamais supôs que a lança de Indra pudesse falhar e, assim, não se protegeu.

A roda se soltara da Terra, e Salya levou embora a carruagem vazia. Anoitecia; os metálicos tambores soturnos do céu rufavam intocados na atmosfera, e Surya, eternamente bondoso com seu filho, tocou no corpo de Karna com seu derradeiro raio e desapareceu, carmim de dor e agonia, atrás dos montes crepusculares. Os deuses retiraram-se do firmamento, e a vitória nos deixou para sempre.

Duryodhana chorou: "Oh, Karna...", e Arjuna atou na cabeça um pano branco. Yudhishthira dirigiu-se até Karna e perguntou-se, perplexo: "Quem era ele?".

Seu exército, Majestade, era um campo de morte. Estávamos todos pálidos, prontos para fugir novamente; nossas bocas estavam secas e não havia nada além da erma vastidão diante de nossos olhos inquietos. Nem um só homem desejava ainda lutar pelo senhor. O inimigo não se mexia, mas encarava-nos fixamente em silêncio, enquanto esmoreciam os últimos filetes de Sol e o vento gemia em meus ouvidos: "*Ai...*".

De ambos os exércitos, nós nos reunimos em torno de Karna à luz de lampiões. Ele ainda era belo para nós, ainda era assustador para eles, pouco mudara. Por um momento, os rios deixaram de correr, e todos sentiram uma pontada no coração. Duryodhana veio, e depois partiu lentamente em sua carruagem, relanceando para trás muitas vezes, para a quadriga de Arjuna, e também para Kurukshetra, forrada de garras de ferro ainda presas a mãos decepadas, martelos e dardos dentados, cangas, lâminas e correntes, lanças e rodas partidas, espadas, argolas e setas tintas de sangue, e sinos, e flores mortas e cabeças degoladas com brincos reluzentes de cristal, as bocas escancaradas cheias de sangue coagulado.

Com a cabeça recurvada, Duryodhana nos disse:

"Quem pode vencer sempre? A lança malogrou, como as esperanças de um desgraçado. Mas agora, e pelo resto da noite, descansem".

Yudhishthira disse a Arjuna:

"Não posso crer que o guerreiro mais poderoso de todo o mundo esteja morto. Há treze anos não durmo sem pensar em Karna".

A suave brisa noturna trazia o odor da Terra e de suas plantas verdes; a quietude do entardecer tornou-se o silêncio da noite; e sob as estrelas, o corpo de Karna enrijecia e enregelava-se.

Num vau do Ganges, encontramos Duryodhana. Kripa, sem descer da carruagem, disse-lhe:

"Flores regadas a sangue germinam no campo de batalha. Tudo é morticínio. O que nos resta fazer, a nós que estremecemos ao vento?"

Duryodhana estava a pé; jogou a cabeça para trás e respondeu, numa voz monótona:

"Não, não consigo suportar a ideia de que Karna esteja morto. Algum mago teria lançado nosso reino ao fogo?" "Kaurava, um homem pode morrer por sua família, uma vila pode arder por um reino – mesmo assim, relegue os três mundos para salvar o seu próprio ser! Você, por acaso, sabe onde está? Rompa com esse ser, e tudo estará perdido, sem refúgio."

"No jogo de dados, Draupadi era jovem e morena, sua pele era quente no inverno e fresca no verão; mas eu disse a ela: 'Escolha um de nós e não precisará de cinco maridos. Ou, como uma corça coberta de suor, estará livre para chorar ou por algo ansiar!'. Kripa, você estava lá, lembra-se daquele insulto terrível como a consciência? Ela jamais me perdoará."

Então chegou Salya, célere como um deus voando para haurir a fumaça espessa de um sacrifício, e disse:

"Em minha fúria posso partir a Terra, dissipar as montanhas e dilacerar os mares. Deixe que eu lidere suas tropas amanhã, pois eu tranquilamente mereço isso e muito mais. Minha vida é sua, Majestade...

mas perdoe-me, não é correto exaltar-se ou humilhar-se diante dos outros".

"Muito tempo atrás", disse Duryodhana, "você advertiu Bhishma: 'Você não deve dizer: 'Dê-me sua irmã', e assim ele comprou Madri com ouro. Odeia ainda os filhos de Madri?"

"Não mais. Mas aqui estou, às margens de um rio, acorrentado pelo desejo, incapaz de me modificar ou de me libertar."

Após espargirmos água sobre Salya, dele recebemos coragem. Nossos rugidos de leão cortaram a noite, que passamos rindo e cantando. Eu pensei: "Ainda outra vez...". Duryodhana disse: "Ninguém lutará sozinho amanhã. Quem quiser partir, que nos deixe agora", mas ninguém se foi. No acampamento dos Pandavas, Krishna dizia a Yudhishthira: "Somente você poderá deter Salya".

Ontem, na quinta manhã, Salya dirigiu-se a nós:

"Enfrentem os Pandavas e seus companheiros e, após matá-los rapidamente, deixem o campo de batalha!"

Sakuni veio até mim a cavalo e disse, de modo que Duryodhana ouvisse:

"Precisamos de todos os homens; eu o comandarei".

Duryodhana sorriu. "Sanjaya não é do exército. Ele em nada poderá ajudá-lo agora."

"Faça o que eu digo!", gritou Sakuni para mim.

"O quê, ó Senhor, preparar o seu funeral?", indaguei.

Duryodhana gargalhou, contente.

"Adorado jogador, você agora deve lutar", disse ele. "Não houve derrota em nosso jogo, mas agora será o que deve ser... a menos que sinta medo, sem os seus dados."

Sakuni partiu, e Duryodhana me abraçou.

"Muito bem, Sanjaya!", exclamou. "Mas a morte não se curva diante dos corajosos. Se quiser, use hoje, por mim, uma de minhas espadas, leve um escudo como couraça, e fique atento, enfrentando o inimigo." Ainda sorrindo consigo mesmo, Duryodhana subiu em seu elefante e sentou-se sob sua bandeira dourada, ornamentada com sinetas de ouro e a figura de um elefante de pedras preciosas.

"Majestade, não parto para uma guerra sem armas, de modo que busquei minha espada e meu arnês, enquanto Dhrishtadyumna aguardava no campo de batalha, chefiando o exército de Yudhishthira. Seu filho Yuyutsu nos enfrentava brandindo um singelo estandarte dourado; vi a bandeira de Yudhishthira, com uma lua dourada e todos os planetas ao redor, e logo abaixo, no mastro, dois tambores e muitos chocalhos. Vi o leão de juba dourada sobre fundo branco de Satyaki; o cisne argênteo de Sahadeva; e o belo Sarabha do Himalaia, de oito pernas e quatro olhos e com o dorso de ouro, no pendão de Nakula."

O carro de Salya ostentava a sua bandeira, com um elefante de prata e quatro pavões dourados soltando gritos estridentes de vitória, amarrados ao mastro com espigas de trigo. Ele se postou defronte de Dhrishtadyumna; os aurigas guerreiros fizeram soar suas conchas alvas como a Lua; os arqueiros gritaram; e as mulheres tornaram-se viúvas quando o sangue selou o pó da Terra.

O carro de Dhrishtadyumna avançou velozmente, mas a um olhar de Yudhishthira sua roda direita travou de pavor e o veículo rodopiou para o lado. Yudhishthira guiou sua quadriga, diretamente contra Salya, com os tambores do seu mastro rufando como o trovão. Ele, que sempre consideramos tão meigo e inofensivo, estava trágico e selvagem, com os olhos esbugalhados de fúria; partiu o arco de Salya e arrancou as rodas de sua carruagem. Salya brandiu a espada e pulou para o chão, segurando um escudo azul-escuro com mil estrelas adamantinas que parecia um fragmento redondo do céu noturno. Correu até Yudhishthira, mas o rei Pandava atirou-lhe uma lança de aço e coral estridulante de sinos, cuja própria sombra era fatal a todas as formas de vida. Salya tentou agarrá-la como se fosse uma labareda solta no ar, mas a lança atravessou o escudo, perfurou o seu peito e mergulhou na Terra como se em água, desaparecendo com desdém. A Terra, pelo amor que tinha a ele, ergueu-se ligeiramente para ir de encontro a Salya, que tombava banhado em sangue e sem vida. Ela recebeu-o como uma esposa ansiosa em seu leito, à noite, recebe o marido adorado.

Com o intuito de detê-lo, Sakuni, portando uma comprida e fulgurante lança, subiu em seu cavalo montês com um peitoral de prata e abriu caminho pela retaguarda dos Pandavas, onde carruagem alguma podia mover-se por entre os destroços do campo de batalha. Sahadeva e Nakula deixaram seus carros e montaram em dois cavalos cujas crinas e caudas eram azuis como a penugem do pavão, um escuro como a noite, outro alvo como o dia. Sahadeva, usando uma luva negra na mão que brandia a espada, foi o primeiro a aproximar-se de Sakuni, enquanto seu irmão gêmeo chegava um instante depois. E, embora eu tenha fechado os olhos, vi o jogador tombar, cortado em três pedaços por aquelas duas espadas.

Ainda de olhos cerrados, vi lanças sibilando pelo céu; picanços de cauda bifurcada e corvos passaram voando à nossa esquerda. Cabeças e corpos caíam com um ruído suave, como frutos maduros de uma árvore balouçante. Vi novamente fagulhas cobrirem Bhima, que obrigava nossos homens a mergulhar na Terra lamacenta, rindo docemente e dizendo: "O que mais posso fazer por vocês?". Para cada Kuru morto por Bhima, outro sucumbia de medo ao ver o primeiro morrer. Os que não morreram tombaram; suas armas caíam de suas mãos; balbuciavam debilmente e fitavam ao redor com olhos semicerrados; e fugiam correndo, uivando: "*Este não é humano!*".

Abri os olhos.

Olhei, e vi, por um momento, guerreiros esvaindo-se em sangue, paralisados; e então, em seu lugar, vi surgirem gigantescas árvores ixoras, que tombavam, vermelhas, dos bosques celestiais. De repente surgiram elefantes, deixando cair suas couraças despedaçadas, mas logo foram substituídos pelos plúmbeos Himalaias sem nuvens do inverno. Eis que então corria um rio de sangue; e logo flechas perfuravam o rosto de alguém – e pude então vislumbrar os rios pluviais escarlates das montanhas, e abelhas pareciam devorar um lótus em busca de sua doçura.

A Terra era uma mulher marcada pelo amante, o solo coberto de estrelas e planetas serenos despejados dos céus, ao findar o seu mérito. Eis que então eu ouvia gritos de dor; e logo o riso meigo das Apsaras e o tilintar de seus colares de joias sobre os seios. No ar. Eu as via recebendo os mortos no céu; na Terra contemplava os moribundos sendo carregados, irreconhecíveis; e via aqueles que os carregavam voltando, e voltando ainda outra vez.

Senti o perfume das Apsaras e das flores do seu desejo, e lamentei e chorei não haver ninguém diante de mim que eu pudesse matar para elas. Senti o cheiro de sangue tão fresco que procurei ferimentos em meu próprio corpo, e também um caminho para escapar de Kurukshetra.

Tudo isso percebi mais rapidamente do que posso narrar, Dhritarashtra. Mais depressa que as flechas voando tão próximas umas das outras que as de trás roçavam nas penas de garça das que iam à frente; mais depressa que as quadrigas das quais se disparava uma flecha e, após uma légua, seta e carruagem chegavam juntas. O fascínio do horror deixou-me em transe enquanto todas as leis da guerra eram quebradas aos meus pés: aurigas e animais eram mortos; guerreiros deixavam de anunciar seus nomes e de berrar advertências até mesmo aos que estavam desarmados; cavalos atropelavam soldados a pé; carruagens eram esmigalhadas por elefantes, e as quatro divisões dos exércitos lutavam contra todos. Sei que conhece essas regras, Bharata, todavia elas não foram cumpridas pelo sangue de homens arrastados à carnificina por tudo o que acontecia ao seu redor, homens que desconheciam se suas vítimas eram amigos ou inimigos. E não nos restava tempo para nos ocuparmos de questões tão ínfimas.

Nosso exército tornou-se então um rio perdido nas areias do deserto. Os Kurus olharam uns para os outros e para Duryodhana, e pensaram: "O rei não deveria lutar só, ignorando-nos, mas... é a mim que Arjuna persegue; sou eu quem ele caça!". E Dhrishtadyumna matou com suas flechas o pequeno número que restava de nossos homens, que portavam apenas espadas ou nenhuma arma, e que, a pé, estavam incapacitados de alcançar seu filho.

Quanto a Duryodhana, só consegui vislumbrá-lo; embora muito ferido, ainda vivia. Notou que em toda a sua volta só havia inimigos, mas dentre todos eles era o único homem. Não sentiu medo algum, perda alguma. Não vacilou e, para qualquer homem do exército Pandava que eu olhasse, eu o via atingido por uma das flechas de Duryodhana ou pelas lanças arremessadas pelo elefante de seu filho. Nem uma vez precisou atirar uma segunda flecha para atingir a vítima; ninguém conseguia aproximar-se dele. E era, sozinho, o alvo da mira dos Pandavas, sem ter ninguém a seu lado.

Quando teve seu arco partido, pôs-se a quebrar as flechas inimigas com a espada. Seu elefante pereceu enquanto ele o cavalgava, e eu o vi saltando qual pantera de um galho, brandindo, de pé, apenas a clava envolta em cânhamo, e depois desaparecer na floresta.

Os Pandavas atravessaram correndo o campo de batalha até chegarem ao nosso acampamento. Dhrishtadyumna e Satyaki estacaram perto de mim em seus carros de guerra, e Dhrishtadyumna perguntou: "De que vale mantermos Sanjaya vivo, mesmo que por um só instante?". Gargalhou e sacou sua espada.

Apavorei-me e senti-me como um pecador no Inferno, mas percebi que, ao enfrentar-me, Dhrishtadyumna estava fraco como areia úmida. Jamais vira isso acontecer com ele. Parecia amortecido e não conseguia raciocinar. Nem um só passo recuei, mas ergui minha espada de cabo de marfim, sorrindo para ele: "Venha a mim, Panchala!".

Ouviu-se o trovão de outra carruagem que chegava por trás, e voltamo-nos para ver Arjuna e Krishna.

"Não mate Sanjaya, de modo algum", disse Krishna. "Liberte-o, pois está aqui sob a proteção de Vyasa."

"Não estou vendo Vyasa", respondeu Dhrishta dyumna, "e não preciso de Sanjaya."

Olhei para Narayana e pensei: "Por favor, Senhor! Deixe-o tentar!".

Mas Satyaki desceu de seu carro e juntou suas mãos às minhas, dizendo:

"Paz a você, Sanjaya. Pode partir. Dê-me a sua espada".

"Sou eu que comando este exército!", vociferou Dhrishtadyumna.

Com um suspiro, dei a Satyaki aquela espada que eu jamais manchara com sangue e comecei a tirar minha armadura. Satyaki, sem erguer os olhos para Dhrishtadyumna, respondeu-lhe:

"Dentre todos os homens, só a Krishna obedeço; e se minhas ações lhe desagradam, lute comigo, então".

Krishna olhou duramente para Dhrishtadyumna. Depois seus olhos cruzaram com os meus, e ele sorriu. Da quadriga de Arjuna tirou uma lança e, brandindo-a, disse: "Dhrishtadyumna, coloco toda a ira de Deus contra Sanjaya nesta lança", e arremessou-a para o céu. Ela ascendeu, e depois começou a cair, em chamas; o fogo espalmou o ar e Krishna curvou a cabeça sobre as mãos, enquanto os outros viravam e escondiam o rosto. Mas eu nada senti e, quando a lança caiu sobre mim, desapareceu; em seu lugar restou apenas uma guirlanda de flores em torno do meu pescoço.

E assim os deixei. Atravessei nosso acampamento e pus-me a caminhar de volta pela estrada que leva a Hastinapura. Nossas sentinelas, nossos velhos e nossas mulheres passavam correndo por mim rumo à cidade. Os camponeses haviam largado suas terras, com medo de Bhima. Yuyutsu chorou ao ver aquele êxodo, e pensou: "Senhor, eles fogem por todos os cantos. Duryodhana está morto, e eu sou o único filho de Dhritarashtra".

Yuyutsu procurou Yudhishthira e disse:

"Peço sua permissão para escoltá-los até a cidade".

"Estou cansado. Daqui sairei amanhã."

Yudhishthira aquiesceu: "*Está bem*". E o carro de guerra de Yuyutsu partiu rasgando a Terra. Ao passar por mim pediu que eu o acompanhasse, mas ponderei: "Dhritarashtra espera por mim e ainda falta algo ou alguém". E prossegui a caminhada sozinho. Por toda a minha volta mulheres choravam, soltando suas tranças, lacerando-se com as unhas ou com pedras, batendo as mãos contra o peito, correndo, tombando ao chão e montando, pasmadas e silentes, em carros puxados por mulas. Mas logo sumiram, e eu fiquei só.

Bharata, não caminhara muito ainda quando vi uma armadura luzindo nas matas ao longo da estrada. Fui até as árvores para ver quem era. Lá encontrei Duryodhana, sozinho com sua clava, terrivelmente ferido por um sem-número de flechas. Seus olhos estavam tão cheios de lágrimas que não conseguia ver-me à sua frente. De início não pude falar, tamanha a tristeza, e simplesmente fiquei a olhá-lo, sem ele perceber. Mas finalmente disse:

"Eu sou Sanjaya. Fui capturado por Dhrishtadyumna e depois libertado por Krishna. Os Pandavas estão todos à sua procura, não sei por onde".

Duryodhana tocou minha mão.

"Não tive notícias de amigo algum, exceto de você, auriga. Todos os outros devem estar mortos. Aqui perto há um lago coberto de pássaros e flores; leve-me até lá para que eu descanse em suas profundezas."

Com seus poderes ilusionistas, Duryodhana encantou as águas, criando para si um espaço entre elas. Depois de mergulhar não podia mais ser visto, e o aspecto do lago em nada diferia do que era antes.

Três carruagens surgiram silenciosamente por entre as árvores, e vi Kripa, Kristavarman e o filho de Drona. Aswatthaman me abraçou.

"A boa sorte o manteve vivo, Sanjaya. Onde está nosso rei Duryodhana?". Apontei para o lago. "Ó infortúnio!", exclamou. "Ele não sabia que estávamos vivos, perdidos dele na batalha."

E ergueu a voz:

"Nós três estamos aqui, Majestade. Ao seu lado poderemos voltar para continuar a luta".

De dentro do lago, Duryodhana retrucou:

"Estou cansado. Daqui sairei amanhã".

"Mas eles também estão exaustos e, na maior parte, mortos ou feridos. Não deveríamos demorar."

"Jamais esperaria menos de vocês!", exclamou Duryodhana. "Mas encontrem-se comigo aqui amanhã. Sanjaya, se eles não puderem vir, diga a Dhritarashtra que seu filho se entranhou nas profundezas de um lago."

Alguns caçadores, porém, que todos os dias levavam carne para Bhima, passavam por acaso pela floresta e, ao verem Aswatthaman gritando para um lago vazio, murmuram entre si:

"Silêncio! Por que havemos de trabalhar dia após dia, encurtando nossas vidas?"

Foram até Kurukshetra e, mesmo impedidos pelos soldados, aproximaram-se e disseram a Bhima: "*Ele está lá*". E receberam em troca todos os seus sonhos de riquezas, enquanto Arjuna dizia: "Não o perdemos; e agora podemos pôr um fim a esta guerra".

Quando ouvimos o barulho que faziam, Aswatthaman disse:

"Cheios de júbilo, os Pandavas vêm para cá. Abandonaremos, portanto, este lugar. Saiba disso, Duryodhana".

E seu filho respondeu:

"Assim seja".

Com um só braço, Kripa me pôs em sua carruagem. Buscamos um esconderijo bem longe, e ficamos imaginando: "Duryodhana jaz no fundo do lago, e os Pandavas vieram. O que haverá de acontecer?".

Era o fim da tarde. Yuyutsu acabara de entrar em Hastinapura. Vidura estava sentado chorando e, numa voz estrangulada, perguntou:

"Por que voltou sem Duryodhana?"

"Com a permissão de Yudhishthira", respondeu-lhe Yuyutsu, "vim protegendo as viúvas que fugiam em pânico depois que Duryodhana desapareceu a leste da planície dos Kurus."

Vidura levantou-se.

"Ótimo. Nossa honra repousa agora sobre a sua compaixão. Eu ainda o verei novamente! Não procure o rei, nem volte hoje a Yudhishthira. Você, Yuyutsu, é o único cajado que temos para nos ajudar a caminhar."

Yuyutsu retornou então à sua própria casa. Criados e brâmanes o receberam com cânticos de louvor que o magoaram; naquela noite ele não dormiu, pensando na inevitável e terrível destruição dos Bharatas pelas suas próprias mãos.

A NOITE

Riqueza e poder passam como um sonho,
A Beleza esvaece como uma flor
E a Vida longa se vai como uma onda.

Não sou um palhaço,
Não sou uma linda mulher,
O que tenho a fazer nos palácios dos reis?

"Após ter cruzado um oceano, haverei de me afogar numa poça de lama à beira da estrada?". Bhima bateu sua clava octogonal sobre o lago. A água estava fresca e transparente, mas Duryodhana solidificara-a por meio de uma maravilhosa ilusão. Nem Bhima, nem mesmo Krishna podiam entrar.

“Vejam como ele encantou as águas!”, disse Yudhishthira. “Ele não tem o que temer de homem algum.”

“Ele é a alma da ilusão”, respondeu Krishna, “um adepto, e é por meio da magia que terá de destruí-lo. Essa é a verdade. Aceite o auxílio dos atos e das adjurações.”

“Duryodhana”, perguntou Yudhishthira, “por que fez isso com a água, e que coragem é essa que o obriga a esconder-se de nós agora?”

“Já que estão tão surpresos por ser o medo capaz de penetrar no coração, por que não quebram meu encantamento?”, disse Duryodhana.

“Não entre em conluio com a desgraça”, advertiu Yudhishthira. “Lute comigo ou com um de meus irmãos pela posse de Kurujangala.”

“O que haverei de querer com esse reino viúvo e dilapidado, indigente e destituído de cidadelas? Após repousar partirei para a floresta. É tudo seu, Bharata. Mas ainda gostaria de derrotá-lo antes de ir-me.”

“Qual é o rei que entrega seu reino só porque está cercado pelos seus inimigos?”

Duryodhana, que por orgulho não podia suportar o brilho do próprio Sol, agitou os braços e respondeu:

“Por tudo o que fiz a vocês, o que vocês alguma vez conseguiram fazer contra mim? Eu os fiz meus servos, servos que se escondiam de mim apavorados e cheios de disfarces. Como os dias do ano vindo de encontro às estações, eu os enfrentarei um a um. Yudhishthira, arbitre a luta. Um não poderá lutar contra muitos”.

“Não”, disse Yudhishthira. “Eu sou um xátria, muito cruel, sem a menor compaixão; exíguo é o meu coração: para mim não há certo ou errado; quando enfrento qualquer dificuldade, pouco me importam os próprios portões do paraíso. Mas escolha uma arma.”

“Tenho uma maça e uma funda”, disse Duryodhana de dentro do lago.

“Tome então um arnês.”

“O meu é de ouro temperado, Bharata!”. As águas sólidas estilhaçaram-se e derreteram-se num só fluido. Ondas rolaram para todas as margens e, como um elefante saindo de uma lagoa repleta de lótus, Duryodhana, encharcado de água e sangue, rompeu a superfície e caminhou até a orla do lago, defrontando Yudhishthira. "Quem for lutar comigo a pé que dê um passo à frente."

Os Pandavas e os Panchalas pegaram-se pelas mãos, e Yudhishthira disse:

"Prenda seu cabelo. Além de sua vida, o que mais poderemos dar-lhe?"

"Yudhishthira", disse Krishna, "você é um tolo! Que temeridade é essa agora? É só por sua culpa que estamos outra vez enfrentando dúvidas e perigos."

Bhima levantou-se, segurando sua clava de luas e estrelas douradas.

"Vê?", prosseguiu Krishna. "Bhima é bastante forte, mas Duryodhana é habilidoso. Corremos o risco de perder tudo; Duryodhana está tranquilo e em sossego. Certamente, os filhos de Kunti nasceram para passar suas vidas como mendigos nas florestas; e nunca tencionaram desfrutar de um reino."

Bhima olhou para Krishna e cuspiu nas mãos.

"É verdade, Senhor", disse ele, "que homem, em seu juízo perfeito, desafiaria Duryodhana? Ele está derrotado, ansiava abandonar tudo e embrenhar-se na mata, dando-nos aquilo que não é seu. Mas, tendo uma vez fugido e novamente retornado, é para ser muito temido. Ele tem um só propósito, uma só finalidade: lutar por sua vida. Com seu elmo de ouro, mostra-se tão altivo e sobranceiro como se nós é que houvéssemos sido aniquilados."

Duryodhana envolveu sua clava em tecido novo, dourado como uma lâmina de fogo.

"Fico contente porque seja você, ventre de lobo. Há treze anos que golpeio com esta maça uma estátua de ferro feita à sua semelhança, tudo por hoje! Teria sido muito melhor", ele suspirou, "se Kunti houvesse parido um aborto em seu lugar."

Bhima disse, melancolicamente:

"Krishna, sente-se, não irrite seus olhos vendo-o morrer".

Krishna hesitou, e pensou: "Não quero mais ver a vida sendo derramada. Eu sozinho bem posso...".

"*Pois então ponha-se de pé e enfrente-me, irmão.*"

"Balarama!"

Alto, em suas túnicas azuis, com um brinco de pedra na orelha e flores silvestres ornando-lhe o pescoço, Balarama agitava um jarro de vinho, enquanto olhava para Krishna com um olho, e disse:

"Rei Yudhishthira, o Justo, eu não lutaria por você, nem lutaria contra Krishna, mas diga-me: quando se deparou com a derrota, quando sua esposa e seus irmãos foram expulsos de Hastinapura como gado, *por que a Terra simplesmente não se dobrou sobre si mesma para morrer?*"

"Você está bêbado", disse Krishna.

"Psiu... desde que alguém começou esta guerra, tenho-me banhado nos rios em lugares sagrados... onde os sete rios desaparecem subterraneamente... banhando-me no rio Límpido e no Brilhante, no Dilúvio e no Deleite, no Vasto, no Ouro e no Belo..."

"É verdade, tome mais um gole", disse Krishna.

"Mas é claro", respondeu Balarama; "e você, tome outra esposa." Esvaziou a jarra. "Soube como Duryodhana mergulhou feito cisne num lago. Ora, rei Yudhishthira, não fique aí sentado brilhando como a Lua cheia rodeada por um bando de estrelinhas. Venham comigo, este não é lugar para se lutar."

"Não iremos", pensou Yudhishthira.

Balarama sorriu.

"Ora, virão, sim", disse ele. "Bhima, Duryodhana: sigam-me."

Balarama levou-os para o ocidente, até Kurukshetra, para o lado sul do rio, onde não há areia.

"Aqui."

Zás! Assim ouvimos de onde estávamos escondidos, e vimos as luzes brilhantes das faíscas incandescentes surgirem em remoinhos cintilantes com o choque das clavas assassinas. Duryodhana girava em destra mandala; Bhima virava sempre para a sua esquerda. Ambos consagravam seus círculos mágicos para se protegerem da dor e da confusão. Grande temor tomou conta daqueles que assistiam, mas Balarama sorriu e adormeceu.

Moviam-se os dois em círculos, ou permaneciam imóveis, pulavam para cima ou saltavam para trás, para dentro e para fora, esquivando-se e vergando-se. Duryodhana golpeou Bhima uma vez, e logo outra, e mais outra, tão rapidamente que o ar se inflamou. A armadura de Bhima caiu, arrebentada como nuvem soprada pelo vento de encontro ao Sol. Seus olhos giraram nas órbitas e ele sacudiu a cabeça, reclinando-se sobre a clava.

Duryodhana viu com perplexidade a impressionante paciência de Bhima, que, com a alma plácida, ergueu sua maça do solo para que o combate pudesse prosseguir. Seu filho o circundou lentamente, Majestade, em busca de uma abertura, mas nenhum lado de Bhima estava desguarnecido. E, assim como eu brandiria um espadim, aqueles dois investiam um contra o outro e se defendiam um do outro com suas medonhas clavas de ferro.

Mas Bhima logrou então desequilibrar seu filho, e arremessou-lhe a clava. Ele tentou desviar-se, pulando para o alto, para que a arma lhe passasse por baixo, mas Bhima havia mirado a sua cabeça, e a clava partiu o fêmur de Duryodhana, que tombou, largando a maça, cujos nódulos e junções de pedras preciosas se romperam. Despencou na Terra como serpente peçonhenta esmagada e jogada ao chão para morrer. Por um momento, houve silêncio, que ecoou pela floresta, antes que alguém atinasse com o que acontecera.

Os soldados Pandavas então gritaram e aplaudiram; os bichos da mata rincharam e bufaram; os homens remexeram os pés. Címbalos e tambores rasgaram o ar – mas muitos e muitos tremeram, lagoas transformaram-se em sangue, mulheres assemelharam-se a homens, e homens, a mulheres, quando seu filho tombou.

Balarama despertou.

"Bhima! Eu lhe ensinei... não ataque abaixo da cintura." Levantou-se. "Desgraça e vergonha caiam sobre você! Nunca se fez algo assim! Ou você é ignorante, para agir desse modo?"

"Deixe estar", disse Duryodhana. "Bhima fez vazar sua ira e vingou a própria mãe de maneira justa ou injusta. Eis-me caído, e não serão as suas palavras que haverão de erguer-me. Por que nos trouxe até aqui?"

"Para a planície dos Kurus?"

"Sim."

"Quando Kuru, há séculos, arou estes campos sem desviar para eles nenhum curso de água e sem semear uma única semente, a curiosidade fez Indra aproximar-se. E ele perguntou por que Kuru vivia no meio da poeira, quando podia passar muito bem os seus dias nas refrescantes casas de madressilva dos jardins palacianos de Hastinapura."

"Mas não tão bem", respondeu Kuru.

"Isto é um deserto de pó", disse Indra.

"Não", respondeu Kuru, "é um futuro campo de batalha que abrirá caminho para o céu."

"Isto é um descampado agreste", disse Indra. "O tempo de Vossa Majestade é por demais valioso para isso." Mas Kuru continuou a arar, até que Indra veio mais uma vez e disse: "O assassinato é um mal, e a guerra, um pecado, ou onde está o campo para os assassinos de reis?".

"Senhor", respondeu Kuru, "eu farei cessarem todos os sacrifícios e apagarem-se todos os fogos; chefiarei os Kurus para a floresta onde não há livros."

"Nessa meia-noite", prosseguiu Balarama, "Indra entrou pela janela de Kuru no terceiro andar. Em seus tornozelos trazia pequenos sinos branco-prateados que não emitiam ruído; em sua cabeça, um aromático diadema de luz. 'Você está com sono', disse o Senhor dos deuses. 'Deixe que eu resolva isso.'"

Kuru fez sinal para que Indra se sentasse a seu lado, mas ele recusou:

"Não. Vim apenas para cantar-lhe uma canção".

"E cantou-a. Depois curvou-se e desapareceu."

"Então, o cântico do pó é verdadeiro?", perguntou Bhima.

"Sim." Balarama mandou pedir a carruagem. "Por que se há de morrer em outra parte? Retorno agora a Dwaravati, à beira-mar."

Balarama deixou-os, e Krishna disse:

"Eu o perdoo".

"Você!". Enraivecido, Duryodhana tentou levantar-se. Apoiando-se nos braços, gritou: "Escravo e filho de escravo. Somente por meios ilícitos você seria capaz de vencer!".

"Você buscou o seu próprio prazer; agora todos morreram", disse Krishna.

"Oh, dilacerado pela dor, continue vivendo neste mundo infeliz! Como haverá de encarar as viúvas, Senhor Narayana? Como haverá de escapar das suas maldições? Como suportará o prolongar-se desta sua vida miserável? Mas dos céus eu lhe enviarei minha piedade mais plena. Deixo-os agora, embora a seus olhos eu não me mexa."

Yudhishthira arfava, pensando consigo mesmo: "Sim, sim. Eu o invejo. Somos agora criaturas do Inferno, com a desgraça como nossa companheira para sempre".

Mas Bhima curvou-se diante do irmão mais velho e disse:

"Eis que a Terra vem novamente a você, que não tem inimigos vivos. Eu lhe entrego seu sopro de glória, sua guirlanda de fama".

Os gêmeos tomaram os braços de Yudhishthira e sorriram.

"Tudo vemos, Dharmaraja; nós apenas não falamos muito."

Krishna disse a Yudhishthira:

"Ele insultou aquela mulher de clara tez morena, cândida e gentil: 'Esposa de escravos, eis que você não tem mais maridos! Eles agora são sementes estéreis e sem vida'".

"Fala da infeliz de olhos amanteigados?", perguntou Duryodhana.

"Ele não mais olhará para as mulheres", disse Bhima. "Esse Duryodhana está morto. Ele é agora um toco de madeira; não gaste mais seu amargo fôlego sobre ele. Deixemos este lugar."

Mas quando Duryodhana silenciou, os oitenta e oito mil Siddhas que vivem entre a Terra e o Sol exclamaram em uníssono: "Salve o rei Duryodhana". O céu do anoitecer estava ermo e azul; os Pandavas, tristes e cheios de vergonha.

"Embora estivesse exausto", disse-lhes Krishna, "nem mesmo os deuses poderiam ter vencido Duryodhana sem ardis. Não se aborreçam. Os deuses lutaram deslealmente contra um inimigo poderoso; podemos, portanto, fazer o mesmo. Temos conosco a vitória e a noite; retiremo-nos para nossas tendas."

Ouvindo essa mentira da boca de Krishna, os Pandavas voltaram a se alegrar, soprando seus búzios transcendentais.

Dhrishtadyumna levou o exército ao nosso acampamento, que era o mais gracioso e elegante dos dois, e suas tropas descansaram nos leitos macios das tendas abandonadas, comendo nossos alimentos requintados e bebendo nossos vinhos finos. Krishna estancou a quadriga em frente à tenda de Duryodhana e disse a Arjuna:

"Saia. Tome o arco Gandiva e suas flechas. Descerei em seguida: isto é para o seu bem".

Arjuna obedeceu. "Afaste-se!". Krishna soltou as rédeas e pulou. Naquele exato momento desapareceu o macaco que cobria o manto da quadriga de Arjuna; as partes superiores do carro, depois toda a carruagem e os quatro cavalos, na forma em que se encontravam, tornaram-se cinzas sem que houvesse uma só chama. Restou apenas um montículo de pó acinzentando, que foi carregado pelo vento.

A invencível quadriga multicolorida como o arco-íris não existia mais. Krishna disse:

"Há muito que Drona já destruíra o seu carro de guerra, por você se haver recusado a lutar contra ele. Sua quadriga tornou-se cinzas há dois dias, e existe ainda apenas como ilusão. Você se protegeu, mas não a seu carro; por isso eu agi por você".

Os Pandavas, Satyaki e Krishna permaneceram ali ainda um pouco, enquanto Dhrishtadyumna trazia mulheres e músicos Panchalas do seu acampamento para o nosso e rompia nossos baús de tesouros.

Draupadi e as mulheres Pandavas ainda não haviam deixado suas próprias tendas. Krishna disse:

"Encetando uma ação de graças, não passaremos a noite em nenhum dos acampamentos".

E assim foram para a beira do rio e adormeceram.

Contei a Kripa o que acontecera com seu filho, e fomos ter com Duryodhana.

Imerso em agonia, coberto de pó, Duryodhana recolhia com dificuldade seus cabelos esvoaçantes. Seu semblante fechara-se de ira. Ele olhava para todos os lados e, subitamente, suspirava, e voltava a suspirar. Corremos e sentamo-nos a seu lado.

Aswatthaman chorou.

"Por que permanece aqui solitário, nesta imensidão descampada? Diga-me, em verdade. Não vejo seus irmãos a seu lado, nem Karna, nem as centenas de reis que pertenceram a seu exército. Certamente é difícil aprender os modos de Yama. O que é isso? Duryodhana, onde estão o seu pálio branco, o seu leque de rabo de iaque, e todas as suas tropas?"

Duryodhana limpou o sangue dos olhos e disse: "Eu lhe contarei a história da Morte, e de como nenhum deus tem controle sobre ela".

Ouça:

Os livros em tudo divergem; os homens discutem e chegam a nada; e a Verdade está oculta em cavernas. Mas esta história me foi contada.

No princípio do Tempo os homens viviam na límpida atmosfera, movendo-se livremente e sem esforço. A Terra então era mel, doce e deliciosa, e os homens, pouco a pouco, mergulharam do céu para saboreá-la. Então eles foram além da simples prova, embora não precisassem de alimento para viver, e, à medida que comiam, foram se tornando pesados demais para voar. Suas asas se desprenderam, enquanto a Terra se tornava encrostada e seca, soltando suas sementes, e as chuvas começaram a cair.

Até que os homens, do primeiro ao último, não conseguiram mais voar. Surgiram então as mulheres – nós as chamávamos de homens, como nós mesmos nos chamamos, você e eu. E aquelas que uma vez voaram não mais se modificaram. Mas começaram a desejar os homens e, depois, a conceber e a parir os seus filhos. Permanecem as mesmas hoje, e são, para nós, mulheres.

Todos eram imortais, e a Terra não suportava mais peso. Brahma ouviu-lhes as lamentações e planejou a destruição total de suas criaturas. Mas exclamou: "Não encontro meios!". E mais e mais pessoas viviam na Terra. Em sua ira, Brahma encheu de fogo os céus, o firmamento e a Terra.

"Ah!", refletiu. "Este é o meio."

Mas Shiva caiu aos seus pés, implorando:

"Tenha piedade; não destrua o que criou".

"Não há bondade em mim", respondeu o Senhor Brahma. "Não há clemência em mim."

"Se fosse verdade, eu não teria vindo suplicar-lhe", disse Shiva. "Tudo o que existe e lhe pertence está sendo aniquilado pelo fogo. Volte a encarar as criaturas vivas de outra maneira."

"A Terra veio a mim cheia de dor", disse Brahma. "Não encontrei meio de ajudá-la, e enchi-me de ira. E lhe disse: 'Ó Bela, eis que já sei por que está chorando, mas para este seu pedido... nada tenho!'. E ela se afastou, vergada e acabrunhada."

"Você a transformará em cinzas", disse Shiva.

"Senhor dos Noctívagos", disse Brahma, "recolho a minha ira. Vá agora. Sinto-me em grande dúvida, mas guardarei meu fogo dentro de mim."

Mas, quando o fez, dos portais dos seis sentidos de Brahma surgiu uma mulher de olhos vermelhos e pele morena, radiante com seus brincos e braceletes, sorrindo para ele e para Shiva, e que prosseguiu em seu caminho rumo ao sul. Brahma gritou-lhe:

"*Espere, Morte! Mate todas as criaturas, incluindo idiotas e sacerdotes!*"

Mas ela lhe respondeu: "Não!". E correu para longe, escondendo-se em algum canto, a chorar. Brahma encontrou-a e disse:

"Ninguém haverá de maldizê-la, pois estará fazendo a minha vontade. Ó Morte, só as criaturas que vivem morrerão".

"Não", disse ela. "Isso é cruel. Vá embora."

E assim Brahma deixou-a e não falou com mais ninguém. Sorria apenas, sem ira, para os mundos. A Morte vagou pela Terra, sem ceifar vida alguma, durante cem trilhões duzentos e setenta e sete bilhões e oito mil anos. Brahma voltou então a procurá-la e disse:

"Ó Morte, por um momento não a vi. O que está fazendo?"

"Não me chame de Morte!", retrucou ela. "Jamais matarei por você!"

Brahma olhou para a moça encantadora e cativante.

"Eu os farei todos iguais. Você não precisará arrebatá-los, nem homens nem deuses nem demônios. Criarei a cobiça, a avareza, a raiva, a malícia, a vergonha, a inveja e a paixão. Eu os farei assim, dessa e de outra maneira. Com essas suas lágrimas, criarei a doença e a guerra. Só essas duas eu farei dessa maneira. Não faça nada: eles, cedo ou tarde, virão a você. Nada há para se fazer, nada para se deixar de fazer, por você ou por eles. Saúde-os apenas, quando for chegada a hora de cada um. Nada mais terá a dizer, eles próprios se matarão. E somente os tolos lamentarão e chorarão pelo que ninguém pode evitar."

E então Shiva começou a sua dança, pois, até então, embora houvesse erguido o pé, não pudera baixá-lo.

"Portanto, não seja estúpido", disse Duryodhana. "Esta história pode libertar pessoas como você da dor e da desgraça, e também dos grilhões do amor. A cada manhã, reis que desejam que seus filhos tenham vida longa devem ouvir esta lenda, mais apavorante que qualquer *Veda*. Ela destruirá seus inimigos às centenas. Compreende?"

"Não", disse Aswatthaman. O Sol transformou-se na sua forma predileta de fogo e se pôs atrás da mata. "Embora você tenha sido sempre um favorito entre as mulheres, nunca deixou de falar a verdade. Todavia, não derrame combustível para apagar uma chama, como derramou sua vida."

"Se eu continuasse vivendo", disse Duryodhana, "só haveria de lamentar aqueles que morreram por mim." Olhou-me e bateu na Terra com os braços, sacudindo os cabelos soltos e rangendo os dentes. "Maravilhosa é a mente, Sanjaya. Se não pode ter uma coisa, acaba por encontrar o que busca em outra; e assim, de joelhos, a paz vem finalmente a mim, após uma guerra fatal."

"Eu o vejo", disse Aswatthaman, "rodeado de chacais e abutres que aguardam a sua morte, como os parentes de um rei, ansiosos por presentes e dinheiro."

"A prosperidade não me abandonou antes de eu morrer, nem foi servir a outro."

"A prosperidade é volátil como a fumaça", disse Aswatthaman. Acabrunhado, esfregou as mãos e disse, com voz rouca: "Nem mesmo a morte de Drona me consumiu dessa maneira!".

"Por que não há de me vir a morte diante dos olhos de todos?", indagou Duryodhana. "Grandes reis já obedeceram a meus comandos. E agora morro em combate, sem ser tomado como escravo. Vejo que todos vocês escaparam com vida da minha guerra. Certamente merecerei os céus, pois conheço todos os livros, sei ler e escrever, ofertei presentes e governei a Terra e coloquei-me acima dos meus inimigos. Vivi a vida como um deus; tudo o que desejava para o meu gozo eu facilmente obtinha. Que homem há no mundo que, nos recôncavos secretos de seu coração, não anseie por viver livre de leis e de regras, capaz de seguir a sua vontade a qualquer custo, capaz de fazer tudo o que deseja? Krishna não poderia seduzir-me para a paz."

"Eu desvendei Krishna", disse Aswatthaman. "Ele não diz o que sabe. Conceda-me apenas permissão e, na presença de Krishna e com o seu conhecimento, eu os matarei a todos."

"Eu já derrotei Krishna", disse Duryodhana. "Agora parto sem nada, como um andarilho miserável, deixando todo o meu reino estéril atrás de mim. Sanjaya... você viverá... lembre-se, jamais confie nos Pandavas, não importa o que disserem. Avise minha esposa e irmã: precavenham-se contra eles."

"Está nos dizendo que vai partir agora?", perguntou Aswatthaman.

"Em breve."

"Então ainda resta tempo para outros o seguirem. Não combatemos imortais."

"Estou contente por eu não ser um tolo", disse Duryodhana, "e por saber que o verei novamente. Encerrem tudo agora e sigam seus caminhos, longe daqui, onde estejam a salvo."

"Não! Faça-me seu general!"

Duryodhana ergueu-se sobre os cotovelos e pediu a Kripa:

"Traga-me água". Kripa encheu no rio um jarro até transbordar. "Abençoado seja, Mestre; se me quer bem, nomeie-o comandante do meu exército."

Kripa disse:

"*Em nome do Criador e do Destruidor – para sempre – e com motivos visíveis e invisíveis nascidos do destino – para sempre – e sob as ordens do rei!*". E derramou a água sobre o filho de Drona.

Duryodhana recostou-se.

"Partam e deixem-me só. Eu os verei amanhã."

Os três se prepararam para partir, mas eu disse:

"Eu ficarei. Deixem fogo e alimento".

Aswatthaman, Kritavarman e Kripa partiram. Seus carros de guerra desapareceram com a luz do dia; e então a Noite, a mãe do mundo, gentilmente cobriu sua criança com trevas, como outrora, quando ela ainda não havia nascido.

Desceram bem para o sul antes de entrarem secretamente numa densa e escura floresta. Lá acamparam sob uma antiga figueira-de-bengala, com cem mil galhos e um milhar de raízes aéreas caindo sobre a Terra como as colunas de um palácio vivente.

Aswatthaman não conseguiu dormir. Em seus olhos o céu estrelado era um brocado incandescente, salpicado com a borralha da guerra. Lá, nas profundezas da mata, ele permanecia desperto, olhando para a figueira-de-bengala, onde um bando de corvos negros dormia. E, enquanto observava, uma coruja fulva de olhos verdes alçou voo silenciosamente, apanhando sua vítima de um galho com tanta rapidez que os corvos de ambos os lados nem sequer se mexeram.

Aswatthaman prendeu sua bandeira negra com a cauda de um leão no mastro de ébano. Cobriu sua carruagem, que era como a fortaleza de um castelo, com peles negras de urso; arreou seus cavalos negros; vestiu a armadura negra e o elmo, que lhe escondeu o rosto na sombra. Sacudiu Kripa para acordá-lo:

"Todos os atos têm o toque da malignidade, como o fogo é tocado pela fumaça; portanto, tome seu arco de prata e venha comigo".

Kripa se pôs imediatamente em pé.

"Que estranho..."

"É injusto", disse Aswatthaman. "É contrário ao darma."

"Ninguém seria capaz de dissuadir você", respondeu Kripa. "Tire a armadura; baixe sua bandeira. Você não dorme há várias noites. Somos mestres de todas as armas; o que haveremos de temer de manhã quando proclamarmos nossos nomes e esmagarmos o inimigo? Vá dormir."

"Aquele que arde de desejo... como poderá dormir?"

"Não pode", disse Kripa.

"E o homem com raiva?"

"Não."

"E alguém que foi derrotado?"

"Não."

"E alguém que fica a revolver no coração muitos, muitos planos para enriquecer?"

"Jamais", disse Kripa, "mas espere até que a luz descubra todas as coisas."

"Não tenho paz. *Encontre sua pele de tigre e seus cavalos rubros.*"

"Eu afastaria meu amigo do pecado", disse Kripa.

"Assim como se acorrenta um louco, eu lhe diria palavras tranquilizadoras."

"Para o bem dele próprio!", Aswatthaman baixou a voz. "Deixe que eu lhe diga: você não irá assassinar um homem adormecido. Não seria natural. Mas venha comigo... ou poderíamos ir a Dhritarashtra e indagar por que é que estamos aqui. E então poderíamos protegê-lo dos noitibós e dos borrachudos."

"Todos acreditam que suas próprias ideias são as filhas diletas da sabedoria. Não desconfie de mim; não nutra desprezo por mim. Ainda está para nascer o homem que conseguirá separar-me do meu amigo, que agora é um brâmane, mas que nascerá um verme na próxima vida. Se ele não se importa com nada, por que haveria eu de importar-me?" Kripa acordou Kritavarman. "Iremos nós dois como seu exército."

"Sigam-me e esperem." E Aswatthaman, de quem nem o pai nem a mãe nasceram de mulher, guiou-os. Pela noite sombria e tenebrosa foram as carruagens, até chegar ao nosso acampamento, mergulhado em sono. Mas lá um pálido gigante guardava o portão. Em torno da cintura usava uma pele de tigre da qual gotejava sangue; em sua face havia três olhos; as próprias montanhas se rachariam ao meio para vê--lo. A floresta permanecia quieta e tranquila.

Aswatthaman atirou-lhe a espada, e o gigante engoliu-a. E também flechas, lanças e clavas carregadas de morte. O filho de Drona desceu da sua quadriga. Chutou um monte de terra, formando um altar, e se pôs diante dele.

E pensou: "Minhas resoluções me apressam para a sua consumação. Se eu não vingar Drona, como poderei abrir a boca perante os homens? Se não o fizer, por que haveria um pai de amar o seu filho? Minha armadura não faz barulho...".

"Eu não o temo;

Quando não me arrebatará, se assim o desejar?"

Aswatthaman subiu ao altar, que se tornou ouro sob seus pés. Sacou uma pequena faca do cinturão.

"Você proíbe aquilo que eu almejava. Eu me submeto à sua proteção; eu sou o seu sacrifício." Mas não conseguiu mover a mão que segurava a faca. O gigante desvaneceu-se. E Aswatthaman ouviu uma voz: "Suas vidas agora estão completas e o seu tempo se esgotou".

Não havia sentinelas; todas as tendas permaneciam em silêncio. Enquanto Kritavarman e Kripa esperavam do lado de fora, Aswatthaman construiu uma ponte de flechas para atravessar o muro onde não havia portão, sabendo que aquele que deseja praticar o mal precisa entrar numa cidade pelo caminho impróprio, o que não oferece porta ou passagem.

À luz azul da joia que brilhava em sua testa, Aswatthaman chutou todas as mulheres que dormiam ao lado de Dhrishtadyumna e, com as próprias mãos, esganou-o até que morresse como um animal. Depois estrangulou Sikhandin. Quando os soldados Panchalas apareceram para combatê-lo, sua espada tornou-se tão ensanguentada que lhe grudava na mão. O acampamento estava silencioso quando ele entrou, e silencioso continuou quando se voltou para partir. E então penetraram os demônios noturnos para beber o sangue e quebrar os ossos.

Kripa ouviu os Rakshasas exclamarem: "Isto é doce! Isto é monstruoso! Isto é puro!", e gritou o seu nome. "Eu sou Kripa, nobre, e tranquilo, e equânime!". E lançou três flechas incendiárias sibilando sobre os muros.

Aswatthaman caminhou a passos largos pelo acampamento em chamas, como se passeasse por entre os fogos causticantes do Inferno, empurrando aos trambolhões os Rakshasas que encontrava pela frente, até que eles gritaram:

"Piedade! Nós somos seus!"

"Quem vive ainda?", perguntou Aswatthaman.

"Nenhum humano além do filho de Drona", disse o monstro nu de cinco pés e dedos apontados para trás. "Todos morreram pela sua espada ou se mataram uns aos outros na confusão. Dormem todos serenamente."

"Vocês buscaram aqueles que se agarram à Terra para se salvar?"

"Todos."

"Quem pode então se ocultar de vocês?", perguntou Aswatthaman.

"Ninguém", respondeu o Rakshasa.

Já estava quase amanhecendo. Aswatthaman juntou-se aos outros e, sob um céu de ouro tépido, permaneceram os três voltados para a luz que raiava antes do alvorecer, saudando com as mãos unidas o dia que despontava. Após as orações do crepúsculo da aurora, retornaram a nós, às margens do lago. Kripa perguntou:

"Majestade, tem ainda forças para ouvir? A Terra já não está mais sobrecarregada".

"Acabo de matar Dhrishtadyumna e Sikhandin e todos os Panchalas", disse Aswatthaman. "Os outros não se encontravam lá."

Duryodhana respondeu, quase inaudivelmente:

"Minha disputa não era com eles. Você não tem mais a minha permissão para combatê-los. Assassinou os inocentes e deixou em pé os meus inimigos. Basta... basta... abandonem agora estas ruínas e salvem-se. Eu quase venci..."

E silenciou, fixando a mente no Sol e o coração na Lua. Eu disse a ele:

"Lá, aonde vai agora, saúde em meu nome todos aqueles que foram antes".

"Somente seu corpo permanecia na Terra", disse Sanjaya. "Ele morreu em nossos braços quando o Sol nascia, ao amanhecer. Em minha dor, perdi, no mesmo instante, a visão celestial de Vyasa. Tomei um dos cavalos de Aswatthaman e vim cavalgando até aqui sem parar. E assim lhe narrei como todos os Kurus e Bharatas morreram, como todos os Panchalas, Gandharas, Matsyas e Madrakas sucumbiram, como todos os homens, elefantes e cavalos tombaram. Muito poucos ainda vivem: somente sete entre os Pandavas, três do nosso exército e Yuyutsu. Estes sobrevivem; os outros pereceram. O mundo inteiro foi destruído pelo Tempo."

Dhritarashtra, em sua agonia, exalou fumaça e disse:

"O âmago do meu coração é diamante, pois não se quebra. Maldito o darma xátria, maldita a própria ira! Maldito o homem que encontra esse fim! Ó criança, meu filho amava lutar; seus conselheiros eram tolos; ele não possuía sabedoria, mas em sua vaidade julgava-se sábio. Ele não conseguia enxergar as coisas mesmo quando olhava para elas".

"A falta não foi dele, Majestade, mas do senhor", disse Sanjaya. "Não vá agora cavar um poço enquanto a casa arde em chamas. O que Vidura e Vyasa lhe disseram realizou-se em perfeita verdade, pois nada mais era que a verdade. Seu palácio perdeu o esplendor; o conforto e a felicidade o desertaram. Tudo está vazio e em desordem. Eu tenho estado cheio de dor desde que Duryodhana morreu, mas este lugar a intensifica e parte meu coração. Posso agora chorar por eles... por todos eles."

"Meus filhos não têm mais amor a mim agora que estão mortos?", perguntou Dhritarashtra. "Por que não mais conversarão comigo, nem abraçarão meu pescoço dizendo: 'Pai, comande-nos. Esta Terra é nossa tanto quanto é de Yudhishthira?'"

"Abnegue-a, Majestade", respondeu Sanjaya. "É possível nos afogarmos refletindo sobre atos passados dos quais ninguém se recorda. Duryodhana combateu os Pandavas como um homem combateria seus cinco sentidos, e por isso perdeu."

"Embora jamais tenha visto meus filhos", disse Dhritarashtra, "eu os amava. Penso em suas idades; alegrei-me quando se tornaram homens. Como puderam agora abandonar-me à cegueira e à velhice? Por que insisto eu em continuar vivendo? Qual será o fim de um velho casal sem filhos? Tendo sido rei e pai de um rei... Sanjaya, grande é a sua habilidade em narrar. Não diga mais nada."

Aquele que lê sobre esta batalha entre os Kurus, que é como um sacrifício com manteiga e grânulos de açúcar, e aquele que a ouve sem malícia, nele o Vento e o Senhor do Fogo se aprazem, e também a Lua e o Sol, eternamente. Vyasa compôs este cântico para que todos os homens se livrem da doença e obtenham grande riqueza, e vitória, e alimento, e todas as delícias e deleites dos céus. Para ele, nenhum homem é grande, e nenhum, pequeno. Eis que todos os homens lhe são reis. Deus é eterno, e, por ser Deus que se louva aqui, os méritos alcançados ouvindo-se falar dos tempos de outrora igualam-se aos que se alcançam ofertando vacas, de dia e de noite, por um ano inteiro, com seus bezerrinhos, àqueles que merecem. As palavras de Vyasa jamais serão infiéis.

TERCEIRA PARTE

NO FIM

A FOLHA DE RELVA

OM!
Uma vez tendo visto Narayana,
E Nara, o melhor dos homens,
E tendo amado Saraswati,
Eu digo:
JAYA!

Vaisampayana disse:

"Majestade, quando Dhritarashtra tombou desmaiado, Sanjaya carregou-o até sua rainha. Vidura e Gandhari borrifaram água fria em seu rosto e o abanaram, até que despertou, sem esperança de um lar, de uma esposa ou de riquezas".

"Depois que Duryodhana morreu", perguntou Janamejaya, "para onde foi o seu exército de três? Quando foi que os Pandavas descobriram o que acontecera?"

"Kritavarman retornou a Dwaravati", disse Vaisampayana, "Kripa primeiro dormiu por muito tempo em esconderijo seguro, e depois começou a longa jornada de volta a Hastinapura pelas matas. Aswatthaman arrebentou sua carruagem e ateou-lhe fogo; esfacelou a armadura e as armas até se tornarem pó e, cobrindo-se com apenas um pano feito de relva, caminhou só, descendo as margens extensas do Ganges."

Ouça, Bharata:

O auriga de Dhrishtadyumna encontrou os Pandavas ao findar a madrugada, quando as névoas matinais já se dissipavam rapidamente, e disse:

"Estão todos mortos. Aswatthaman descuidou-se uma só vez, e assim escapei".

Yudhishthira chorou, mas os olhos de Arjuna estavam secos, e ele perguntou ao auriga:

"Como?"

"Eu estava escondido numa árvore, quando a lança de Aswatthaman atingiu o tronco e um fogo feroz queimou todos os seus galhos e todas as suas folhas, e a mim também, até nos tornarmos cinzas. Mas depois, erguendo essas cinzas, Vyasa exclamou: 'Senhor da floresta, reviva!'. Moldou em seguida um broto verde, acrescentou-lhe pequenas folhas e minúsculas raízes, formou o tronco e os galhos, e a enorme árvore já estava crescida como outrora, com toda a sua folhagem. E eu ainda segurava o mesmo galho. Nada vivia em nosso acampamento que fosse humano. Peguei umas botas de ferro de um baú de armas carbonizado e, quando os Rakshasas poderiam ter-me barrado, preguei-lhes pontapés na cara – e não puderam causar-me nenhum mal, devorando, em vez disso, aqueles dentre eles mesmos que eu matara. Depois do filho de Drona eu nada tinha a temer, mas muito tempo se passou até que eu descobrisse onde se encontravam os últimos Pandavas."

Sem aguardar para ouvir mais, Bhima prendeu novamente os cavalos aos tirantes e partiu em sua quadriga. No acampamento de Dhrishtadyumna, foi abrindo caminho por entre os rios de sangue e gordura coagulados, seguiu as marcas da carruagem até o lago e descobriu a pista de Aswatthaman no rio.

Krishna ordenou a Satyaki:

"Pegue a sua quadriga!"

Tomou Arjuna pelo braço e lhe disse, apressadamente:

"Bhima caminhará para a morte, se não o detivermos. Certa vez, no litoral de Dwaravati, quando você estava no céu e seus irmãos, sozinhos na floresta, Aswatthaman e eu caminhamos ao vento pelas areias solitárias. E ele propôs: 'Em troca da arma de Brahma que meu pai relutantemente me ofertou, dê-me o seu disco chakra'. Eu respondi: 'Não precisa me dar nada; ele é seu'. E depositei o disco na areia. Ele o pegou, mas nem com todas as suas forças conseguiu movê-lo. Eu disse: 'Arjuna jamais me pediu coisa igual, nem meus filhos, nem Balarama, nem qualquer outro. Nós o respeitamos, Aswatthaman, mas permita que eu lhe pergunte: contra quem teria usado o disco?'"

"Ele respondeu: 'Contra você! Agora eu o deixo. O disco não pode ser meu, e isso o deixa sem rival'."

Satyaki trouxe a carruagem.

"Depressa", disse Krishna, "Aswatthaman está impaciente. Além dele, somente Arjuna conhece este mantra de Brahma."

Quando Krishna atravessou o rio no encalço de Bhima, Arjuna revelou:

"Ao nos ensinar o Brahmasira, Brahma nos advertiu que jamais o empregássemos contra os homens, mesmo diante dos maiores perigos".

"Ele queria que o mantra jamais fosse recitado", disse Krishna. Lograram alcançar Bhima, mas não conseguiram fazê-lo parar. Os dois carros de guerra dobraram em disparada uma curva do rio, e eles viram o filho de Drona sentado à beira das águas com Vyasa.

Bhima parou e retesou seu arco com uma flecha. Mas, quando a lançou, a seta não voou; ficou presa, balançando na corda do arco.

Aswatthaman riu; a joia azul refulgia entre seus olhos. Sorrindo para eles, pegou uma folha de relva com a mão esquerda. Olhou da erva para Bhima, e então seus olhos se encontraram com os de Krishna.

"Não recite o mantra", disse Krishna. "Nós não lhe faremos mal."

"Não pude compreender o que Dhrishtadyumna estava tentando dizer-me ontem à noite", disse Aswatthaman, "mas ouvi que jamais deveria confiar em você. Sua palavra é uma nuvem sem chuva, nada mais. Esta algazarra não tem sentido. Eu lhes trago salvação, e o fim da servidão. Rompo todos os grilhões, e os tornarei um só com o Senhor Brahma. Pela bondade do meu coração, não precisarão tornar-se eremitas; em um só instante todo vestígio de suas mentiras desaparecerá para sempre."

Os lábios de Aswatthaman principiaram a se mover silenciosamente. A Terra estremeceu, como se quisesse sacudi-lo para longe; todas as árvores e animais dos mundos tremeram, e o medo sacudiu o mar. Ouviu-se o ruído estridente de algo que rangia – Arjuna retesara o arco Gandiva e postara-se na Terra.

Bhima não conseguia se mexer. Aswatthaman revolveu a folha de relva em sua mão, e observou-a meticulosamente. A folha enrugou-se toda, e voltou a se esticar, fosforescendo em branco e azul, projetando para trás a sombra de Aswatthaman à luz amarela do Sol. Com um grande esforço Krishna volveu a cabeça para Arjuna, e o Pandava levou uma flecha a seu arco. E principiou a recitar o mesmo mantra.

Encerraram no mesmo instante aquele conjuro secreto de morte. Aswatthaman exclamou: "*Para a destruição dos Pandavas e de Krishna*", e lançou a folha de relva ao céu.

Arjuna lançou sua flecha: "*Para haver paz no mundo inteiro e em mim*".

Duas enormes esferas de fogo branco anelado pairavam como sóis no ar. A Terra começou a estalar e a pegar fogo; pequenos seixos e pedras explodiram, e o rio fervilhou.

Vyasa disse a Krishna:

"Eis que esta eu detenho! Aswatthaman, também duvida das minhas palavras?"

"Não", respondeu o filho de Drona.

Pairavam como sóis no ar.

"E eis que eu detenho esta!", disse Krishna. "Arjuna, faça-a retroagir!"

"Eu o farei", anuiu Arjuna.

Majestade, é dez milhões de vezes mais difícil reverter um projétil do que lançá-lo, e, ao menor erro, Arjuna e todos os que lá estavam teriam morrido, e a Terra se teria tornado um deserto sem vida por sete mil anos. Mas o príncipe dos arqueiros teve êxito; em seguida, porém, debilitado e doente, caiu de joelhos, resfolegando sem ar.

Vyasa sentou-se diante de Aswatthaman e disse:

"Traga-a de volta. Não será atingido por nenhum mal, pois eu o protejo".

Lentamente, a bola de fogo de Aswatthaman foi-se tornando amarela, depois laranja. As chamas bruxuleavam e fumegavam. Aswatthaman, perspirando, exclamou: "Não consigo".

"Seu coração deve estar em paz e não em brasa", confidenciou Vyasa. "Você tem medo de Bhima. Sei que ele mentiu para o seu pai. Mas Bhima não se pode mover. Você tem a minha proteção, e a arma de Arjuna não existe mais."

"Que seja!". E o fogo já se reduzia pela metade, atenuado. "Por confiar em Arjuna", disse Aswatthaman, "fiz sucumbir o meu medo. Confiando em Vyasa, perdi minha tristeza. Por Arjuna não desejar minha morte, dissipei minha ira."

Como uma tocha à luz do dia, as pálidas chamas ainda permaneciam.

"Mas preciso ter a minha vingança."

Vyasa suspirou.

"Cesse a sua tristeza; mate, isso sim, a própria vingança. Descubra o velhaco feio que o mantém preso e rijo como correntes de ferro, aponte com a verdade para onde ele se esconde."

"Não tenho outro propósito", disse Aswatthaman. A esfera de fogo explodiu em pleno ar e deixou de existir.

Aswatthaman caminhou até Arjuna e curvou-se sobre ele. Vyasa acenou para que Krishna retornasse, mas ele continuou, com o intuito de auxiliar Arjuna. E então Vyasa, pela trigésima parte do dia, transformou-o em pedra, a fim de que ele não fosse atingido e morto.

Aswatthaman disse a Arjuna:

"Não mais usarei a joia azul; tome-a em troca da minha vida." Tirou a gema da testa e fechou os dedos de Arjuna sobre ela, sussurrando: "Quando despertar, eu terei partido. Dei-lhe a preciosidade mais valiosa que todo o reino de Kurujangala. Cautela, porém, pois não é sua. Como saber se não lhe trará infortúnios talvez destinados a mim, já que depois de Vyasa eu sou o que mais conhece os mistérios, assim como tu és... o que és, Senhor!".

Arjuna percebeu-se levado para uma carruagem; sentiu uma pedra na mão. Ouviu vagamente algumas palavras, e então despertou.

Krishna dirigia a quadriga em meio às águas. Arjuna ergueu-se e pôs as mãos em seus ombros, dizendo:

"Estava sempre cristalina e reluzente com o fogo; agora está opaca e sem brilho, enuviada. Dirija até chegarmos a Drona; só você poderá encontrar-lhe a cabeça, perdida desde que Dhrishtadyumna a atirou pelo ar".

"Esta gema aniquila o medo", disse Krishna. "Guarde-a."

"Ele temia Bhima." Arjuna levou as mãos à cabeça. "Urge que encontre Drona para mim, porque temos sido amigos desde há muito tempo."

Krishna dirigiu a quadriga até Kurukshetra. O corpo e a cabeça de Drona estavam estirados numa pira.

"O filho de Uttarah também foi morto por um fragmento da arma de Aswatthaman", disse Krishna. "Eu o trouxe de volta à vida em seu útero. E nascerá o rei Parikshita."

"Traga fogo", pediu Arjuna. "Precisamos circundar os mortos, e o mais velho deve ir à frente. Qual de nós é mais velho, Krishna?"

"Vá primeiro."

Arjuna depositou suavemente a joia azul entre os olhos de Drona. A cabeça decepada era linda como uma montanha escura sob a luz da Lua.

No palácio, Vidura inclinou-se sobre Dhritarashtra e disse:

"Quando não há nada a ganhar e muito a perder, a escolha não é difícil. Tudo o que foi unido deve um dia separar-se; tudo o que vive deve morrer. Estamos todos numa jornada rumo à Morte, como uma caravana impossibilitada de parar ou de se desviar a caminho de uma cidade desconhecida. Que importa quem chega lá primeiro?"

"As dores e os infortúnios da vida vêm somente da própria vida", disse o rei. "Hei de dissipar a minha."

"Nada construirá a partir dessas sombras", disse Vidura. "Basta que busque, e a cada dia encontrará uma centena de causas para o medo e a desgraça. Alta é a árvore que dá o mel silvestre, e longa e dura é sua queda. Insista na tristeza, e ela se multiplicará."

"Não me recordo de mal que tenha praticado que pudesse trazer-me a isso!"

"Grande é a sua indulgência... para consigo mesmo! De quem eram Duryodhana e seus irmãos? Eram seus? Criou-os, porventura? É, por acaso, capaz de criar uma vida?"

Dhritarashtra sentou-se.

"Suas palavras são néctar. Suas palavras são a espada afiada da sabedoria."

"Majestade, quando eu estiver morto, quem há de ver o cadáver e dizer o que eu era?"

"Certamente nenhum estranho ou forasteiro", disse Dhritarashtra.

"E o senhor, Majestade?"

"Eu o conheço."

"Então me diga: o que sou eu?"

Dhritarashtra sorriu.

"Nem mesmo sei o que eu sou."

"É o rei. Vem um homem e diz: 'Majestade, guardei carvão em brasa em minhas roupas e me queimei, pois rompeu em chamas junto à minha pele'."

"Eu pergunto como isso se deu."

"Ele lhe diz: 'Abanei as brasas para apagá-las'."

"Irmão", respondeu Dhritarashtra, "eu o chamaria de tolo."

"Mas ele não se vai, e lhe implora."

"Chamo meu carrasco para cortar-lhe a cabeça."

"Ouça, agora", disse Vidura. "Não há ninguém a seu lado. O homem declara que é seu filho, mas agora há uma espada ao alcance da sua mão, Majestade."

"Eu lhe pergunto o nome!"

"Desgraça!"

"Ora, Vidura, com ou sem espada, eu lhe digo: não tenho nenhum filho chamado Desgraça. Sou forte. Despedaço-o com as próprias mãos. Por que hei de precisar de uma espada? Sou cego e não posso mirá-la, e não poderei ver o sangue que jorrará ao dilacerá-lo."

Sanjaya levou o velho rei a Kurukshetra. Mal tinham saído de Hastinapura, ele vislumbrou um carro de guerra entre as árvores, coberto com peles de tigre e puxado por cavalos vermelhos, e estacou a carruagem do rei.

"Majestade, eu sou Kripa e estou cansado. Nossas tropas todas lutaram lealmente; ninguém desertou, nenhum fugiu. Aswatthaman desapareceu após entregar sua joia a Arjuna; agora ele pode ser qualquer um. Com sua permissão, retornarei a meu lar em Hastinapura, ou breve me encontrarão, e não me foi concedido continuar lutando. Vejo Vidura caminhando à sua retaguarda e Yuyutsu à frente das mulheres Kurus que deixam Hastinapura. Vejo a rainha Gandhari, Kunti e minha irmã, cujo filho se perdeu."

"Vá e viva em meu palácio", respondeu Dhritarashtra, "mas por ora não tome estrada em que tenha de enfrentar aquelas mulheres."

Sanjaya fez os cavalos galoparem até Kurukshetra. Quando parou naquele sepulcrário, já não podiam ouvir os gritos e o choro das viúvas.

Sanjaya ajudou Dhritarashtra a descer e disse:

"Agora é a hora em que poderá bendizer a cegueira. Espere por mim aqui. Preciso encontrar os Pandavas, e tentar ajudá-los a separar os mortos antes que os outros cheguem. Poderíamos trabalhar por um ano, e este lugar ainda... Deixo-o agora".

"Quem se juntou a nós?", perguntou Dhritarashtra.

"Majestade, eu sou Vyasa. Sanjaya partiu. Miséria! O mundo inteiro foi iludido."

"O que é esse som estridente?"

"Arjuna retira as cordas do arco Gandiva. A guerra é finda." Vyasa prosseguiu: "Vidura não poderá fazer coisa alguma quando chegar, ele que não viu esta carnificina, mas apenas ouviu falar dela. No princípio não há nada. Nós existimos no entremeio. Depois, nada há novamente. Tão logo nascemos, as calamidades investem contra nós como cães selvagens. Sente-se; eu lhe contarei uma história".

"Ouça: Um certo brâmane viu-se numa floresta que não tinha saída; a mata estava cheia de leões e tigres a farejá-lo, um e outro sempre rugindo. Não havia ninguém em cujo abrigo pudesse refugiar-se. Correu, mas os animais acompanharam-lhe o passo. Em torno da floresta havia como que uma rede, guardada por cobras tão altas que tocavam os céus. Vendo isso, o brâmane recuou, quando então passou sobre a boca de uma armadilha coberta por dura folhagem e caiu. Seu tornozelo ficou preso, e ele se viu pendurado de cabeça para baixo... Naquele poço invisível havia uma serpente. Um fenomenal elefante, com seis faces e doze patas, marchava ameaçadoramente ao redor da borda da cova. Ratos brancos e pretos já haviam roído quase inteiramente uma árvore que se debruçava sobre ele. Mas muitas abelhas habitavam aquela árvore, e dos seus favos pingava mel sobre o brâmane. Ele o sorvia, mas nunca o suficiente, e não havia meio de se libertar. Porém, jamais em momento algum, perdeu a esperança de prolongar a própria vida."

"Como podemos libertá-lo?", perguntou Dhritarashtra.

"Conhece esse lugar?", quis saber Vyasa.

"Conheço. O mundo é um descampado selvagem. Seus caminhos são tais que cada um de nós fica restrito a si mesmo, inacessível, em algum dos seus confins."

"Ouve algo?"

"Sanjaya racha lenha com Krishna. Draupadi chora e lamenta por seu irmão. E bem longe, na estrada, as mulheres Kurus se aproximam."

"Não temos muito tempo", disse Vyasa. "Compreenda o que eu digo; não concorde somente."

"Sim."

"A vida é um longo caminho, Bharata. Quando nos cansamos, é ao útero que precisamos retornar para encontrar repouso. Os nobres desprezam os humildes; os ricos rejeitam os pobres. Abandonamos o nosso senso e passamos a mentir uns para os outros. Mas vendo tudo o que acontece está aquela inclemente testemunha, o eu de nós mesmos, que se torna assim nosso inimigo, ele que poderia ser o melhor dos amigos. Essa monótona falácia exaure nossa alma; sem ela não precisaríamos descansar tão frequentemente."

Vyasa ergueu-se.

"Bharata, tenho muito a fazer antes do anoitecer. É meio-dia na Terra; terei ido ao céu e voltado antes de reencontrá-lo, à noite."

O poeta deu um passo para o lado e desapareceu.

As lamentações fúnebres e os choros se tornaram mais altos. Dhritarashtra nada ouvia, permanecendo sentado em profunda reflexão. Quando as mulheres viram a Planície dos Kurus, um pavoroso silêncio desceu sobre todas. E então Dhritarashtra ouviu uma voz: "Majestade, eu sou Yuyutsu, com a rainha Gandhari".

Dhritarashtra ficou ao lado de sua rainha.

"Meu filho, busque seda para envolver os mortos. Construa piras com as carruagens quebradas e com madeiras aromáticas embebidas em manteiga. Volte a Yudhishthira e peca-lhe que venha aqui com seus irmãos."

Logo chegavam os Pandavas, com Krishna e Draupadi caminhando atrás.

"Yudhishthira", indagou o rei, "o que você vê?"

"Majestade", respondeu Yudhishthira, "mulheres que antes se confortariam umas às outras pela menor perda agora não ousam sequer erguer os olhos do chão a seus pés."

Dhritarashtra abraçou-o.

"Vocês agora são meus filhos. Onde está a tristeza disso? Seus irmãos estão aqui?"

"Sim", respondeu Krishna. Ele segurou Bhima, e colocou diante do monarca cego a estátua de ferro maciço do Filho do Vento que Duryodhana havia golpeado com sua clava por treze anos. "Bhima está aqui, Majestade."

Dhritarashtra abraçou o homem de ferro, mas foi sobrelevado pela cólera, e esmagou-o contra o peito até que rachasse e se despedaçasse. O peito largo do rei feriu-se todo e o sangue jorrava. Sanjaya acercou-se dele e disse:

"Não aja assim".

"Eu o matei", chorou Dhritarashtra. "O que fiz, Sanjaya?"

"Sabendo como se sentia, Krishna colocou à sua frente uma estátua de ferro. Acalme-se, pois sabemos que não pretendia fazer mal algum a Bhima." Sanjaya lavou o sangue do peito do rei, lavou-lhe com água os olhos e a face e disse: "Obrigado, Krishna. Bhima, venha agora ao rei e não tema".

Dhritarashtra abraçou Bhima, Arjuna e os gêmeos, e os abençoou. Yudhishthira ajoelhou-se diante da rainha Gandhari.

"Eu sou Yudhishthira, Majestade. Consideramos os outros ignorantes, mas raramente examinamos a nós mesmos; desprezamos as faltas alheias, mas jamais nos pomos à prova; a morte a ninguém favorece ou despreza, ela a ninguém ignora. Faça agora o que deve ser feito. Se traz em si uma maldição contra mim, expresse-a em palavras."

Enquanto ele falava, Draupadi pedia a Krishna: "Deixe que *eu* a veja!". Mas Krishna a reteve.

"Não, aguarde somente."

Rápida como a mente, Gandhari virou a cabeça, mas de dentro dos panos que lhe cobriam o rosto seu olhar caiu por um instante na ponta dos dedos do pé de Yudhishthira, carbonizando-os. Arjuna rapidamente se pôs atrás de Krishna; os outros se agitaram, inquietos, mas nada mais aconteceu.

"Vá até Kunti, agora", disse Gandhari, "mas, Draupadi, fique comigo por um momento." Os Pandavas recuaram, e sentiam dificuldade em tirar os olhos de Dhritarashtra. As duas rainhas, juntas, choraram. Krishna sentou-se ao lado de Sanjaya e do monarca cego e, com palavras que fluíam docemente, começou a contar-lhes:

"Um bilhão seiscentos e sessenta milhões e vinte mil homens tombaram nesta batalha. Eu lhes direi os seus nomes...

"Uma brâmane concebe filhos para austeridades;
Uma égua, para que galopem velozmente;
Mas uma princesa como a sua mãe
Concebe filhos para serem massacrados.

"Reparem: todos os mortos têm a face voltada para quem os matou."

Yuyutsu depositou o corpo de Duryodhana sobre a pira, conversando com ele como se ainda estivesse vivo:

Veja o que sucedeu. Aqueles que se arrojaram à guerra agora jazem relutantemente como fogos no fogo, enquanto os cinco elementos de seus corpos ardem e partem para longe. Esposas que, timidamente, abraçariam seus maridos só na intimidade, agora encaixam cabeça e membros nos cadáveres, exclamando: 'Isto não é dele!' Ou, então: 'Eis o braço que soltava minhas vestes e penetrava em meus seios e acariciava minhas coxas, que protegia os amigos e matava os inimigos'. Veja, quando tentam revirar os corpos sem vida que se colaram ao solo com sangue, ou quando extirpam as flechas cravadas, as mulheres desmaiam e tombam de encontro a outros cadáveres. Não conseguem espantar os abutres, com seus guinchos medonhos, nem os corvos, que gralham ininterruptamente, a abanar os reis mortos com suas asas. Alguns dos defuntos ainda vestem reluzentes armaduras, brandindo suas armas afiadas como o vidro; as feras, tomando-os por vivos, ainda não os devoraram. Mas em toda parte milhares de lobos arrastam as correntes e as braceleiras de prata, e não há segurança em lugar algum. Mulheres cujo tormento é ainda maior tentam consolar aquelas que choram de desespero: 'Quando se estiver entretendo com as Apsaras, lembre-se de mim ao menos um pouquinho, pois no aconchego dos seus abraços a alegria nunca me abandonou por um só instante!'. Com os dados você conquistou o reino de Yudhishthira, mas agora Bhima tomou-lhe a vida".

Yuyutsu acendeu a pira:

"Repouse agora na ígnea câmara de seu coração! Eis que agora estará nos céus. Não acalente lá as disputas, como fez entre nossos irmãos, que confiam em você".

Yuyutsu e Satyaki andaram por toda a planície acendendo as piras com suas tochas, libertando os mortos. Quando chegaram a Karna, Yudhishthira olhou-os e disse:

"Este era o nosso irmão mais velho. Kunti, encobrindo a face, contou-nos que ele era nosso irmão. Ateie, pois, o fogo".

"Yudhishthira", disse Satyaki, "abandone por ora o passado; o que sentia por Karna, afinal? Os bardos haverão de lhe exaltar a reputação, mas ele está morto."

E assim se queimaram os corpos de Jayadratha, Drona e Karna, de Duryodhana e seus irmãos, de Salya, Drupada e Sakuni, de

Dhrishtadyumna, Sikhandin, Virata e Uttara, e de todos os Kurus, Panchalas, Matsyas, Sindhus, Angas, Madras e Gandharas, e de muitos Trigartas.

Após a queima, as mulheres foram banhar-se no Ganges e, ao anoitecer, lá encontraram Vyasa, sentado sobre uma pele de veado e coberto por ervas e sedas.

"Sou um veneno para a agonia", disse ele. "Como o fogo, faço arder os membros do seu corpo e destruo a sua mente. Parte de vocês, ó mulheres, morreu... mas cessem de lhe dedicar a sua afeição, pois eis que estão finalmente libertas." Esperou que várias delas partissem e não estivessem mais ao alcance da sua voz: "Mas, se não conseguirem abandonar aquela parte de vocês que pereceu com eles, ouçam: estanquem o pranto. Jamais encontrarão os mortos por meio da tristeza, nem é assim que haverão de morrer. Apaguem as lâmpadas e as tochas. Entrem na água e cubram-se inteiramente. E retornem aqui ao meu lado ao longo das margens".

As mulheres vestiram-se então de branco, sem estrias vermelhas nos cabelos, sem adereços, sem flores de ornamento, e observaram Vyasa adentrar Ganga até que ela rodopiou em torno de seus joelhos. O murmúrio do rio tornou-se confuso, mudou, e, de dentro das águas, veio o ruído de cavalos, carruagens e elefantes; de correntes batendo e flechas balançando dentro das aljavas, e de rodas rangendo, e de homens chamando-se uns aos outros por cima da balbúrdia. Luzes subaquáticas cintilaram, refletindo os arneses tremeluzentes dos guerreiros e suas joias, que brilhavam fracamente.

Aos milhares, um exército elevou-se do rio. Todos os que haviam morrido na guerra de Kurukshetra surgiram em círculos, tendo Vyasa ao centro, como o rio envolve uma ilha. Alcançando o solo, as mulheres levaram seus homens embora; as esposas, seus maridos, as irmãs, seus irmãos, as mães, seus filhos, as filhas, seus pais. E não cessavam de vir, Bharata; vinham, como deuses dos céus, e saíam do rio, fendido, radiantes de luz. Eram ambos os exércitos juntos, sem suspeitas ou exprobrações. Haviam perdido toda a inimizade ao vestir suas túnicas celestiais e adornar-se com seus brincos de grande fulgor. Não havia mais inveja nem crueldade.

A noite transcorreu rapidamente. Drona levou os guerreiros mortos de volta ao rio pouco antes do alvorecer, e o último de todos foi Karna, com a roda de Sol de novo em seu peito, o signo da luz solar novamente em suas costas. Ganga fechou o rio sobre as rodas do seu carro de guerra. Ela ocultou seu estandarte e encobriu o seu mastro. Todos eles partiram.

"Apressem-se a entrar na água", disse Vyasa, "se também desejam ir, ou eles partirão sem vocês, se não tiverem fé em minhas palavras."

A noite estava linda. O ar estava fresco e límpido, o firmamento flutuava sem peso, as piras ardiam sem fumaça por entre a fina névoa do rio. Enquanto Vyasa convocava os mortos dos céus, Draupadi e Arjuna permaneceram a noite inteira a sós no campo de batalha.

Em silêncio, entregue aos seus abraços, Draupadi viu o céu ir clareando e as estrelas se apagarem. Arrancou dos braços e tornozelos os braceletes e as manilhas de caurim – todas, exceto quatro, uma em cada braço e em cada perna – para que não fizessem ruído ao se mexer, e caminharam ambos de volta.

"Arjuna, ainda estamos vivos!"

O ENCONTRO SOLITÁRIO

Majestade – todo rei deve uma vez
contemplar o Inferno!

Ao amanhecer, Bharata, Yudhishthira entrou na tenda de Krishna em Kurukshetra e encontrou-o sentado, com os olhos baixos, imóvel qual uma grande rocha, como a chama de uma vela onde não sopra o vento.

Yudhishthira pensou:

"Saudações a você –
As rodas de sua quadriga deixam um rastro de luz;
Ao erguer-se, você fecha as sete passagens do Vento".

Depois disse:

"Ouça: as águas funéreas foram derramadas no rio. As mulheres todas partiram, e as trilhas fáceis, abertas por inumeráveis pés, desapareceram. O mundo é irreal e não tem fim, e o Tempo segue o seu curso..."

Krishna levantou os olhos e respondeu:

"Em seu leito de setas, Bhishma pensa em mim. Ele é uma chama prestes a se extinguir. Faça agora o que deve ser feito".

Satyaki levou Krishna e os Pandavas através da Planície dos Kurus, por entre pilhas e pilhas de carcaças de animais mortos, por entre piras que ainda ardiam lentamente, caveiras com carvões em brasa à guisa de olhos e animais sarcófagos empanturrados demais para se mexer. O pendão com a palmeira ainda estava desfraldado sobre Bhishma, e, quando Satyaki parou diante da vala, ouviram uma espada de bronze batendo em um escudo de cobre e zinco e viram dois cavaleiros a enfrentá-los do lado interno da trincheira, um do exército Pandava, outro do de Duryodhana.

Yudhishthira desceu da quadriga e uniu as mãos em namastê.

"Como veio sem armas e em paz, pedimos para entrar."

"Quem é você?", perguntou o cavaleiro armado de espada.

"Yudhishthira."

O outro apontou a lança.

"Qual é sua família e qual o seu posto?"

"Sou o rei Pandava."

"Majestade, promete em nome deles que não cometerão atos de traição aqui?"

"Prometo."

"Outros já vieram. Pode passar, Majestade."

Bhishma abriu os olhos e viu-os todos postados à sua volta – os Pandavas e Sanjaya, Dhritarashtra, Krishna e Vyasa, Satyaki, Yuyutsu, Kripa e Vidura. Caminharam ao seu redor uma vez, em círculo orientado para a direita, e sentaram-se. Yudhishthira tocou os pés de seu avô com a cabeça.

"Bem-vindo seja, Yudhishthira", saudou Bhishma. "Aproxime--se mais."

"Sinto temor da sua maldição."

"Receba minha bênção, Bharata. Não há maldição em mim. Aqueles que não conseguem mais ver a estrela Polar, ou que já não se enxergam refletidos nos olhos de outrem, têm somente um ano de vida. Àquele que se tornou pálido restam apenas seis meses. Aquele que percebe a Lua cheia como que esburacada, qual teia de aranha, ou que sente o odor da morte num templo, conta apenas com uma semana. Rei, a minha hora é ainda mais próxima. Vocês são todos Pandavas. Enquanto perdurar a criação, haverão de viver vezes sem conta no mundo dos homens. Abençoados sejam, que não haja medo entre os seus."

Vieram os Pandavas, e Bhishma cheirou-lhes as cabeças, como costumava fazer quando eram crianças, e lhes contou: "Eu sou o Sol do anoitecer, coberto por uma auréola de raios e fachos luminosos vertentes". Silenciou e fechou os olhos, e todos permaneceram calados e imóveis como imagens de uma pintura.

Sahadeva olhou para o Sol e notou que o astro ia-se voltando para o norte.

"Eis o solstício."

"Avô, eu sou Yudhishthira. Se ainda me ouve, diga-me o que devo fazer por você."

Com os olhos cerrados, Bhishma disse:

"Por sorte, estão todos aqui. Adeus, Pandavas. Adeus, Kripa, Vidura, Dhritarashtra, Yuyutsu, Sanjaya, Satyaki, Vyasa... Krishna, venha cá".

Krishna aproximou-se.

"Eu disse a eles", sussurrou Bhishma, "que há verdade onde Krishna está; e há vitória onde está a verdade. Adeus, meu querido Krishna."

"Adeus, Bhishma."

Já muito fraco, mal movendo os lábios, Bhishma disse:

"Você é a membrana que recobre o Universo;
E o segura com amor em suas mãos..."

Quando Krishna se curvou para ouvir suas derradeiras palavras, a Morte, que esperava o consentimento de Bhishma, também se aproximou.

Pela coroa na cabeça de Bhishma, os cinco sopros de vida evolaram-se em luz para o céu, como meteoros. As flechas desapareceram; as cicatrizes e feridas de guerra sumiram do seu corpo. Krishna baixou-o gentilmente à Terra. Em Kurukshetra, todos os vestígios de batalha se dissiparam. Os animais e as aves retornaram em paz às suas moradas; um vento refrescante e balsâmico soprou por toda a planície.

A primavera brotou de si mesma ao findar o inverno; tudo se restaurou e rejuvenesceu. Kama entoou um cântico:

"Eu sou a doce Brisa, mensageira dos deuses,
Eu sou o Desejo:
Para longe as preocupações do mundo!

Aquele que murmura o Veda para me destruir:
Eu o supero; eu me torno a alma da Virtude;
Eu me torno a sua própria voz.

E aquele que tenta vencer-me pela paciência:
Para ele sou a força da Verdade;
Ele jamais perceberá que sou Eu.

E o homem com livros massudos,
Que me mataria pela Salvação:
Rio e galhofo na sua cara!

Para longe, longe...

Para longe as preocupações do mundo..."

Carregaram Bhishma envolto em panos de ouro e em tecidos de prata e o deitaram sobre uma pira feita de aloés macio e de sândalo. Cobriram-no com perfumes indissipáveis, guirlandas de flores e incenso; e sobre isso Yuyutsu colocou um pálio branco em sete camadas, Yudhishthira, uma folha de palma, Arjuna, o estandarte de guerra, Bhima, um leque de rabo de iaque, Nakula, um elmo de alvo pigmento, e Sahadeva, um arco branco.

Vyasa cobriu o fogo sagrado de Bhishma e entregou-o a Yudhi-shthira:

"Acenda-o, Bharata".

Yudhishthira curvou a cabeça e disse:

"Deve-se obedecer às palavras de Vyasa".

As cinzas foram lançadas ao Ganges. Mas, ao tocarem nas águas, estas se agitaram e fervilharam, correntezas surgiram onde antes não havia nenhuma, ondas violentas, em turbilhão, chocaram-se violentamente umas contra as outras.

Em prantos, desconsolada de dor, Ganga, a linda deusa do Ganges, ergueu-se do seu rio, encharcada de tristeza. Cada lágrima, ao cair na água, transformava-se em um lótus dourado que partia flutuando. Ela ajoelhou-se na margem, com o rosto escondido entre as mãos e os ombros trêmulos.

Rapidamente, Arjuna envolveu-a com seus braços morenos.

"Linda amiga, por que chora?"

"Jamais o verei novamente", disse a deusa, "e quem seria melhor do que Bhishma, para ele lhe ter dado a vida? As cinzas do meu filho permanecem em minha boca!"

Arjuna pensou: "Maya, volte para mim". E disse a ela:

"Abra os olhos e nade até os céus. Deusa, lembre-se de todos nós; com sua permissão, deixamos suas margens".

Enquanto escalava a ribanceira, Yudhishthira tropeçou e caiu, trespassado pela dor, como um elefante que tomba diante da lança de um caçador, e pensou: "Esta vitória me parece uma grande derrota! Há um inimigo, um somente, e é a ignorância".

Seus irmãos e Krishna permaneceram com ele; os outros partiram para a cidade. Bhima segurava a cabeça de Yudhishthira no colo e clamava: "Isso não pode ser!". Mas Yudhishthira só suspirava, e voltava a suspirar, sem nada dizer.

"Você agora se assemelha a um homem sedento que se recusa a beber", disse Krishna, "a um homem cheio de desejo que recusa uma mulher que anseia por entregar-se."

Yudhishthira tentou subitamente levantar-se, mas Bhima reteve-o com firmeza. Também subitamente, voltou a relaxar-se, e enxugou lentamente as lágrimas. Olhou de relance para Bhima, e fitou com compaixão os gêmeos, e com estupefação Arjuna, e depois demoradamente Krishna. Mas ninguém no mundo poderia interpretar o seu rosto naquele momento.

"E você é como um saco de couro cheio de palavras e de vento!", berrou para Krishna. "Os olhos dos que foram atraiçoados queimam o rei e o derrubam. Ele recolhe os pecados de seu povo junto com os impostos, herda as maldições, os conjuros e as misérias junto com o trono. Mesmo quando jovem, deve andar com um bordão; ele envelhece e morre sem jamais haver ficado em pé por si. Os que são profundamente idiotas e os que dominaram suas almas encontram a felicidade na Terra; todos os outros apenas sofrem desgraças."

"Você é brando e razoável", respondeu Krishna; "por isso os homens não o respeitam. Não se mostre tão ansioso depois de haver feito algo. A tristeza segue a alegria, e a felicidade vem após a infelicidade. Um acredita que os homens matam outros homens; outro pensa que não. Esta é a linguagem do mundo. Mas a verdade é..."

"A verdade é que, como a folhagem e a palha que cobrem o poço de uma armadilha, o seu darma, muito frequentemente, não passa de uma máscara para o engodo. Você é um deus em mera gestação, mas nem em uma centena de anos eu poderia esgotar a lista de seus crimes, mesmo que falasse dia e noite!"

"Acalme-se. O vento não se suja com a poeira que ele sopra para longe."

"Eu estou calmo!", bradou Yudhishthira.

"Oh, por que então grita: 'Ó infortúnio, que desgraça!', quando é por meio do Tempo que nascem flores nos lagos e surge a florescência da floresta, quando é por meio do Tempo que as noites se tornam escuras ou iluminadas?"

"Ó impiedoso Krishna:

"Somente homens que são como os ladrões
Aconselham um Rei
A empreender guerra e obter vitória".

"Vejam por si mesmos", prosseguiu Yudhishthira, "como e entre todos os homens, os reis é que têm menos senso e juízo. Baseado em que direito assassinei a todos? Renuncio a Kurujangala, busco o fim da existência individual. Que eu conquiste verdadeiramente o mundo! Vagarei pelas florestas e, ainda que me depare com o frio, a doença e a fome, por mais exausto que me encontre, a alma da Terra caminhará diante de mim, e o alimento e a bebida de alguma forma estarão lá. A cada dia hei de mendigar frutos das árvores - e se, enquanto estiver curvado diante delas, alguma fruta cair, eu a comerei. Mas nada colherei, nada hei de catar do chão. Que todas as criaturas mantenham o que é seu."

"Encontrarei os homens excelentes que deixaram o mundo para trás, jamais farei por minha vontade o mal a qualquer criatura de Deus. Hei de alargar a minha alma, e de despertar para descobrir o que sou. Como de uma montanha longínqua, verei vocês todos à distância, querendo isso e rejeitando aquilo, chorando por inanidade do espírito e cuidadosamente acalentando o nada, querendo bem àquilo que não possuem."

"Como uma tartaruga recolhe todas as patas, também obterei domínio sobre meus sentidos e meus desejos, e encontrarei deleite dentro de meu próprio coração. Não temerei criatura alguma; a ninguém oprimirei. Em harmonia com as palavras, atos e pensamentos, contemplarei minha própria alma a brilhar. Sem olhar jamais para trás, sem a ninguém indagar o caminho, prosseguirei, assim como o Tempo avança sempre, e nunca recua. Não me comportarei como um apaixonado pela vida, nem como alguém que está disposto a morrer. Se um tigre devorar um de meus braços, não lhe desejarei mal; se um anjo ornar meu outro braço com joias e preciosidades, não lhe desejarei boa sorte. Que assim eu encontre o Palácio da Sabedoria que é eterna e imutável em sua perenidade."

"Não me perguntaram o que pretendo, mas sem ser perguntado eu lhes disse. A todos vocês eu rejeito, e arrependo-me para que minha culpa tenha valor e para expiar o sangue do massacre que trago nas mãos."

Sem nada dizer, todos partiram, exceto Bhima. No acampamento, Nakula contou a Draupadi a decisão que Yudhishthira tomara:

"Ele está ferido. Vá até ele com fogo e alimento".

Ela preparou-se depressa, mas Sahadeva disse:

"Tenha calma, vá devagar. Quando estiver lá, ouça quando ele falar, mas não lhe responda com palavras. Mostre-lhe que o ama sem nada dizer, e não se vá, mesmo que ele lhe peça que parta".

"Permaneça a seu lado", disse Nakula. "Se ele não comer, mantenha-lhe a comida aquecida; se não dormir, repouse ao menos você. Quando for a hora, iremos ter com você."

Os olhos de Draupadi encheram-se de lágrimas.

"Tanta coisa aconteceu...", lastimou ela.

Sahadeva afagou-lhe os ombros morenos com suas mãos claras.

"Draupadi, nascida do fogo de Shiva, ouça: não tenha dúvida de que ele se recuperará. O que ele diz... é verdade, mas quer dizer outra coisa além das palavras."

Yudhishthira permanecia deitado nos braços de Bhima.

"Renunciarei a tudo isso. Não é o certo?"

Bhima espirrou.

"Irmão, um vento de longo alcance sopra por Kurukshetra. Ele faz curvar-se a relva; e jogará poeira em seus olhos se não lhe voltar as costas."

Yudhishthira sentou-se.

"Filho do Vento, você não arenga como os outros."

"Ah, não sou hábil com as palavras. Eu decidira quietar-me. Mas não, não um palácio e um reino, nem grandes riquezas e uma esposa!"

"Por que não?"

"Não sei, Bharata. Mas por que ter como único apego um punhado de cevada e uma túnica rota, marrom?"

"Não duvide da minha inteligência."

"A loucura é deveras sagaz", respondeu Bhima. "Ninguém pode eludir-se da própria imagem no espelho."

Yudhishthira sorriu. "Se tomar os tesouros alheios não fosse justo e correto, a única virtude dos reis cessaria! Eu sou cruel e covarde. Seja você rei."

"Olvidou a sua força e poder, Yudhishthira", suspirou Bhima. "Estes não são os enigmas dos sábios; são meras tolices, sem substância. Se uma vida agreste de inocência levasse a algum lugar, todas as árvores e as montanhas lá estariam, pois são castas e arredias."

"Você é incapaz de pensar", disse Yudhishthira. "Tudo o que sabe fazer é comer e matar."

"Ó rei Dharma, que aplaude a pobreza sem jamais ter olhado ao seu redor! O pobre é sempre acusado de tudo o que ocorre por onde ele passa, enquanto o rico facilmente aumenta os seus rendimentos, como alguém que usa um elefante para capturar mais e mais elefantes."

"Por favor, cale-se", pediu Yudhishthira.

"Ora, qualquer médico lhe receitaria incenso para as narinas e pólen fino para os olhos."

"Se não se importa..."

"Eis a cura para a doença mental", exclamou Bhima. "Quem além de você se amargaria com a vitória? Onde está você? E onde está o reino encantado em que todos os homens vivem felizes? Você por acaso chorou quando a casa de laca se incendiou sem que estivéssemos em seu interior?"

"Bons tempos foram aqueles... Qualquer um que tivesse olhos podia ver nossas vitórias, então."

"Lembra-se de quando Arjuna, o brâmane, retesou o arco de Drupada?"

"Lembro. Continue!"

"Maya e o Palácio da Ilusão?"

"Ah!"

"Quando tropeçou no Morro de Rishava?"

Yudhishthira riu.

"Quando a carruagem de Indra desceu do céu com Arjuna?"

"Lindo!"

"Quando você nos trouxe a todos de volta à vida respondendo às perguntas do grou?", gritou Bhima.

"A Lagoa da Morte", murmurou Yudhishthira suavemente, "mas agora tudo é uma incógnita."

"Se eu disse a coisa errada", ponderou Bhima, "esteja alerta, ainda espero vencer." O vento começou a soprar mais intensamente, levantando a poeira da Terra e rachando e derrubando as árvores sob o céu amarelo.

Yudhishthira tombou no chão, sonoramente adormecido.

Ele se viu num sonho.

Com seus irmãos e Draupadi, todos vestidos com casca de árvore, Yudhishthira caminhava para o norte por sobre um infindável deserto

"Vim para levá-lo embora deste deserto de morte."

de sal e areia branca para além dos Himalaias, onde os raios côncavos do Sol haviam sugado a água até a última gota. Montanhas longínquas erguiam-se adiante, mas mesmo andando rapidamente não se aproximavam delas.

Draupadi tropeçou e caiu no chão sem nenhum ruído. Yudhishthira sabia que estava morta; não se voltou para olhar para trás, nem diminuiu o passo. Arjuna inclinou-se sobre ela por um instante e, depois, enfileirou-se novamente com os outros. Observando seus próprios pés, Yudhishthira viu um cachorrinho marrom arfando ao seu lado.

Sahadeva morreu. Nakula correu até ele, mas docemente desfaleceu, também sem vida, sobre seu gêmeo.

Arjuna morreu.

Bhima perguntou:

"Mas por que isso?"

"Esqueça-se de tudo o que é ouvido", respondeu Yudhishthira, "e de tudo o que merece ser ouvido. Recorde-se de outrora, daquilo que você nasceu sabendo."

"É justamente como eu sempre pensei, tudo é mesmo simples." Então Bhima também caiu.

Yudhishthira pensou: "Sem sequer olhar, sei que ele está morto. Devo prosseguir para que a minha morte não me encontre à espera. Não houvesse eu matado Karna, poderia ascender aos céus num raio de Sol. Não houvesse eu matado Bhishma, poderia acompanhar Ganga até deparar--me com a morte nas amenas cidades de rocha dos Najas, iluminadas por joias profundamente subterrâneas. Mas aqui ela me evita". Yudhishthira sentia sede e cansaço, mas prosseguiu. O Sol pairava no céu, imóvel.

Os tambores celestes ribombaram. A carruagem de Indra desceu e pousou ao lado de Yudhishthira. O Senhor dos Deuses uniu suas mãos e disse: "*Namas.* Nós o saudamos. Suba na carruagem; vim para levá-lo embora deste deserto de morte".

"Meus irmãos e nossa esposa precisam vir comigo."

"Eles já deixaram os corpos e partiram à sua frente", respondeu Indra. "Vamos, entre."

"Senhor do Passado e do Presente!", exclamou Yudhishthira, "este cãozinho, minha derradeira companhia, também precisa ir."

"Não", disse Indra. "Não poderá ingressar no céu com um cão nos calcanhares. Ele é um ser profano e sem alma."

"É dedicado a mim e buscou a minha proteção. Abandonado sozinho aqui ele morreria."

"Não há lugar para cães no céu. São impuros. Não pode ser."

Yudhishthira franziu a testa.

"Não pode ser de outra maneira."

"Mas não compreende? Você conquistou o céu! Imortalidade, prosperidade e felicidade em todos os planos são suas. Deixe esse animal e venha comigo; isso não seria cruel."

"Este lugar em que estamos pertence a meu reino?"

"Sim, Majestade."

"Então sou eu quem decidirá o que há de ser feito. Não renunciarei ao meu cachorro; renuncio ao senhor. Não abandonarei um cão fiel pelo senhor. De alguma forma e em algum lugar, a Verdade e mil sacrifícios foram postos numa balança, e já chegou aos seus ouvidos, Senhor, qual se revelou o mais pesado. Quem vem a mim por medo, desastre ou amizade, jamais o abandonarei."

"Mas não posso levá-lo! Eu o farei dormir, não haverá dor. Ninguém saberá."

"Senhor dos Céus", disse Yudhishthira, "tem a minha permissão para partir."

"O seu esplendor será pleno nos três mundos; basta que entre em minha carruagem sozinho", disse Indra. "Já deixou todos os outros; por que não esse cachorro imprestável?"

"Eu decidi", afirmou Yudhishthira, "e mais do que isso não lhe concerne."

E então, com espantosa rapidez, Indra ajoelhou-se na areia e curvou a cabeça.

"Dharma, meu Senhor!"

Yudhishthira voltou-se, surpreso. O cachorrinho que se deitara à sua sombra desaparecera. Em seu lugar, alto e loiro, estava Dharma, de olhos cinzentos.

"Yudhishthira, não se curve diante de mim, meu filho", disse o deus. "Abençoado seja; como um cão eu o segui por este deserto. Em seu coração há compaixão por todas as criaturas; ora, isso não é fraqueza, mas fortaleza, e você defendeu aquilo em que acredita até os portais dos céus."

Yudhishthira viu-se carregado para os céus. Entrou ao lado de Indra no parque Nandana, mas, quando chegaram ao revigorante rio Mandakini, o afluente celestial do Ganges, as Apsaras que nele se banhavam sentiram vergonha quando ele as olhou. Algumas mergulharam na água, outras refugiaram-se nos bosques e jardins, e outras ainda ergueram suas vestes para se cobrir.

E então Yudhishthira viu Duryodhana, Sakuni e Duhsasana sentados em tronos magníficos que aturdiam a vista.

"Não partilharei o espaço com eles. Leve-me a meus irmãos."

Indra sorriu.

"Bharata, você ainda tem o corpo humano, e por isso as Apsaras fugiram assustadas, cheias de pudor. E é por essa razão que ainda sente amor pelos outros Pandavas e ódio por Duryodhana. Não pode haver amizade ou aversão entre os que estão mortos. Mas permaneça vivendo neste lugar. Venha comigo saudar Duryodhana com cortesia."

Yudhishthira voltou seus olhos de leão para Indra.

"Onde estão meus amigos? Leve-me lá, seja onde for."

Indra retrucou, como se estivesse apaziguando uma criança:

"Mas, Rei do Mundo, estamos no céu. Ao lançar seu corpo ao fogo da batalha, Duryodhana mereceu o laurel de herói. Repouse, e esqueça todo o passado. Você conquistou esta região eterna de deleite sem fim.

Por favor, não fique irado. Goze da delícia e da beatitude da maneira que desejar".

Yudhishthira estancou. "Eu nem sequer porei os olhos em Duryodhana! Quero ver os outros; sem eles, isto aqui não pode ser o céu."

"Está recusando minha hospitalidade e todos os meus melhores votos."

"Assim é."

Indra exclamou gelidamente:

"Grande guerreiro, seus amigos estão em outro lugar que não aqui. Se quiser, pode ir até eles, é claro, mas eu aconselho..."

Yudhishthira jogou a cabeça para trás.

"*Pegue o seu conselho e vá para o Inferno!*"

O rosto de Indra fechou-se como uma lisa máscara de pedra.

"*Não, Bharata, é você quem vai!*"

Yudhishthira escorregou em algo putrefato na semiescuridão. Uma nuvem de abelhas de ardentes ferrões cobriu-lhe o rosto, e ele teria despencado não fosse o pulso firme do Gandharva prendendo-o pela mão. Um enorme verme branco caiu em seu braço. O Gandharva pegou a asquerosidade disforme com indiferença e atirou-a longe, guiando Yudhishthira mais e mais para baixo.

Atrás de ambos corria velozmente o Vaitarani, um rio espesso de pelos, sangue fervente e tutano gelatinoso que fluía sobre um leito de esqueletos. Gordura humana borbulhava nas ondas, e um vento mefítico gemia em seus ouvidos. Abriram caminho por entre rochas pontiagudas, por entre uma floresta de árvores cujas folhas eram navalhas que se abriam para o Gandharva e se fechavam novamente atrás deles. Água escaldante corria sobre rochedos de ferro. Abutres com bico de aço mergulhavam em cima dos dois soltando uivos pavorosos. O ar era infecto, abominável, e carregado de fumaça fétida e imunda.

Yudhishthira mal conseguia respirar, mas o Gandharva continuava a empurrá-lo para baixo, e o ar ia-se tornando cada vez mais pútrido e imundo; continuando a descer, as trevas se tornavam mais e mais cerradas. Por trás de espinheiros de bronze carregados de veneno, demônios famintos com bocas em forma de agulhas e estômagos enormes os observavam. Algo lambuzou a perna de Yudhishthira, mas ele nada pôde ver.

Yudhishthira largou a mão do Gandharva e estremeceu. "Até onde precisamos descer?"

O Gandharva parou. "Seu caminho é até aqui. Se estiver cansado, voltemos juntos; dê-me a mão."

A mente de Yudhishthira estava amortecida. Ele se voltou, aturdido, tateando às cegas pela mão do Gandharva, quando uma voz trêmula de miséria e desespero gritou: "*Não vá!*", e outras vozes vagamente familiares o chamaram: "Agracie-nos com a sua presença, ó Rei dos Reis! Fique ao menos por um instante, ó Rei dos Reis – você nos traz doces fragrâncias e um sopro de ar fresco. Enquanto permanece conosco a dor esvaece um pouco!".

Yudhishthira disse:

"Ó desgraça! Quanto sofrimento! Quem são vocês? De todos os lados se ouviram as respostas: "Eu sou Karna". "Eu sou Arjuna." "Eu sou Draupadi." "Eu sou Bhima." "Eu sou Nakula." "Eu sou Sahadeva." "Eu sou Drupada." "Eu sou Virata." "Eu sou Uttara."

"Isto não é sonho, Gandharva", disse Yudhishthira. "Que perverso destino é este?"

"Mas sou apenas um mensageiro."

Com a voz colérica de um rei, Yudhishthira lhe disse: "Diga então aos deuses, em meu nome: para que caia sobre Dharma e Indra, e todos os outros, eu lhes envio a minha maldição! Que sejam atingidos pela amargura, pelo mal e pelo infortúnio! Que a desonra, a vergonha e a mentira despenquem sobre eles e os esmaguem! Escravo do pecado, volte e advirta o deus deste lugar: 'Oculte-se de mim, ou virei aqui em hora desconhecida e o esmagarei como a um inseto!'. Ó Gandharva celestial, se tem amor à sua vida, suma daqui!".

E então, em seu sonho, tudo foi confusão – as trevas foram atingidas por raios que pairavam inertes onde caíam, e a noite despedaçou-se sob seus pés. Yudhishthira caiu dentro do Sol. Caiu nos braços de Dharma, cujos longos cabelos dourados ofuscavam a vista com seu brilho. Nos olhos de seu pai, Yudhishthira se viu dormindo em Kurukshetra, tendo Draupadi sentada ao seu lado.

Parikshita

Por amor, você o torna íntegro e afetuoso, e a si
mesma, e assim protegerá sempre seu marido, pensando:
"De que outra forma haveria ele de nascer em mim?"

Majestade, Yudhishthira despertou ao alvorecer, a sós com Draupadi, que disse:

"Está dormindo desde ontem, marido. Tem fome? A comida está quente; tudo o que está aqui é seu para se deliciar".

Ele derramou uma vasilha de água na própria cabeça, bebeu profundamente de outra e sorriu para Draupadi. Ela riu como uma árvore de vidro ao vento. Yudhishthira abraçou-a calorosamente com seu rosto colado aos cabelos perfumados da esposa, e ela também o abraçou até que todas as suas forças esvaecessem, e relaxou em seus braços.

Ao meio-dia Yudhishthira viu seus irmãos trazendo a carruagem branca de oito rodas, puxada por dezesseis touros brancos, que o levaria a Hastinapura.

Com Draupadi ao seu lado sobre as peles brancas de tigres, com Bhima na boleia e os outros seguindo atrás, ele ingressou na Cidade-Elefante. Flores e folhagens haviam sido penduradas por todas as ruas; na entrada de cada casa havia um jarro novo de metal transbordando de água. Mas as portas e janelas de todas as casas estavam fechadas; as ruas desertas, a cidade calada e sem movimento.

Bhima parou diante do palácio. Yudhishthira levou flores e incenso ao deus da cidade, mas quando penetrou no pátio interno onde ficava o santuário encontrou lá reunidos todos os brâmanes de Kurujangala. Disse-lhes então:

"A guerra é finda".

Contudo, entre os brâmanes estava Charvaka, o príncipe Rakshasa, disfarçado de eremita. Segurava um pote de água e um colar de contas, e em sua cabeça raspada havia somente um tufo de cabelo. Ele fora amigo de Duryodhana, e agora dava um passo à frente diante dos outros, brandindo seu cajado triplo no pavimento de lajotas. Altivo e destemido, Charvaka gritou:

"Você nos traiu a todos! Você é peste para este reino, Yudhishthira! Você imagina: 'Sou bem-nascido, posso fazer o que quiser, não sou um homem comum!'. Arraigadas ou moventes, racionais ou irracionais, todas as criaturas o amaldiçoam. Você dizimou indignamente a sua própria raça e a sua própria família; e o que ganhará com isso? Eis que todos nós dizemos: 'Faça o que é certo – ponha um fim à sua vida'".

"Eu sou o rei mais excelente que já existiu, e jamais haverá alguém tão bondoso e tão sábio", retrucou Yudhishthira.

"Mas o que é isso?", bradou Charvaka.

"Ó brâmane", disse Yudhishthira, "nunca lhe disseram? 'Para matar-se, exalte-se; para matar o rei, apenas insulte-o.' Portanto, eis que eu jazo morto duas vezes; o que mais posso fazer por você?"

Em uma só voz os brâmanes recitaram: "Hum". E, enquanto o mantra ainda ecoava pelo pátio, Charvaka tombou fulminado, morto em pedaços. E um deles disse a Yudhishthira:

"Perdoe nossa violência, mas aquelas não eram nossas palavras!"

Quando o povo de Hastinapura soube, todos sorriram e comentaram: "Que ele permaneça conosco por uma centena de anos". Era de novo uma cidade com vida.

Num trono de ouro voltado para o oriente, Yudhishthira foi consagrado rei pelos antigos ritos de Bharata. Dhritarashtra verteu uma concha cheia de água sobre sua cabeça. Os brâmanes trouxeram-lhe jarros cheios de terra e de ouro, de prata e de gemas preciosas, e os depositaram num altar à sua frente, ao lado de tigelas de arroz frito, leite e mel. Com uma tigela feita de madeira de figueira sagrada, Yudhishthira derramou manteiga cristalina sobre o fogo que arde desde que o primeiro rei lunar desceu à Terra.

O rei Yudhishthira tocou então em flores brancas recém-colhidas e na fronte da mais linda virgem da cidade. Quatro cântaros de água foram colocados à sua frente, um feito de ouro, outro de prata, outro de cobre e outro de terra. Em cada jarro transbordante ele introduziu sua mão direita em concha e, com a água dourada, umedeceu os lábios; com a água argêntea, os olhos; com a água cúprica, o nariz; com a água telúrica, as orelhas. Dhritarashtra tomou uma concha envolta em fios de ouro, encheu-a, parte por parte, com água do mar das quatro direções e novamente entornou o líquido sobre a cabeça do rei.

Quando findou a cerimônia e o povo lhe trouxe presentes, Yudhishthira também presenteou a cada um, mergulhando em água uma folha de relva e recitando silentemente o seu mantra secreto, que jamais haverá de ser escrito, nem jamais será dito para ser ouvido por outro. Ele e Dhritarashtra entregaram esses presentes em nome dos mortos, e outros em nome deles próprios. Ofertaram lâmpadas, e a recompensa para eles foi a clara percepção; construíram tanques áqueos, e estas dádivas de água estarão mais tarde a seu dispor após a morte, onde é muito seco.

Yudhishthira disse ao povo: "Tratem Dhritarashtra como nosso pai", e presenteou o idoso monarca com um palácio. Aos reinos sem soberano por causa da guerra dos Bharatas enviou mensageiros com ordens para que se entregassem os tronos às esposas ou filhas ou irmãs dos reis que haviam perecido. E fez imprimir nos editos o nome de Dhritarashtra antes do seu.

Finalmente, caminhando sob os estandartes floridos, ingressou no palácio, dirigindo-se aos seus aposentos particulares, onde jovens donzelas de cintura como o cálice das flores, com adornos nos tornozelos e luas douradas nos lábios, o ajudaram com suas vestes reais. Quando já havia retirado as correntes de ouro, as joias, as sedas, as peles de tigre e as faixas de prata, Arjuna e Krishna entraram.

"Afinal, em que lugar do mundo estavam vocês?", perguntou Yudhishthira. "Procurei-os em toda parte."

Arjuna pigarreou. "Está um dia quente. Fomos nadar."

"Como sou o filho de Deus, tal honra é mais do que apropriada. O que mais?"

"E comemos algumas melancias", disse Krishna.

Arjuna riu. "E você se lembra daqueles enormes balanços no parque? Queríamos ver quem era capaz de ir mais alto com uma linda mulher no colo, mas *ele* quase se espatifou."

"É que eu trazia comigo o jarro de vinho", justificou-se Krishna, "e aquela moça guardou... e nós lhe trouxemos um presente."

"Diga 'Majestade'", exclamou Arjuna. "O parque é dele, agora."

Yudhishthira sentou-se. "O homem que ouve esta inacreditável lenda com fé e devoção...". Mas foi incapaz de manter o rosto sério. "Pois então, onde está o presente?"

Arjuna prostrou-se no chão. "Na sacada, Sire." E lá, num vaso simples e cheio de ressaltos, crescia um adocicado pé de manjericão com folhas enrugadas e flores brancas.

"É um belo presente", sorriu Yudhishthira. Olhou para Krishna e para Arjuna. "Obrigado, e tenham uma boa hora."

"Mas como soube?", indagou Krishna.

"Majestade", disse Arjuna. "Peço desculpas pelas vulgaridades do meu amigo. Vamos a pé até Indraprastha. Quer vir conosco?"

"Não, eu não." Yudhishthira abraçou os dois. "Adeus. Contem-me mais tarde o que descobrirem por lá; estarei esperando para ouvir."

Depois que partiram, seu pai Parikshita nasceu em Hastinapura. O quarto de Uttarah estava repleto de todas as coisas que espantam e destroem os Rakshasas – armas brilhantes dispostas em posição adequada, fogos, médicos, sementes de mostarda, mulheres idosas, carvão embebido em manteiga e mantido apagado, flores brancas e água nos cântaros. Embora tudo isso tenha sido feito, Parikshita jazia silente e imóvel após o parto, pois vida ele não tinha. Atingido por parte da arma Brahmasira de uma folha de relva, não teve forças suficientes para o choque do nascimento.

Draupadi e Subhadra viram seu filho nascer morto do ventre da filha de Virata. Subhadra, alva como se fosse a personificação dos raios da Lua, refugiou-se sozinha num canto e murmurou suavemente:

"Krishna, o que fez agora esse infanticida? Rogamos que faça valer suas palavras, ó Krishna, diante de todo o Universo".

Em Indraprastha, Krishna interrompeu sua conversa com Arjuna e fechou os olhos. Uma luz intensa e um som impetuoso tomaram conta do quarto de Uttarah na Cidade-Elefante, e o recém-nascido começou a chorar. Assim como Yudhishthira matara Duryodhana com palavras, por serem estas os únicos dardos capazes de atingi-lo, também com palavras o seu pai foi revivificado. Draupadi correu para contar a Yudhishthira, e os oniromantes reais puseram-se a escrever o que sabiam da vida de Parikshita no útero de sua mãe, antes do nascimento.

Os músicos Bharatas tocaram aquela canção da qual ninguém mais se recorda. É muito curta, e eles a tocam inteira apenas uma vez, e só no nascimento do primogênito do rei. Em tais ocasiões, ninguém senão eles próprios e Chitraratha, o rei Gandharva, parecem ouvi-la.

Chitraratha voou até Indra e cantarolou as primeiras notas, mas a canção fugiu-lhe da mente antes que a houvesse terminado. Todavia, o Senhor dos Céus a conhecia e sorriu. “Meu neto! Celebremos!”. Com um pontapé abriu uma arca feita de sândalo e vasculhou sua coleção de nuvens e tempestades.

Indra dirigiu-se ao pórtico dos céus, tão difícil de ser visto, onde a tranca da porta é a cobiça e a fechadura da tranca, a mesquinhez. O pórtico escancarou-se à sua chegada, e ele lançou para baixo furacões seguidos de tempestades, aguaceiros caudalosos e ciclones, uma pitada de um dilúvio ensurdecedor, uma monção como aperitivo, e ainda um punhado de cometas.

“Mas, Senhor, é inverno!” gritou Chitraratha. “Vai confundir todas as coisas!”

“Não importa”, disse Indra, e abriu seus mil olhos para observar a Terra.

Sobre Hastinapura e Indraprastha o vento dilacerante rompeu as pesadas nuvens azuladas, e a chuva despejou-se sobre tudo. Trovões sacudiram o firmamento e fizeram estremecer seu galão de relâmpagos fervilhantes, mas Indra, apenas com o olhar, afastou os ventos de todas as habitações e tornou as águas inócuas. Nem uma só flor ou folha foi arrancada ou esmagada; nem uma plantação, danificada; nem um broto, machucado. Nenhuma criatura se afogou em toca alagada, nem tombou enquanto voava. Não houve inundações, e as estradas ficaram apenas úmidas, sem lodaçais, sem atoleiros. Após a tormenta, todo o feno e toda a palha continuavam secos. Em Kurujangala, um milhão de luzes tênues e de varetas de incenso ardiam ao ar livre em ação de graças pelo nascimento de seu pai e, apesar dos ventos inclementes e das chuvas torrenciais que fustigaram a cidade por um dia e uma noite, nenhuma delas se apagou. Tampouco houve um só pote ou jarro de água ao lado das casas que transbordasse.

Os mil olhos apenas haviam piscado.

E em Indraprastha, tomada por espessas trevas, a chuva encharcou o chapéu de penas de pavão de Arjuna, enquanto, debaixo de uma árvore gotejante, Krishna lhe contava sobre suas vidas passadas juntos. Janamejaya Raja, ninguém sabe quais foram essas vidas. Desconhece-se o que foi dito entre eles. Este é um antigo mistério para os homens, e um segredo até mesmo para os deuses.

Yudhishthira proclamou a realização de um festival por duas semanas. Bhima demarcou um recanto cheio de beleza nos arrabaldes da cidade. Construiu largas estradas que levassem até lá e tornou-o plano e suave com joias não lapidadas. Edificou mansões de alabastro e abóbadas sobre altas colunas de puro ouro macio, vermelho e amarelo. Desenhou na Terra, com pó de ouro, figuras de animais e pássaros dentro de triângulos de flores e especiarias. Fincou balizas de madeira para a veneração dos deuses e cobriu-as de seda tecida com fios de duas cores. Se era costume espalhar grama para as pessoas se sentarem, ali a própria grama era de ouro.

Yudhishthira deu início ao banquete cavando um sulco no solo com uma charrua dourada, e Bhima cozinhou montanhas de comida. Serviu dezoito tipos de churrasco, arroz silvestre e sementes de gergelim em trinta tipos de molhos, trigo fervido em leite e manteiga, doces picantes feitos de açúcar, gengibre e pimenta, conservas doces e azedas, frutas secas e frescas, setenta tipos de verduras e legumes crus e cozidos, noventa e três variedades de sopas, onze espécies de guisados, vinte e nove tipos de peixes preparados de cinquenta e uma maneiras, pão não levedado assado e depois frito, cem tipos de tortas e bolos; coalhadas, açúcar mascavo, raízes, folhas fritas e salgadas, nozes assadas, mel claro e escuro e nos favos, e ainda oceanos de vinho, rios de água cristalina e lagos de leite.

Pessoas vieram de todas as nações, reinos e províncias para se reunir. Na entrada principal ficavam cestos e cabazes de ouro e de pérolas, e todos, ao entrar, enfiavam a mão onde quisessem e levavam consigo quanto pudessem carregar.

Yudhishthira acompanhou o último convidado até os portões. As vacas e os búfalos levados para as bênçãos, e os pássaros e animais selvagens que os vinham visitar recebiam de comer em suas próprias moradas, cheias de grãos de cereais, de cana-de-açúcar, de hortaliças e de leite. Após cada cem mil pessoas que alimentava, Bhima fazia soar um gongo de ferro; antes que o som cessasse, já era hora de fazer o gongo soar novamente, dia após dia.

O rei Yudhishthira deu a todos roupas, sementes, animais, cobertas, casas e remédios. Ao longo das estradas, mandou construir cinquenta mil pousadas que oferecessem água e alimento para os viajantes. Ninguém jamais ouvira falar, nem nas histórias, de tanta abundância, e os futuros reis teriam dificuldade em atingir tal generosidade. Não houve morticínio por questões de primazia de posição ou de dignidade, nem as pessoas foram chacinadas por maldade dos reis.

Quando Yudhishthira já recepcionara a todos e todos os seus convivas estavam cansados, felizes e fartos; quando os filósofos e os críticos, em sua eloquência, já haviam discutido e defendido suas proposições, tanto as analíticas como as sintéticas, e os perdedores haviam sido obrigados a calar-se; quando riquezas sem fim já haviam sido distribuídas em abundância por criados que usavam flores e brincos reluzentes de ouro; quando as multidões se haviam aquietado, repousando em leitos paradisíacos e almofadas de grande maciez, e as vozes celestiais que entoavam "Este é um dia abençoado" já haviam quase cessado... então, no fim da última tarde do festival, um mangusto preto e castanho cruzou em disparada a clareira aberta para a festa. O animal corria ininterruptamente atrás de qualquer vestígio de farinha que visse derramada no chão, caída das ofertas de alimentos.

E espojava-se sem parar sobre qualquer montinho de cereais e de farinha que encontrasse. Passou em frenética correria pela cozinha de Bhima e precipitou-se pelos jardins onde todos comiam a fim de mergulhar e espolinhar-se em todo aquele pó de farinha. Em seguida espirrou e precipitou-se aos pés de Yudhishthira, refestelando-se.

O mangusto fixou os olhos azuis no rei e suspirou profundamente. Yudhishthira reparou que de um lado o seu corpo e a sua cabeça estavam cobertos com uma pele de ouro.

"O que é isso?", perguntou Yudhishthira. "Diga-me. Se eu puder, eu lhe darei."

O mangusto mostrou seus dentes brancos afiados e lambeu os beiços. Com um olhar melancólico, respondeu:

"Se eu não estou completamente dourado até agora, não há nada que possa fazer".

"Não está", disse Yudhishthira.

"Tenho o hábito de frequentar todas as demonstrações de magnanimidade que consigo descobrir", revelou o mangusto. "Por isso vim até aqui e, por tudo o que eu ouvira falar, tinha grandes esperanças... mas estou mais uma vez desapontado, pois toda esta sua celebração não equivale sequer a uma tigela de farinha dada como esmola onde vivo em Kurukshetra."

Yudhishthira ergueu-se do trono e sentou-se no chão. "Sente-se nesta almofada ao meu lado. Por que está decepcionado e por que metade do seu corpo é dourado e resplandecente?"

O mangusto sentou-se sobre sua longa cauda, acorcovou as costas e cruzou as patas debaixo dos cotovelos. Olhou para o rei e disse:

"Eu lhe contarei o que vi mil anos atrás.

Ouça, Bharata:

Maravilhoso e excelente foi aquele presente de quatro punhados de farinha. Eu ainda vivo debaixo do solo, na mesma toca de então.

Um homem e uma mulher muito idosos, seu filho e a esposa viviam num pequenino casebre feito de galhos amarrados com cipós, coberto com folhas e esterco. Eram pobres e tinham de viver de raízes silvestres, de ervas e de qualquer cereal que conseguissem encontrar nos campos após a colheita. Era um dia quente de fim de verão em Kurukshetra, e o Sol estava a pino. A terra estorricara e rachara em blocos. A chuva não viera. As plantas silvestres havia muito tinham ressecado e murchado, e a floresta não abrigava comida alguma. Havia fome por toda a região, e o rei não conseguia alimentar nem a sua própria cidade.

A família sempre tentava guardar alguns grãos de cereais que durassem até a safra seguinte, mas nada germinava. Suas reservas tinham se reduzido a uma tigela de farinha grossa, e havia um mês que comiam apenas cascas secas de árvores, plantinhas do rio e bebiam água.

Mas haviam guardado aquela farinha, embora estivessem tão debilitados de fome que não conseguiam mover-se sem estremecimentos. Ao meio-dia, um andarilho apareceu manquejando na porta da choupana, apoiando todo o seu peso num cajado. Era magro, franzino e muito idoso; era alto e moreno, e trajava uma túnica em frangalhos que fora um dia vermelha, mas que agora estava desbotada, com remendos sobre remendos de tecido marrom ordinário; seus cabelos eram longos e alvos, e o corpo não produzia sombra.

A família alegrou-se por receber um hóspede, e o pai saudou-o: "Bem-vindo seja". Seu filho trouxe água para lavar os pés do forasteiro.

"Não esperava encontrar alguém por aqui", disse o viajante. "Pensei que esta era apenas uma casa vazia onde poderia esconder-me do Sol para morrer. Sinto-me extenuado e faminto demais para prosseguir em meu caminho."

"Não", disse o pai. "Não deixará o nosso lar sem partilhar do nosso almoço."

"Como é possível que ainda tenham o que comer?", perguntou o estranho. "O mundo inteiro cai de inanição."

"Estamos acostumados à pobreza", explicou o filho, "e guardamos comida por hábito. Entre, e venha saciar-se."

A velha levou o forasteiro para dentro e colocou a tigela de farinha à sua frente. Sua filha disse:

"Coma o senhor primeiro. Não estamos acostumados a almoçar tão cedo, e há outra comida para nossa refeição".

O peregrino teve de virar a cabeça para olhá-la. "Na verdade, a vida é uma dádiva que não se deve lançar fora. Quando as suas próprias mãos tremem de fraqueza, como posso aceitar isto?"

"Se recusássemos receber um hóspede", respondeu o pai, "ficaríamos cheios de vergonha."

O andarilho encarou-o com doçura e, depois de misturá-la com água, comeu toda a farinha da tigela. A fome cessou e suas forças voltaram. Saiu e sacudiu o pó de farinha que restara nas mãos. Depois, postou-se novamente à porta do casebre. E disse-lhes:

"Venho parando em todas as casas onde havia comida. Só vocês foram bondosos; ninguém mais me deu coisa alguma. A chuva, neste instante, já começa a cair no sul. Mas sabem vocês quem caminha como eu por terras onde não há alimento?"

"Sim", disse o pai. "Nós o reconhecemos agora, Senhor."

"A fome destrói a sabedoria e aniquila a coragem", disse Yama, "mas vocês a sobrepujaram. Vem aí uma carruagem de Brahma; muito me honrarão se forem até ele, como merecem."

E desceu uma carruagem vinda do mais alto, do mais imutável, do mais infinito dos céus, puxada por garças e cisnes brancos presos a arreios de flores. O ar perfumou-se com uma refrescante fragrância celestial cujo nome desconheço, e a família, que me parecera tão pobre, partiu nela, enquanto o forasteiro moreno desaparecia diante dos meus próprios olhos.

Tudo isso observei da minha toca. Depois que todos haviam partido, pus para fora meu focinho, repuxei minhas orelhas e dei vivas numa voz profunda. Então vim para fora e espojei-me sobre o pó de farinha que Yama esfregara de suas mãos. Onde quer que aquela poeira me tocasse, minha pele se tornava ouro. Mas havia muito pouco, somente o bastante para a metade do meu corpo.

"Não sei o que mais quero", disse o mangusto.

"Yudhishthira", disse o mangusto, "é por isso que eu percorro todos os tipos de ofertórios, de ascetas e de reis, tentando completar o serviço. Mas ainda não logrei tornar-me inteiramente dourado."

Yudhishthira sorriu para o animal e acariciou-lhe o dorso. "Você é um bicho singelo, não há nada mais que eu lhe possa dar? Se eu fosse você, não ficaria muito esperançoso de encontrar um festival real que possa igualar-se ao que presenciou mil anos atrás. O que viu é raro demais, todo o resto é comum demais."

"Não sei o que mais quero", disse o mangusto.

"Pense, deve haver algo."

"Eu não penso muito, Majestade. Mas sei de que gosto."

"Permita que lhe traga um pires com ovos crus e leite, e que o presenteie com um pedaço de seda vermelha ataviado com ouro para sua esposa usar em casa."

Os olhos do animal brilharam. "Obrigado, Bharata, isso seria ótimo. Eu lhe agradeço."

"Não, *eu* lhe agradeço por ter vindo ao meu festival e por me contar sua história", disse o rei Yudhishthira. O rei juntou as mãos em namastê e o mangusto retribuiu-lhe a saudação.

O CAMINHO ETERNO

Quando há uma nódoa,
não há nada que possa removê-la –
o Tempo a fará esvaecer.

Majestade, quinze dias depois Dhritarashtra mandou chamar Yudhishthira. O velho monarca estava magro e enfraquecido, com as vestes soltas no corpo e as veias e nervos todos visíveis.

Dhritarashtra saudou-o:

"Abençoado seja. Tenho vivido estes dias em grande felicidade. Por ordens suas, ninguém discute o passado ao alcance dos meus ouvidos. Nada posso fazer por meus filhos, que o ofenderam, Yudhishthira; morreram todos pelo darma xátria. Mas agora estou velho. Partirei para a floresta".

"Rei dos reis, eu não sabia", disse Yudhishthira.

"Em minha mente, eu o comparo a Duryodhana. Você sempre me consulta e obedece ao mais insignificante dos meus desejos. Quanto maior a sua consideração, mais o contraste me desalenta. Na oitava hora do dia, eu agora só me sirvo de um pouco de comida. Gandhari sabe disso, mas tenho escondido isso de meus criados para que eles não lhe informem. Durmo no chão, na grama, e dedico o meu tempo a orar em silêncio com minha esposa."

"Quem lhe obedeceu na aparência, mas com rancor no coração?"

Com lágrimas nos olhos, Dhritarashtra respondeu:

"Não posso permanecer na Cidade-Elefante. Mantive-me em silêncio para não lhe trazer mágoa. Tenho vivido sob sua proteção. De sua boca jamais saiu palavra contra mim, não importa o que eu fizesse; permitiu que eu desse presentes e concedesse perdão como se ainda fosse o rei. Pede frequentemente a todos que cuidem para que eu não me sinta infeliz por coisa alguma... mas o que me acontece agora é algo que está além de você".

Dhritarashtra recostou-se subitamente. "Conceda-me a sua permissão, pois, estando em jejum, pelo muito falar minha mente se enfraqueceu."

Yudhishthira o revigorou com um toque da sua mão. "Pai, se eu for merecedor do seu obséquio, venha partilhar algum alimento comigo. Saberei então o que fazer. Meu próprio corpo está à sua disposição, e toda a minha riqueza. Não tenha dúvidas. Quem o maltratou? Quem ousou desobedecer-me?"

Dhritarashtra suspirou. "Eu próprio desobedeço. Já fiz o que me cabe fazer. Toda a minha obra está encerrada, e é nosso costume que um monarca idoso se retire do mundo. Os reis devem morrer na guerra ou na floresta."

Yudhishthira curvou a cabeça:

"Eu lhe peço: comamos juntos pela última vez; depois, parta para onde desejar na floresta... ó Pai..."

"Não, meu filho... grande tem sido meu esforço, grande a minha labuta. Não se lamente por mim. Não guardo de ninguém a menor raiva. Quero apenas levar um pouco de alimento, com o seu consentimento."

Quando soube que ele partiria, o povo de Hastinapura reuniu-se diante da casa de Dhritarashtra, e ele lhes falou com o vento do entardecer roçando meigamente em seus cabelos prateados e em suas vestes de capim branco.

Com Gandhari a seu lado, Dhritarashtra disse:

"Meu coração pensa insistentemente em deixá-los. Concedam--me a sua permissão. A benevolência que existe entre nós não é encontrada em outros reinos. Vergo-me com o fardo dos anos que carrego sobre minha cabeça. Qual há de ser o meu refúgio senão as profundezas da floresta?"

"Perdoem", prosseguiu ele, "minhas falhas e faltas enquanto rei, pois nem sempre dediquei o que havia de melhor em mim. Mas, se considerarem: 'Ele está velho; perdeu os filhos; foi o nosso rei', certamente me absolverão por não haver eu mesmo aniquilado Duryodhana, pois possuía mais do que a força e o vigor para fazê-lo. Todavia, por mais tolo que tenha sido o meu filho, a verdade é que ele não os oprimiu. Ele, por orgulho, causou uma grande guerra e a morte de guerreiros e de xátrias e de reis. Mas, se isso foi bom ou mau, eu não sei. Eu lhes dou Yudhishthira, e a ele os dou como penhor. Partirei com Vidura, Sanjaya e a rainha. Saúdo todos vocês e rezo para que se lembrem de mim em seus corações."

Os cidadãos choraram, cobrindo o rosto, como os pais choram quando um filho querido está prestes a deixá-los para sempre. Em seus corações havia lugar somente para a tristeza. Nada diziam; encaravam--se uns aos outros, apenas.

Gradualmente foram conseguindo conversar entre si. Fazendo de suas palavras uma súmula, encarregaram um porta-voz de responder por todos. Ele se pôs diante do rei e disse:

"Nossa resposta foi entregue aos meus cuidados. Ouça:

"Tudo o que disse é verdade; não há a menor inverdade em suas palavras. Jamais rompeu o contrato que manteve conosco. A destruição dos Kurus não foi obra de suas mãos, nem foi causada por Duryodhana. Tal evento jamais se poderia dar sem a influência do destino. Os xátrias, em particular, devem matar seus inimigos e deparar-se com a morte em campo de batalha. Quem pode dizer algo mais sobre isso? Nós o temos como nosso mestre; portanto, absolvemos em sua presença o seu filho. Os covardes são incapazes de viver nas grandes florestas... Pelo resto de nossos dias, não o esqueceremos".

Todas as pessoas presentes naquela assembleia exclamaram: "*Excelente! Excelente!*" e tomaram aquelas palavras como as suas próprias. Dhritarashtra agradeceu e voltou a agradecer aos seus súditos. Com as forças debilitadas e os movimentos vagarosos, entrou em sua casa.

De manhã Dhritarashtra ofertou arroz tostado e flores recém-colhidas ao palácio em que vivera por tanto tempo e honrou seus criados com presentes. Sanjaya tomou o fogo que o velho monarca adorava diariamente e, vestido com casca de árvore, caminhou ao lado de Dhritarashtra, de Gandhari e de Vidura pela rua principal de Hastinapura. Kripa e Yuyutsu escoltaram-nos até as muralhas da cidade e depois retornaram. Kunti encontrou-os lá e os acompanhou até passarem o portão, tomando Gandhari pela mão. Dhritarashtra seguiu-os, com a mão nos ombros da sua rainha.

Os Pandavas aguardavam do lado de fora das muralhas. Lá, inclinando ligeiramente o rosto, Bhima cumprimentou-o: "Ó rei, aonde vai? Contemple os reveses do Tempo!". E suspirou pesadamente. "Quando ontem eu o ouvi começando a falar, só com grande esforço consegui aquietar-me. Este é normalmente o modo de ser dos guerreiros em campo de batalha, e eu sou devotado à guerra e à altivez dos guerreiros.

Peço desculpas por mim. Os que não são vulgares não acumulam dentro de si o mal que lhes foi feito, mas recordam-se apenas dos benefícios que receberam."

Kunti pôs-se de novo a caminhar e disse a Yudhishthira:

"Cuide de Sahadeva. Seja bom para Draupadi. Tenha afeição por seus irmãos".

"Mas é o mesmo que disse quando o deixamos depois que perdemos o nosso reino", exclamou Yudhishthira. "Voltemos. Que estranho desejo enredou a sua mente?"

"Nós todos nascemos na floresta", disse Bhima. "Agora conquistamos o nosso reino: ou por que haveria de nos ter trazido até aqui? Por que desejou que exterminássemos a Terra? Agora é a hora de gozar conosco aquilo que conquistamos."

"Não fique a imaginar o porquê", disse Kunti. "Os filhos de Pandu sobreviviam à custa de comida alheia, observando rostos alheios. Vocês estavam todos sem forças e distantes da felicidade. Eu não quis que os filhos de Pandu se perdessem. Quanto a mim, eu antes me deleitava nestas terras com ele. Anseio por encontrá-lo novamente."

Ao entardecer, o grupo de Dhritarashtra chegava ao Ganges, longe da cidade. Os camponeses acenderam muitas fogueiras para cozinhar o jantar de todos e prepararam-lhes colchões de relva. Em torno das fogueiras, cantaram antigas canções dos reis de outrora e de suas mulheres, sob a Lua de ouro e de prata.

Seguindo o rio, passaram por Kurukshetra, onde encontraram Vyasa, que os levou a um retiro nas profundezas da mata e lá os deixou.

Todos na cidade falavam sempre do velho monarca, imaginando: "*Como viverá ele? Ele está cego*". Yudhishthira, com o mesmo pensamento na mente, não encontrava prazer em ser rei, nem nas mulheres, nem no estudo do *Veda*. Deixou de exercer suas funções reais e não respondia quando alguém lhe dirigia a palavra.

Sahadeva foi até ele e disse: "Também temos estado com os nossos pés erguidos, prontos para essa jornada, Majestade".

Yudhishthira conclamou o povo: "Quem desejar ver Dhritarashtra, que venha conosco, adequadamente protegido". Yudhishthira entregou a Cidade-Elefante aos cuidados de Yuyutsu e, por cinco dias, aguardou do lado de fora dos muros com Bhima e os gêmeos, dando tempo para que o povo se reunisse para a marcha. Partiram em direção a um retiro de ascetas em Kurukshetra, prosseguindo lentamente, descansando às margens de rios e lagos. E então, ao cruzarem a planície e entrarem nas matas, vislumbraram à distância a casa de Dhritarashtra.

Os Pandavas apearam de suas carruagens e caminharam até o ashrama. Todo o exército de Yudhishthira, todos os Kurus, as esposas dos soldados e também os seus filhos os seguiram a pé. Viram pastando bandos de veados que não se espantaram; e árvores frutíferas plantadas por pássaros; e o casebre do velho monarca, feito de palha e de flores. Sentindo a perenidade e a imutabilidade da paz imanente, todos pararam. E ouviram, na quietude, o mais longínquo gorjeio de ave e o murmúrio mais discreto de vida.

Yudhishthira prosseguiu sozinho. Sanjaya sorriu ao vê-lo e indicou: "Por ali". À beira do rio encontrou Dhritarashtra, Kunti e Gandhari trazendo de volta potes de água e carregou para eles os cântaros. Voltando para o eremitério, Dhritarashtra, emaciado pelos jejuns e assemelhando-se a um esqueleto recoberto de pele, caminhou, ereto e confiante, atrás de Gandhari. Estavam ambos cegos e eram guiados por Kunti.

Yudhishthira apresentou todo o povo, um a um, pelo nome e pela raça. Dhritarashtra sentiu-se novamente em Hastinapura e disse:

"Rei Pandava, que posso dizer dos amigos, se até os inimigos se sentem gratificados com a sua atitude? Espero que ninguém precise mendigar em seu reino. As mulheres são honradas em seu lar? Espero que os servos lhe tragam o que desejar sem aguardar ordens".

"Faço votos de que seus jejuns deixem de ser dolorosos", respondeu Yudhishthira. "Você ampliou aqui os seus conhecimentos e logrou atingir a serenidade? Consegue obter facilmente da selva o alimento? Encontro-o hoje sem qualquer aflição. Espero que sua mente se apraza em estar onde está, e que todos se sintam em paz, harmonia e felicidade. Mas onde está Vidura?"

"Meu filho, Vidura está bem. Ele vive no ar, sozinho. Nada fala; mas às vezes ouvimos seus ruídos na floresta."

"Parece-me que o fim dos seres humanos é sempre difícil de antecipar."

"Bharata", disse Dhritarashtra, "aquele que vê o mal na separação deve abandonar a união. Há três preceitos que estão acima de tudo: não ferir qualquer criatura; dizer a verdade até onde ela puder ser dita; livrar-se da ira quando não estiver correndo perigo. Hoje minha vida se coroou de sucesso, pois ocorreu este encontro entre nós. Aceite de mim estas oferendas de raízes silvestres e água. Um hóspede deve conformar-se com aquilo que tem o seu anfitrião."

Quando Yudhishthira ia tocar na comida, entreviu Vidura saindo da floresta. Seus cabelos estavam enlameados, havia pedrinhas em sua boca e sua nudez era completa, com pó e pólen pelo corpo. Quando Vidura percebeu os visitantes, recuou; mas Yudhishthira imediatamente correu no seu encalço, precisando, porém, de todo o fôlego e de toda a velocidade para não perdê-lo de vista. E clamou: "*Eu sou Yudhishthira*".

Mas perdeu-o de vista, até que, no âmago daquela desértica floresta ressecada, em lugar solitário, Yudhishthira reencontrou Vidura recostado a uma árvore. De homem só lhe restara a fisionomia geral. Sua face estava encovada e irreconhecível, mas Yudhishthira o conhecia, e perguntou:

"A amizade é ignomínia, para esconder-se assim de mim?"

Vidura fitou o rei; ele penetrou no corpo de Yudhishthira, membro por membro. Primeiro nos pés e nas pernas, nos braços e nas mãos.

Depois uniu sua respiração à do Pandava, e tornou o dentro como o fora, o interior como o exterior, os dois como um só. E penetrou-lhe os sentidos, um após outro.

Na árvore estava suspenso um cadáver. Yudhishthira tentou movê-lo, mas não conseguiu. O rio acinzentou-se e a floresta profunda tornou-se negra antes de ele voltar e contar a Dhritarashtra o que se passara.

O velho monarca disse:

"Sanjaya, precisamos trazê-lo de volta. Já é noite?"

"Aqui está Vyasa", respondeu Sanjaya.

Dhristarashtra ergueu-se e uniu as mãos. Vyasa disse:

"Nada tema, Majestade. Sente-se. Ninguém jamais encontrará aquela árvore novamente, nem a negra figura que jaz debaixo dela. Aquele corpo, de alguém chamado Vidura, não deve ser queimado, mas permanecer lá para sempre, enquanto Yudhishthira viver. Eles sempre foram um só, Majestade...". Voltou-se para Yudhishthira: "Ele é Dharma; nele está o seu corpo também. Não se lamente por ele. Ambas as suas mães repousam em folhas caídas, e a raça Bharata, resplandecente de prosperidade, depende agora de você".

"É estranho", disse Dhritarashtra, "sinto-me triste por meu irmão estar morto, mas não me sinto triste. Estamos todos muito velhos. Nossa alma nos revela prazer e dor, mas não se altera, como um espelho que não é alterado por um reflexo. Yudhishthira, seja brando com os pacíficos e severo como uma serpente fogosa com os cruéis. Espalhe espiões disfarçados de cegos e de idiotas. Quando se reunir com seus ministros a céu aberto, faça-o de dia, no meio de uma clareira. Quando os consultar em sua casa, exclua da sala macacos e aves e todos os outros animais que possam imitar os seres humanos, para que não aceite conselhos errados sem saber. Esta é toda a sabedoria que acumulei em minha soberania."

"Os fogos ardem com intensidade sob os pratos de cobre e as panelas de ferro de Bhima", disse Vyasa. "As bandejas de madeira, as colheres de pau e as tigelas, as taças de barro e os jarros de argila estão todos arranjados em ordem. Não acreditará, Majestade, no que ele conseguiu fazer com aquelas raízes e com a água."

Deixados a sós novamente, Dhritarashtra, Sanjaya, Kunti e Gandhari partiram rumo ao Portal do Ganges. Não construíram ali um lar, mas vagaram pela floresta, recolhendo como alimento o que pudessem encontrar. Certa vez, quando Sanjaya fora buscar água, o fogo sagrado de Dhritarashtra caiu sobre folhas secas e transformou-se num incêndio florestal. Sanjaya, à beira do rio, viu ao anoitecer dois pores do Sol por entre as árvores, um a oeste, outro ao sul.

Animais selvagens passaram em disparada por eles. Dhritarashtra e as duas rainhas, entretanto, não conseguiam mover-se, cercados pelo fogo de todos os lados. E aceitaram as chamas em paz.

Mais tarde, Sanjaya ergueu-se das águas com os veados, os ursos e os elefantes, e circundou três vezes o local onde haviam acampado. Lançou cinzas para Ganga e partiu sozinho para as Montanhas, para os solitários Himalaias, vigiados pelos deuses.

As memórias de Sanjaya deixaram-no como as cinzas mortas de um fogo que se apagou – as brilhantes constelações de flechas no firmamento, os sons lacerantes dos grandes arcos, o cintilar de espadas estilhaçadas, os gritos no meio da noite, nada disso existia mais, e ele pensou: "Terra, minha mãe, quanta ingratidão, quanta impiedade e quanto desalento no coração daqueles que rejeitaram sua fartura e generosidade e preferiram entregar-se a Yama. Como é possível que eles a vissem qual mansão de dor e tristeza, onde ninguém pode permanecer?".

A Cidade dos Portais

"Conte-me uma história..."

Em Hastinapura, Satyaki disse a Yudhishthira:

"Agora levarei Subhadra a Indraprastha na carruagem de Krishna. De lá iremos a Dwaravati".

E o rei respondeu:

"Está bem".

Quando a carruagem chegou chocalhando à outra cidade, Majestade, carruagem igual nunca se vira antes. Brilhava ao Sol como um fogo de ouro puro, como ruma de penitências.

Satyaki saltou e abraçou Krishna, que olhou para ele e perguntou:

"Onde conseguiu isto? O que houve com a minha quadriga?"

"Vindo para cá", respondeu-lhe Subhadra, "encontramos Maya, o Asura, mestre de mil artes e artífice de todos os ornamentos."

"Eu o conheço."

"Ele considerou uma vergonha que alguém em sua posição de glória viajasse nessa carroça. E sua determinação foi crescendo como a Lua na primeira metade do mês."

"Mas eu gostava da velha quadriga", disse Krishna. "E o que é esta posição de glória?"

"Foi o que lhe perguntamos também", explicou Subhadra. "Quando adverti Maya de que você gostava da sua carruagem, ele perguntou, com grande amabilidade e cortesia, se não poderia ornamentá-la um pouco. Como recusar sem magoá-lo? Recobriu então as rodas com ouro do Sol e prata da Lua. Cobriu o carro com cinturões de gemas preciosas, com esmeraldas e jaspe e pérolas, com turquesas e diamantes, com corais, opalas e rubis, com topázios dourados, granadas, ametistas e jade verde."

"Acaso sou um rei para dar mostras de ostentação e preocupar-me com o que as pessoas pensam de mim?", indagou Krishna.

"Esta quadriga anda como um sonho", disse Satyaki. "E continua sem armas, com o seu estandarte desfraldado acima de tudo."

Krishna sorriu. "Se for de fato a mesma carruagem... está realmente muito linda."

"Veja", disse Subhadra, "estas gemas solares brilhantes e douradas, o brilho do Sol tornado sólido. À sombra, são frias ao tato; ao Sol, quentes como brasas. São duras e cortantes, lavradas por listras entrecruzadas. E veja estas selenitas, gemas da Lua semelhantes às pérolas, macias e suaves, opacas ao Sol e feitas de raios de luar tornados espessos. Maya pendurou-as sobre sua carruagem; quando brilha o luar, elas reluzem e fosforescem; com o orvalho que cai, tornam-se álgidas e úmidas. Krishna, por que Arjuna nunca vive em casa?"

"As maçãs do rosto de Arjuna são um pouco salientes demais; este é o seu único defeito", disse Krishna. "Somente por isso ele está sempre viajando."

Subhadra, que não suportava ouvir a menor falha atribuída a Arjuna, olhou colericamente para o irmão.

Mas Arjuna sorriu para eles. "A epopeia está praticamente encerrada. Quando partiremos para o mar?"

"Ao amanhecer", respondeu Krishna. Segurou os braços de Arjuna, ambos cobertos de cicatrizes deixadas pelas cordas do arco. "Espere aqui... depois retorne e encontre-se comigo onde nós sempre estivemos."

A carruagem de Krishna – estandartes coloridos esvoaçantes, pendões desfraldados nos mastros – cruzou o grande deserto que existe entre Kurujangala e o mar ocidental. O vento soprava diante do carro, rebentando e atirando longe as pedras e os espinhos. Em meio aos areais vislumbraram o anacoreta Uttanka caminhando pelas dunas desertas e fazendo-lhes sinal para que parassem.

Uttanka sorriu e uniu as mãos. "Senhor dos Sentidos, sei que está vindo de Hastinapura, onde, por sua compaixão, conseguiu impedir a guerra inútil entre os Dhartarashtras e os Pandavas."

Krishna encarou-o firmemente. Desceu lentamente da carruagem e disse:

"Brâmane, a verdade é muito diferente; foi obra dos deuses. Os nós do destino são difíceis de desatar. Nascido homem, devo agir como homem. Fiz tudo o que pude".

"Mas como pôde fracassar?"

"Meus esforços todos não lograram estender-se além do tempo e do espaço. E os homens, agrilhoados por seus atos, clamam que é o destino."

"É verdade", concordou Uttanka, "e o homem que não consegue distinguir a verdadeira forma de Deus é um tolo. Tenho sede."

Krishna trouxe água e disse:

"Sempre que carecer de água no deserto, pense em mim". Em silêncio Uttanka aceitou a dádiva, e a carruagem ornada de joias logo se perdia de vista. O brâmane retornou à solidão do deserto.

Ora, Bharata, não tardou que Uttanka estivesse com muita sede e pensasse em Krishna. Assim que o fez, viu aproximar-se um caçador vestido de trapos, imundo e quase nu, rodeado por cães que rosnavam com ferocidade e armado com uma machadinha coberta de sangue coagulado. Seus cabelos e a barba estavam emaranhados e besuntados com gordura animal; os olhos, completamente vermelhos e alucinados. Encorcundado, veio mancando pela areia, regozijando-se em estalar os lábios, e curvou-se cortesmente diante de Uttanka.

O caçador estendeu-lhe uma cabaça imunda. "Asceta, lance fora de si toda a inação! Beba, pois eu lhe fui enviado."

Uttanka enrugou o nariz, e os cantos de sua boca penderam. "Cheira como se estivesse cheia de urina."

"Não há nada que possa ser feito", disse o caçador. "Em nome de Deus, que as escamas caiam de seus olhos. Eu vim até você por compaixão. Beba, e viva para sempre."

"Zombando de um homem santo!". Uttanka bateu na cabaça, que escapou das mãos do caçador. Mas, caindo, desapareceu; e com ela também o homem e os cães. Uttanka descortinou então Krishna andando pelo caminho por onde o caçador viera, carregando um pote com água.

Uttanka bebeu. "Que caridade foi essa? Em que pensava ao enviar-me um pária com água intocável?"

"Ele não era o que parecia ser", explicou Krishna, "nem a sua água. E, no entanto, você os recusou, por desconsideração. Ele ama a distração e o disfarce, mas é honesto. Fizemos uma aposta e fechamos um negócio, e eu perdi."

"Indra!", Uttanka baixou os olhos para os pés descalços. "Ó Senhor, imaginou-me mais sábio do que sou, e este foi o seu único erro. O néctar da imortalidade!"

"Quando desejar água", disse Krishna, "nuvens surgirão sobre este deserto para você, carregadas de chuva. Indra não é mais do que seu escravo, brâmane."

E até hoje, Bharata, as Nuvens de Uttanka fazem derramar chuva periodicamente sobre a aridez do deserto.

Dwaravati, a octogonal Cidade dos Portais, raiava as areias prateadas do mar em alvoroço. Jardins aquáticos, protegidos por um dique branco e imponente, cresciam ali onde a água nunca é salgada, mas sempre doce. As muralhas da cidade eram de diamante, rodeadas por um fosso circular de água marinha marginado por árvores e bambuzais, no qual viviam patos e garças, e onde a maré nunca baixava. Seus torreões culminavam em domos de safira azul que de dia transformavam o Sol em estrelas e à noite atraíam os raios das constelações. Seus portais ostentavam rubras estrelas cúpricas em painéis de bronze, ou sóis redondos de cobre e zinco sobre fundo de ouro, ou luas de prata e planetas sobre aço polido, ou ainda enormes pérolas gravadas com as histórias esquecidas de homens já desaparecidos.

Perto de Dwaravati erguia-se o monte Raivataka. Satyaki, com seus largos ombros, Krishna e Subhadra, vindos do oriente, lá chegaram ao anoitecer, e encontraram o morro decorado para o festival anual. Flores e arroz colorido espalhavam-se por toda parte, bandeirolas e sinos esvoaçavam ao vento oceânico, elefantes coloridos acompanhavam o ritmo dos alaúdes e dos tambores, lâmpadas acesas pendiam dos postes e das árvores, tornando as cavernas, as fontes e os vales claros como o dia. Por toda a região os pássaros gorjeavam sem parar, ciscando o arroz.

Tamanho era o barulho que parecia que o próprio monte estava gritando e cantando. Quando viram Krishna, as meninas de olhos morenos que brincavam nas lagoas de lótus ao longo da estrada abraçaram-no com o olhar. Dos pomares e arvoredos ao pé do morro vieram todos correndo para recepcioná-lo. Satyaki e Krishna lançaram olhares amorosos e sorrisos às mulheres que cercaram sua carruagem.

Satyaki saltou da boleia e, com suas mãos enormes, escavou um pouco do solo cor de cobre de Dwaravati. Atirou uma nuvem de pó bem para o alto que caiu quase inteira sobre o rei Ugrasena, que viera caminhando para recebê-los.

Krishna saltou da carruagem para alcançá-la.

Ugrasena riu e abraçou Satyaki. E então, num movimento lépido e ágil, levantou-o e atirou-o pelo ar para dentro da lagoa de lótus mais próxima, sobre as meninas que lá se banhavam. Das dobras de seu manto real o monarca tirou a flauta de Krishna, jogando-a para ele.

Krishna saltou da carruagem para alcançá-la, e pousou sobre os dois pés, de frente para o rei.

"Velhote, não jogue as pessoas na água dessa maneira! Ainda mais que ele completou esta longa jornada para contar-lhe sobre a grande guerra dos Bharatas."

Ugrasena cofiou suas longas barbas brancas. "Ah, sim, a guerra." Olhou solenemente ao redor e todos silenciaram. "Pois bem, fale. Quem desejar ouvir a história do auriga, que se manifeste."

Ninguém disse uma única palavra. Ugrasena virou-se para Krishna com o olhar fulgurante. "Talvez em alguma outra hora, não?". E puxou-o pela mão, rindo consigo mesmo, satisfeito.

Nas proximidades de Indraprastha, Arjuna viu sua passagem bloqueada por um homem que vestia uma pele negra de veado, rota e carcomida, e um colar, largo e chato, de cobre e zinco esburacado. Ele era alto, e tinha os cabelos louros e soltos.

Agni disse, mansamente:

"Já tomei a sua carruagem. Dê-me agora o arco Gandiva e todas as mil flechas". Quando o Senhor do Fogo tocou nas armas, elas se tornaram cinzas.

Arjuna enviou uma carta a Yudhishthira, dizendo:

"A floresta Khandava voltou a vicejar, e o palácio mágico de Maya jaz em ruínas em mato tão alto que cobre minha cabeça. Yudhishthira, também para você, é chegada a hora".

Acompanhados por Arjuna, Yudhishthira, seus irmãos e Draupadi, todos vestidos de negro, caminharam para o norte.

Em Dwaravati, num dia em que o vento soava como o oceano, e as ondas do mar como o vento, a cidade afogou-se, inundada por águas salgadas. Todos pereceram, exceto Krishna e Balarama.

Eles estavam caminhando pelas florestas do monte Raivataka. Krishna deixou seu irmão sentado sozinho sob uma árvore, sorvendo tranquilamente o vinho da sua jarra, e saiu a vagar sem rumo e sem companhia por aquelas matas ermas. Sesha, a serpente sem fim, que sustenta o mundo, sugou para si a energia de Balarama justamente quando ele havia bebido a última gota de vinho: de entre os olhos de Balarama um jato de luz penetrou no mar, e o corpo deixado para trás tombou.

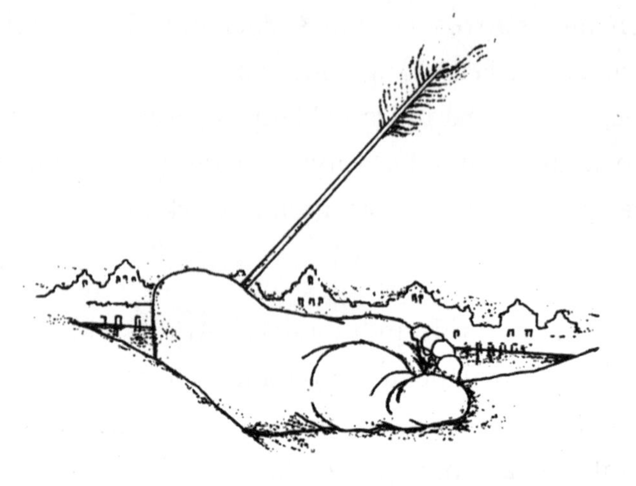

Com uma flecha ligeiramente fincada em seu pé.

Krishna deitou-se na grama e pensou: "Ó Arjuna, onde está você? *Eis que atirei meu fogo à água; com os braços erguidos eu clamo, mas ninguém me ouve*". Franziu a testa. "Bem, amanhã...", disse ele, "amanhã eu destruirei o mundo por causa da sua maldade." Passou a mão nos longos cabelos lisos, juntou firmemente os dedos morenos e adormeceu.

Justamente nesse instante, Bharata, Jara, o caçador, vasculhando a floresta em busca de veados e passando pelo Raivataka, confundiu o pé de Krishna com o rosto de um corço, e lançou uma flecha de relva que lhe acertou o calcanhar. Jara correu morro acima para capturar sua presa, e encontrou Krishna morto em sua túnica amarela, com quatro braços, uma joia de grande lisura no peito e com uma flecha ligeiramente fincada no pé.

"Como pôde esta seta matá-lo?", surpreendeu-se Jara. "Envergonho-me do que fiz, mas o que se pode fazer?"

Jara lançou um olhar furioso para o mar, que vinha subindo pelo caminho que Krishna tomara, inundando as terras mais baixas, e logo envolvia os pés do caçador. Ele pensou: "Jamais falarei sobre isso", e partiu para longe, para sempre.

Os torreões de safira submergiram sob os maciços penhascos do mar, que agora já se atirava contra as cavernas montanhescas do Raivataka.

Querido rei, o Tempo é a raiz e a semente: ele dá e ele toma. Curvo-me perante Deus, que habita este mundo dentro de nós. A quem O chamar, por qualquer nome, por esse nome Ele virá.

"Portanto, cautela e reverência com os nomes de Deus", disse Vaisampayana. "E assim encerro toda a minha história."

Saunaka, a sabedoria deste conto, como uma pequenina haste que se usa para espalhar pó negro em torno dos olhos, abre os olhos de um mundo que busca, mas que é obscurecido pela ignorância. Assim como a Lua cheia faz abrir à noite os botões do lírio, também este romance amplia a mente. À luz da história ilumina-se toda a mansão do ventre da natureza.

"Ó Astika", disse Janamejaya, "este é um sacrifício maravilhoso." E, dentre os milhares que se haviam reunido em torno de Vyasa, de Vaisampayana e do rei, Takshaka, o príncipe-serpente, ergueu-se, vestido no fausto das joias e das estrelas.

Ele saudou primeiro o poeta, depois o contador e em seguida o rei. Tomou o braço de Astika, e partiram pelo entardecer. Entraram no Ganges sob as bênçãos de Ganga, desaparecendo debaixo das águas, para o reino Naja, nas profundezas.

Tomou o braço de Astika, e partiram pelo entardecer.

“Junto aos ramos frondosos da árvore de Narayana”, disse Sauti, “cujas folhas são canções, nas relvas do elevado planalto, no seio eterno e sagrado de Kailasa, os atores se reuniram sob as sombras multicoloridas e se perguntaram: ‘O que faremos a seguir?’”.

As longas folhas de relva se curvam,
Oh, as longas folhas no vento árido,
Oh, o vento tange como flechas,
Cortado pelas espadas, as longas espadas de relva.

Aqui termina o *Mahabharata*.

Lista das personagens

Adhiratha: o auriga que adotou karna.
Agni: deus do fogo.
Amba: a princesa mais velha de banaras.
Ambalika: a princesa caçula de banaras.
Ambika: a terceira princesa de banaras.
Arjuna: filho de indra, e um dos pandavas.
Astika: filho de uma mulher naja e um eremita.
Aswins: deuses gêmeos.
Balarama: irmão de krishna.
Bharata: lendário rei lunar.
Bhima: filho do vento e um dos pandavas. O rei vidarbha também se chama bhima.
Bhishma: filho do rei santanu.
Brahma: criador do universo, senhor do mais elevado dos céus, e que é indestrutível.

CHITRARATHA: rei dos gandharvas, os músicos celestiais.
DEVI: esposa de shiva.
DHARMA: pai de yudhishthira, deus da justiça.
DHRISHTADYUMNA: filho de drupada, nascido do fogo.
DHRITARASHTRA: o rei bharata cego.
DRAUPADI: filha de drupada, nascida do fogo, esposa dos pandavas.
DRONA: mestre de armas dos bharatas.
DRUPADA: rei de panchala.
DUHSALA: única filha de dhritarashtra.
DUHSASANA: segundo filho de dhritarashtra, um dos cem filhos nascidos da sua rainha.
DURYODHANA: primogênito de dhritarashtra.
GANDHARI: rainha de dhritarashtra.
GANGA: deusa do rio ganges.
HANUMAN: chefe dos macacos, um dos heróis do *ramayana*.
INDRA: senhor dos céus.
JANAMEJAYA: o rei bharata que governava quando o *mahabharata* foi contado.
JAYADRATHA: rei dos sindhs.
KALEE: deusa do mal.
KALI: deus da desgraça.
KAMA: deus do amor.
KARNA: primeiro filho de kunti, gerado pelo sol.
KRIPA: mestre dos arqueiros para os bharatas.
KRIPI: irmã gêmea de kripa.
KRISHNA: chefe do clã dos yadavas.
KRITAVARMAN: membro da família de krishna.
KUNTI: primeira esposa de pandu, mãe de yudhishthira, bhima, arjuna e karna.
KURU: lendário rei que deu seu nome ao povo bharata e à planície de kurukshetra.
LAKSHMI: deusa da boa fortuna e da fartura; consorte celestial de narayana.

MADRI: segunda esposa de pandu, mãe de nakula e sahadeva, irmã de salya.
MANIBHADRA: rei dos yakshas e protetor dos viajantes.
MATALI: auriga de indra.
MAYA: um asura.
NAKULA: um dos gêmeos pandavas.
NARA: o primeiro homem, o espírito do homem.
NARAYANA: o senhor vishnu, que preserva o universo.
PANDU: irmão mais moço de dhritarashtra.
PARIKSHITA: filho de arjuna e pai de janamejaya.
PRATIPA: avô de bhishma.
SAHADEVA: um dos gêmeos pandavas.
SAKUNI: irmão de gandhari, tio de duryodhana.
SALWA: o amado escolhido por amba, um rei do ocidente.
SALYA: rei do povo madra.
SANJAYA: auriga de dhritarashtra.
SANTANU: filho de pratipa, marido de ganga e pai de bhishma.
SATYAKI: membro da família de krishna.
SATYAVATI: mãe de vyasa.
SAUNAKA: o que ouviu o *mahabharata* na floresta.
SAUTI: aquele que lhe contou o *mahabharata.*
SESHA: a serpente de narayana.
SHIVA: o grande deus cujo terceiro olho destruirá o universo.
SIKHANDIN: filho de drupada, nascido mulher.
SUBHADRA: irmã de krishna.
SURYA: o deus-sol.
SUSARMAN: rei dos três castelos, aliado de duryodhana.
SUYODHANA: "bom lutador", outro nome de duryodhana.
TAKSHAKA: a serpente que matou parikshita.
UGRASENA: o rei yadava.
URVASI: uma apsara.
UTTARA: filho de virata.
UTTARAH: filha de virata e mãe de parikshita.

VAISAMPAYANA: o que contou o *mahabharata* para janamejaya.

VAISHRAVANA: deus das riquezas.

VAYU: deus do vento.

VIDURA: irmão mais novo de pandu.

VIRATA: rei de matsya.

VYASA: o poeta que compôs o *mahabharata*.

YAMA: deus dos mortos.

YUDHISHTHIRA: o mais velho dos pandavas, filho de dharma.

YUYUTSU: filho de dhritarashtra e de uma criada palaciana.